Veils of Empire

帝国のヴェール

人種・ジェンダー・ポストコロニアリズムから解く世界

荒木和華子・福本圭介＝編著

明石書店

まえがき

私たちは、今、どのような世界に生きているのだろうか。あらためてそう尋ねられたら、皆さんはどう答えるだろうか。この問いに答えるのは思ったよりも難しい。というのも、「私たち」のなかにも複数性があり、自分が生きている世界と他者の世界は、異なっているかもしれないからである。したがって、「世界」をつかまえようと思えば、他者との対話が不可欠となる。また、今の世界を問うなら、人類が生きてきた長い歴史との関連で、「今」を捉え返さなければならない。これらは、大変な作業である。しかし、今、世界規模で誕生しつつあるのは、この世界そのものを問いに投げ込み、他者たちとの対話のなかで、再び新たに人間の針路を見定めようとする精神である。

二〇二〇年五月末、ブラック・ライヴズ・マター運動（以下、ＢＬＭ運動）と呼ばれる民衆蜂起が全米に広がり、さらには国境を越えて世界各地でそれに呼応する行動が展開されたのは記憶に新しい。米国ミネソタ州ミネアポリスでの白人警察官による黒人男性ジョージ・フロイドさん殺害の映像がＳＮＳを通して拡散されたことをきっかけに、「黒人の命を軽く見るな」（Black Lives Matter）と主張する抗議行動が瞬く間に世界に広がったのである。

もともとＢＬＭ運動は黒人に対する警察の蛮行に抗議するだけでなく、社会に内在する人種差別システムを変革しようとする運動として展開されていたが、アメリカ社会のメインストリームの運動にはなっていなかった。しかし、コロナ・パンデミックの渦中で「人種」による死亡率などの差が社会における「命の格差」を明白にするなかでの殺害事件は、社会に内在する構造的な差別と暴力を可視化させ、不公正で不平等な社会構造そのものに人々の目を向けさせた。そして、マジョリティの側にいる白人さえもが――特に若者たちが――自らの特権と足場《ポジショナリティ》を問い始めたのである。

世界に広がったＢＬＭ運動が本質的に問うているのは、この世界がいまだに内蔵している植民地主義的な構造（制度的な差別）だと言っていいだろう。もちろんそのような構造は、私たちが生活する日本社会のなかにも根深く残っている。ＢＬＭ運動に呼応する行動は、沖縄においては米軍基地問題に取り組む若者らによって主催されたし（その周辺からは、「オキナワン・ライヴズ・マター」、「命《ぬち》どぅ宝」という声も聞こえた）、日本の各地の都市でも、それぞれの場所の反差別の運動と結びつきながら展開された（我々編者も職場のある新潟市でデモに参加した）。これらのことが示しているのは、日本社会のなかにも植民地主義や制度的差別が根深くあること、さらには、それらの構造的問題を世界史的な文脈のなかで問い直そうとする新しい精神が生まれ始めていることだ。

本書『帝国のヴェール――人種・ジェンダー・ポストコロニアリズムから解く世界』も、そのような時代状況のなか、この問題と正面から組み合うために編まれた論文集である。執筆者たちの専門分野は、歴史学、文学、文化研究、批評理論、メディア研究、国際関係論、ポストコロニアル研究と様々であり、国籍、居住地、性別、年齢も様々なのだが、論文の根底に流れる主題は共通している。ここでは、なぜ、この論文集に「帝国のヴェール――人種・ジェンダー・ポストコロニアリズムから解く世界」というタイトルがついているのかを説明することで、複数の執筆者によって成り立っている本書の根底にある主題を説明しておきたいと思う。

「帝国のヴェール」という言葉の背後にある一つの重要な認識は、私たちは、いまだに「帝国」と呼ぶほかない国家と資本によるシステム、つまりは、国境を越えた（目には見えにくい）搾取と収奪のシステムのなかにいるのではないかということである。読者のなかには、「帝国」とは過去の遺物であり、人類は帝国主義や植民地主義をすでに乗り越えたと思い込んでいる人がいるかもしれない。しかし、グローバルな水準でも「中核（中心）」が「周辺」を搾取する世界システムや、その下での国家間のヘゲモニー争いは残っており、「中核」を構成する先進国の内部でも、富の偏在と貧困を生み出す経済システムや社会構造はなくなっていない。また、様々な少数民族や先住民に対する差別もあいかわらず続いている。人々を分断し、支配し、搾取する「帝国」は決して終焉していないのである。

では、「帝国のヴェール」とは何なのか。この言葉を説明するにあたって、二〇世紀アメリカを代表する一人の思想家を紹介したい。奴隷解放後から公民権運動只中までの一世紀を生き、アメリカという「帝国」の形成と白人至上主義の関係について誰よりも深い洞察を持っていた黒人知識人、W・E・B・デュボイス（一八六八〜一九六三）である。デュボイスは、その主著『黒人のたましい（*The Soul of the Black Folk*）』（一九〇三）の冒頭において、二〇世紀初頭の「帝国」をつくり上げている肉眼では見えにくい「障壁」の存在を「ヴェール」という言葉で呼んだ。これが実際に意味するのは、国境を越えて広がる「カラーライン」（皮膚の色による境界線）なのだが、デュボイスは、「ヴェール」という言葉を使って、「帝国」の土台を形成する世界の分断と特定の人間への抑圧を比喩的に表現したのである。

デュボイスによれば、黒人たちの生は、目には見えない何かによって、押し込められ、閉じ込められ、声を奪われている。目には見えない「障壁」が黒人たちの存在には貼りついており、その「ヴェール」がもう一つの世界から黒人たちを断絶させているのである。他方、マジョリティである白人側からは、そのような黒人たちの孤立や苦しみが見えない。黒人たちの生には、「ヴェール」がかかっており、白人の世界からは不可視化されているのである。デュボイスにとって「ヴェール」とは、このように、特定の人間の存在を抑圧しつつ、それを隠蔽するものである。人間を圧殺しつつ、その暴力を不可視化するのが「ヴェール」であり、「カラーライン」を引くこと（＝人種化）なのである。

また、このような「ヴェール」の機能が、実は、「ジェンダー」にもあるということを、二一世紀に生きる私たちは知っている。エジプト出身の著名なフェミニストであり、今年三月に八九歳でその生涯を閉じたナワル・エル・サーダウィもまた「ヴェール」という言葉を用いて、ジェンダーによる差別や障壁の不可視性を指摘していた。「人種」によって、人間が閉じ込められつつ、その暴力が不可視化されてきたように、「ジェンダー」によっても人間は閉じ込められ、そのような暴力が不可視化されてきたのである。そして、本書第一部の執筆者ルイーズ・M・ニューマンが長く研究してきたように、この二つの概念（規範）は相互補完的に絡み合いながら互いを形成し、アメリカ「帝国」の形成そのものを支えてきた。

また、「ヴェール」とは、第I部の第2章やコラム1で述べられているように、女性への覆い coverture のことでもある。本書のカバー写真（マニフェスト・デスティニーを表している）の女神が纏っているのが白いヴェールであり、また多くの社会において花嫁が結婚式で纏うのも純白のヴェールである。このようなヴェールは魅力的で美しいものとして表象・認識されることが多く、このヴェールを纏うことは一部の女性の憧れであることも珍しくない。つまり、「ヴェール」がなぜ不可視化されているかといえば、第5章で明快に解説されているように、イデオロギーの機能においてわたしたちは無意識に、しかし自発的に、巧妙な権力に合意してしまうからである。権力、ヘゲモニーはニシャン・シャハニが述べるように、隠匿的であり、「覆い隠されており、潜伏しているのである」。

つまり、「帝国のヴェール」とは、人間を抑圧しつつ、それを隠蔽する何ものかであり、それ自身見えづらい。「帝国」はそのような「ヴェール」（人種、ジェンダー）を土台にして自らを構成している。したがって、「帝国」も見えづらい。しかし、現代においても怪物的存在であることをやめない「帝国」の正体を捉えるためには、私たちは、人間の生を殺害可能なものにする「ヴェール」にこそ、あらためて目を凝らさねばならないだろう。人間を真に解放するには、その「ヴェール」を可視化する必要があるのだ。

本書『帝国のヴェール――人種・ジェンダー・ポストコロニアリズムから解く世界』の背後

には、以上のような問題意識がある。サブタイトルのなかにある「ポストコロニアリズム」は、いまだ継続する植民地主義《コロニアリズム》を直視しながら、そこからの脱却を模索する人間たちの闘いを名指す言葉である。「ヴェール」を直視し、分析し、言語化するのは、私たちが、その向こうの世界を、その向こう側にいる人間との出会い直しを求めるがゆえである。そして、向こう側にいる人間とは、あなた自身かもしれない。私たちは、殺したくないし、殺されたくない。この倫理を抱きしめて、「ヴェール」に両手を伸ばしたい。「ヴェール」の向こうからは小さな叫びが聞こえているだろう。あるいは、その小さな叫びは、私たちの心の奥底から聞こえているのかもしれない。私たちは、その「叫び」への応答のなかで対話を開始し、自分の答えと新しい世界をきっと見つけることができるだろう。

最後に、この論集の全体構成について簡単に解説しておきたい。

まず、序文では、近現代世界史をあらためて再検証するために「人種資本主義」という概念が紹介・提案される。そもそも南北アメリカ大陸の植民地化と大西洋奴隷貿易とともに始まる資本主義が、その本質において、人種主義《レイシズム》を不可欠の要素とする収奪と搾取のシステムだとすれば、どうだろう。ここでは、世界各地で始まっている「帝国」の問い直しをひとつながりのグローバルな問題として捉えるための新しい視座が提起される。

第Ⅰ部では、アメリカ帝国の形成にどのように人種とジェンダーが関わってきたのかが中心的なテーマであり、アメリカの内側から考察を試みる。「ソフトな帝国主義」と言われる植民地支配の文化において、頻繁に「文明化」のレトリックが用いられてきたが、そのプロセスに人種・ジェンダーは不可分な形で関わってきた。アメリカが「帝国」として海外で影響を及ぼす際の文化的基軸を理解するにあたって、まずは国内での人種・ジェンダーによる制度、言説、規範を歴史的な文脈のなかで見ていく。そこで検討・言及されるのは、一九世紀の文明化事業としての宣教活動や人種的ミンストレルシーの表象、セクショナリティと人種に関する恐怖の神話と異人種混交の歴史の不可視性のほか、「真の女性らしさ」イデオロギーと奴隷制廃止主義者による解放民援助活動、結婚制度の廃止を訴えた一九世紀の急進的な市民運動、二〇世紀の公民権運動を支えた黒人女性活動家の思想と活動、さらに脱人間中心主義のポストコロニアルな世界を追求するために人と動物の関係を捉え直す「人種、ジェンダー、種の交差性」の視座などである。

第Ⅱ部では、ポストコロニアリズムの時代におけるジェンダーとセクシュアリティの問題を運動と批評の両方の観点から見つめる。ここでは、論文の対象地域はアメリカを超えて、世界に広がる。まず、クィア理論における重要概念が解説・紹介され、続いて、現代インド都市部で展開されるゲイ観光の文化政治が「レイプの首都」のポリティクスとの対照において描かれる。次に紹介されるのは、理論家ジュディス・バトラーによるジェンダーや情動の規範形成をめぐる思考である。そして、さらに、世界を舞台にしたＦＧＭ廃絶運動の歴史とその新しいアプローチなどを具体的な事例とともに検討する。

第Ⅲ部では、一九四五年まで帝国日本に支配されていた東アジアの諸地域が、第二次世界大戦後、アメリカのヘゲモニーの下で新たな「帝国」へと再編され、植民地主義の問題が根本的に清算されないまま現代に継続している問題を見つめる。歴史学におけるポストコロニアル研究のインパクトは、これまでのナショナル・ヒストリーを批判的に問い直す視座を提供したことにある。ここでは、この点を確認しつつ、戦前の朝鮮半島、戦後の韓国や台湾、さらには、日本国内では、沖縄、水俣、「裏日本」と呼ばれる日本海側を主題として論じ、東アジアの「終わらない植民地主義」を直視するだけでなく、そこから脱却するヴィジョンについても考察する。

＊　＊　＊

本書は研究の成果であり、プロセスでもある。私たちはこの本の制作に心を込めた。今、困難のなかにありながらも、生まれつつある新しい精神と想像力に本書を捧げたい。

二〇二一年八月一四日

福本　圭介
荒木和華子

帝国のヴェール——人種・ジェンダー・ポストコロニアリズムから解く世界　目次

I
帝国としてのアメリカにおける人種とジェンダーの交錯

＊本文中の［ ］は訳註。

序文　人種資本主義《レイシャル・キャピタリズム》序説
——ＢＬＭ運動が投げかけた世界史的問い

貴堂嘉之

はじめに

歴史学では、大きな災害や災厄、政治・経済・社会の激動の影響を受けて、それ以前と以後とでは過去の出来事への眼差しやその歴史的位置づけが大きく変わってしまうモメントがあるように思う。コロナ・パンデミックに始まり、ブラック・ライヴズ・マター運動（以下、ＢＬＭ運動）が米国を起点に世界各地へと広がって反人種差別のグローバルな抗議活動に発展したことなど、私たちが経験した二〇二〇年とは、おそらく後世から振り返れば、それまでの歴史研究のあり方が根底から問い直され、歴史を見る眼差しが大きく変わった転換点と位置づけられることになるのではないだろうか。これは、過去の出来事が周年イベントとして顕彰され、権力側の「正史」が再確認され強化されるのとは対照的なものだ。

本稿では、ＢＬＭ運動が投げかけた世界史的問い——奴隷貿易や奴隷制、植民地主義との関わり——とは何であったのかを考えながら、「人種資本主義」（racial capitalism）という観点から世界史を再考する近年の研究動向を紹介することにしたい。

米国疾病対策センターの統計によれば、二〇二一年七月三一日現在、米国の感染者総数は三四九二万六四六二名で、死者数は六一万八七三名にのぼる。COVID-19の死者については、しばしば米国が経験した戦争の戦死者との比較でその推移が捉えられてきた。昨年四月末には早くも朝鮮戦争（五万四二四六人）、ベトナム戦争（九万二〇〇人）を超え、六月中旬には第一次世界大戦時の戦死者（一一万六五一六人）を上回った。年が明け、バイデン大統領の新政権発足直後の一月二〇日には、第二次世界大戦の戦死者（四〇万五三三九人）を超え、ついに七月末に至って、米国戦争史上、最多の戦死者を出した南北戦争の戦死者（六二万人）に届こうとしている（貴堂二〇二〇）。

最先端の高度医療を誇るはずの米国が、なぜ世界全体の死者数の一五％を占めるほどの大打撃を受けたのか。このコロナ禍の経験は、米国の公衆衛生や医療保険の脆弱さを露呈したばかりではない。すべての年齢層において、黒人やヒスパニックの方が白人に比べて死亡率が高く、COVID-19は特定の人種マイノリティや貧困層を直撃し、アメリカ社会の深層にある分断や格差、差別を浮き彫りにしたのだ。

この深刻なコロナ禍における最大の被害者である黒人たちによるBLM運動は、二〇二〇年五月のミネソタ州ミネアポリスでのジョージ・フロイドさん死亡事件が引き金となって、再び全米各地へと燃え広がった。黒人ばかりでなく、アジア系、ヒスパニック、そして白人の若者世代が加わり、BLM運動は地域や人種、世代を超えた大規模な反人種差別運動へと発展した。その波は世界各地へも広がり、イングランド西部の港町ブリストルで奴隷商人エドワード・コルストン像が引き倒されたことに象徴されるように、近代植民地主義や帝国主義、奴隷制そのものの問い直しへと波及していったのである。

ここでBLM運動のさなか、盛んに議論されたキーワードを思い出してみよう。まずは、「制度的人種差別」（institutional/systemic racism）である。差別を「心の問題」として捉える近視眼的な見方（メディアの報道はこの見方が多い）を否定し、人種差別の問題を歴史的に形成された社会構造上の制度的な問題として捉える見方である。そもそも弱者が不利となる制度的仕組みが社会構造に組み込まれていて、黒人は黒人として生まれただけで以後の人生が自動的に不利となってしまい、その悪循環から個人の自助努力では抜け出せない、そのような構造的な差別があるものとして議論するのが「制度的人種差別」である。

米社会では一九六〇年代後半から七〇年代に広く用いられるようになった。この言葉の生みの親とも言えるブラック・パワー運動の指導者ストークリー・カーマイケルはこの概念を、あからさまな個の白人の個の黒人に対する「個人的な人種差別」と、白人コミュニティ全体での黒人コミュニティに対する「制度的人種差別」を対比させて以下のように説明している。

白人テロリストが黒人教会を爆破し、五人の黒人の子どもを殺せば、それは個人的な人種差別の行為であり、それをこの社会のほとんどの人々が嘆き悲しむだろう。

しかし、同じアラバマ州バーミンガムの町で毎年五〇〇人の黒人の赤ん坊が、適切な食事や住まい、医療施設がないために死んでいて、さらに黒人コミュニティにおける貧困や差別によって、数千の人々が肉体的にも、精神的にも、知的にも傷つけられ破壊されてい

るとしたら、それこそが制度的人種差別の機能なのだ。(Carmichael and Hamilton 1967)

つまり、直接的な暴力だけが問題なのではなく、白人と黒人との貧富の格差を生み出した住宅差別や教育差別——より長い歴史的過程でつくられた差別——が、現在に至るまでその影響を及ぼしているのである。この制度的・構造的差別の淵源を遡れば、自ずと長い奴隷制下の苦難にまで立ち戻る必要が出てくる。

この文脈でキーワードとなったのが「一六一九プロジェクト」である。一六一九年とは、史料上確認できる限りで最初にアフリカ黒人が英領植民地(ヴァージニア)に連れてこられた年であり、奴隷制の長い歴史を考える起点となった。その四〇〇年後の二〇一九年にNYT紙は一二本の特集記事を載せたNYTマガジン特別号を出して、米国の歴史を一七七六年ではなく、一六一九年を起点に遡って検証する必要があると主張し、賛否両論の論争を巻き起こした。

こうした一連の歴史的見直しの議論のなかで、米国のみならず、近現代世界史を再検証する視座として注目されているのが「人種資本主義」の視座である。BLM運動後の全世界的な反人種差別の抗議運動は、総じて言えば、近代世界が築いてきた「人種資本主義」の負の遺産への異議申し立てとして捉えることができると、多くの研究が指摘している。この研究視座は、日本ではまだまとまった形で紹介されていないので、本稿では二〇二一年に刊行されたデスティン・ジェンキンズとジャスティン・リロイ編の『人種資本主義の歴史(*Histories of Racial Capitalism*)』(コロンビア大学出版会)に収録された「序説　資本主義古史(*The Old History of Capitalism*)」を抄訳して紹介することとし、これをもとに日本でも今後、活発な議論が展開されることを期待したい。

『人種資本主義の歴史』「序説　資本主義古史」抄訳

本書の主張はシンプルである。人種資本主義は、資本主義の種類の一つではない。人種資本主義は、資本主義の歴史のなかで、商人――、産業――、金融――といった順列や位相、段階の一つとしてあるのではない。というよりむしろ、大西洋奴隷貿易と南北アメリカ大陸の植民地化が始まったときから、すべての資本主義は、物質的な収益性とイデオロギー的な一貫性において、人種資本主義によってできていたのである。私たちは、人種的な抑圧はより普遍的な資本主義システムの特殊な表れであると、そのような前提で考えがちだが、その前提を覆す必要がある。資本主義を人種的なものとして認識することは、私たちの資本主義に対する感覚を特殊化するのではなく、拡大するものである。人種資本主義が私たちに問うているのは、人種的に中立と思われてきた資本主義の原型が、実は徹底的に人種化されているという認識である（Robinson [1983] 2000）。

1　なぜ「人種資本主義」なのか？

資本主義の歴史に学術的関心が高まった背景に、二〇〇八年の金融危機とその後の銀行救済、「第二の金ぴか時代」とも言われる未曾有の所得格差がもたらした不平等があったことは今や常識となっている。人種研究をしてこなかった歴史家にとって、資本主義があらためて関心の的になったのは、資本主義の論理が壊れかけ、言い換えれば、資本主義がもはやその前提としての普遍的な白人の労働者階級、中産階級のために機能していないように思えたことがきっかけであった。一握りの研究者だけが、いわゆるサブプライムローン危機や金融イノベーションの核心にあるものとして、厳密に人種的ダイナミズムを問う視座を持っていたが、多くの研究者や一般の人々はこの問題に関心を持つことはなかった。マルクス以来の分析上の問題とも言えるのだが、資本主義を人種の観点から批判することは、より普遍的な資本主義批判に従属せねばならなかった。(Anderson 2010; Marx and Engels 2017) 二〇〇八年以降の資本主義の歴史に関する研究の多くは、人種を一般的な原理としてではなく、表層的なもの、上部構造的なもの、特殊事例に還元する方法で発展してきた。

金融危機が発生した二〇〇八年頃と言えば、(「黒人」初の) バラク・オバマ大統領の当選は「レイシズムの終焉」を意味するのかどうかとアメリカ人が問うていた時代である。高度に人種化された経済危機のなかで、こうした問題が提起されていたこと自体が、人種と資本主義の議論がいかに切り離されて議論されていたのかを示している。二〇〇八年の時点では、こうした問いかけが誠実さに欠けるものと思われていなかったとしても、一〇年後には、トランプ大統領の下で白人至上主義と人種的報復主義が公然と復活している。私たちが今ポスト・レイシズムの時代にいないことは明らかだが、白人がトランプ大統領や彼の政策を支持することは経済的不安によって説明できると主張することは、人種を資本主義から切り離す必要を追認してしまう。それはリベラル派や一部の左派に共通する分析感覚やイデオロギー戦略として機能している。

サブプライムローン危機が有色人種のコミュニティに与えた壊滅的な影響と、人種化された経済的強奪のあり方を見るにつけ、研究者や活動家たちは人種資本主義の問題を取り上げることとなった。この「人種資本主義」という言葉を必ずしも明示的に使っていなかったとしても、産獄複合体に関する最近の研究は、黒人の犯罪化や労働力搾取、利潤の強化のプロセスを明らかにしている。BLMの運動は反黒人暴力と経済的不均衡との関係についての新たな理解をもたらした。先住民の運動は、ダコタ・アクセス・パイプライン（ノースダコタ州からイリノイ州の石油ターミナルまでをつなぐパイプライン。建設地の土地を所有する先住民と地裁で係争）やカナダのアルバータ州での石油抽出、ハワイのマウナケア（先住民の聖地での新天文台建設反対運動）などで、先住民の主権と経済的不平等を争点に、経済開発の論理と闘ってきた。これらの例は、白人至上主義や人種、植民地主義、資本の交錯を理解することが緊急に必要であることを示している。この本の目的は、搾取の経済的関係と人種的条件との間の歴史的関係を動態的に説明することである。別の言い方をすれば、柔軟でありながら分析的に厳密な人種資本主義の使い方を期待している。そうした議論や論議によってこの用語の意味が明確になっていき、現在の、そして未来の政治闘争において知識人やオーガナイザーの役に立つことを願っている。

2　「人種資本主義」を議論する

資本主義の史学史では、その定義をめぐる論争が様々にあったが、近年の研究では、資本主義とは何かを正確に定義するのではなく、その機能を説明することに重点が置かれている。「資本主義」を定義することを完全に否定してしまうと、それは資本主義を自然化し、非歴史的なものにしてしまうが、狭すぎる定義は排他的な効果を生んでしまう。

人種資本主義とは、資本主義の主要なダイナミズム（蓄積／収奪、信用／負債、生産／余剰、資本家／労働者、先進国／低開発国、契約／強制など）が人種を介して一つに統合されるようになるプロセスのことである。言い換えれば、資本は以前から存在していた人種的不平等の関係を抜きにしては、歴史的に蓄積されることはなかったということである。このプロセスは二つの方法で機能している。第一に、資本蓄積に固有の暴力的な収奪は、人種区別を利用し、強化し、つくり出すことによって行われる。第二に、人種は、資本主義が生み出す不平等を自然化するための道具となり、この人種化された自然化のプロセスは、資源や社会的権力、権利、特権の不平等な分配を合理化する役割を果たす。

人種資本主義は非常に可鍛性のある構造を持っている。人種資本主義は、奴隷制や植民地主義、エンクロージャなどの形で、人種化された人々を資本主義の生産と蓄積の様式に巻き込んで、公然たる搾取と収奪の方法をとることもある。他方で、人種資本主義は、人種的な余剰人口の封じ込めや収監、放棄、低開発などの形で、資本主義の生産と蓄積の様式から排除する方法をとることもある。人種資本主義の維持は、人種的に有徴化された人々の限定的な包摂と参加に頼ることもできるし、このような人々に信用と政治的権利を与えることで、人種資本主義に蔓延する「人種的な」部分は後退し、わかりにくいものとなることで、強固な守りを敷くことになるのだ（Melamed 2015; Clarno 2017; Johnson 2020）。

用語の由来――「人種資本主義」とは何か

「人種資本主義」に関する主要な見解を確立したのは、セドリック・ロビンソンの『ブラック・マルクス主義──ブラック・ラディカルの伝統の形成』である。一九八三年に出版された『ブラック・マルクス主義』は、長らくあまり知られることのなかった書物だったが、二〇〇〇年の再版によって、新世代の読者に人種資本主義という用語が届けられた。ロビンソンがこの用語を普及させたのはたしかだが、だが発明したわけではない。この用語は、一九七〇年代の南アフリカにおけるアパルトヘイトと白人至上主義を終わらせるための闘争のなかで初めて生まれ、知識人や活動家の間で論争を巻き起こした。なかには、「人種資本主義」という用語を使って、南アフリカの特殊な人種的・経済的状況を説明する者がいたし、人種を階級闘争の発明品にしようとした白人マルクス主義者の策略だと否定する者もいた。しかし、この用語は最終的に一定の支持を得た。一九八三年には、ネルソン・マンデラとともに投獄され、ナショナル・フォーラムの共同設立者となったネビル・アレキサンダーが、同組織の設立宣言にこの用語を盛り込んだ。

私たちの民族解放のための闘いとは、少数の白人資本家やその同盟者、白人労働者、黒人の反動的な人々の利益のためにアザニア（南アフリカ）の人々を束縛する、人種資本主義のシステムに反対するものである。アパルトヘイトに対する闘争は、我々の解放の努力の出発点にほかならない。アパルトヘイトは、人種資本主義のシステムとともに根絶されるだろう。[1]

ロビンソンは、このような議論を踏まえて、人種資本主義という概念を「特定のシステムの説明から、近代資本主義の一般的な歴史を理解する方法へ」と発展させた（Kelley2017）。『ブラック・マルクス主義』で、彼が主張したのは、資本主義とは、古い形態の社会的差異を、より普遍的な階級的差異へと平坦化したり、排除したり、同質化したりするものではなく、それとは逆に、ヨーロッパにおける資本主義の出現は、社会的特殊性を有する封建的形態が切り開いた道に沿って、それを近代的な人種という概念へと高め、変容させたということである。ロビンソンは、「資本主義の誕生は、封建的な生産様式・関係に取って代わる以上のものであった」と述べ、資本主義への移行に関する古典的なマルクス主義の説明に反して、「資本主義は、封建的な社会秩序の破滅的な革命（否定）ではなく、封建的な社会関係をより大きな近代世界の政治・経済関係のタペストリーのなかに拡張するものであった」という（Robinson: 10）。

資本主義は、民族、宗教、国家の分裂がすでに存在していた封建社会から生まれたのであり、資本主義はこれらの分裂を消滅させるのではなく、増幅させたのである（Robinson: 2）。ロビンソンは、「資本主義社会の発展、組織化、拡大は、本質的に人種的な方向を追求した」と主張した。中世・近世の差異の形態は、ヨーロッパに特有のものではないが、資本主義がヨーロッパ内部で、また南北アメリカ大陸の拡大のなかで発展したという事実は、この大西洋の坩堝――最終的にはアフリカ人と先住民に関する人種的言説に象徴されている――から生まれた人種化のプロセスに、資本主義の歴史における例外的な場を与えている。ロビンソンは、「世界資本主義の歴史的発展は、人種主義とナショナリズムという特殊な力によって最も根本的な方法で影響を受けており（Robinson: 9）、この影響は、偶発的、一過性のものではなく、資本主義の起源と運営において不可欠なものであった」と述べている。従来のプロレタリア化理論に対する最終的な反論として、ロビンソンは「資本主義を通じたヨーロッパ文明の趨勢とは、同質化する方向に向かうのではなく差異化をもたらす――つまり、地域的差異、下位文化的差異、弁証法的な差異を「人種的」差異へと誇大化する――ものであった」と結論づけている（Robinson: 26）。

ロビンソンにとって、人種資本主義における「人種」とは、広義の、しばしば曖昧な分析であり、時には現代の人種化の形態との関係もはっきりしないものとなっている。この言語的な課題について、二〇〇〇年に再版された『ブラック・マルクス主義』の新しい序文において、ロビンソンは、女性、非ギリシャ人、労働者に対するアリストテレスの誹謗中傷を「妥協のない人種的構築物」の始まりだと指摘している。数世紀後、ヨーロッパの封建的な秩序は、「この人種的な算法を繰り返し、装飾した」（Robinson: xxxi）。ロビンソンが「人種的な」という言葉を使って、膨大な数の社会的カテゴリーを膨大な期間にわたって表現しているため、読者のなかには人種についての彼の主張は、歴史的な特異性に無頓着である、あるいは非歴史的であると解釈する方がいても仕方がないかもしれない。しかし、序文の言葉の選択はともかく、『ブラック・マルクス主義』はそのような読み方を否定する。ロビンソンは、今日我々が理解しているような形での「人種」が太古の昔から存在していたとか、あらゆる形態の差異が「人種」に還元されると主張したのではない。ロビンソンが主張したのは、資本主義の出現は、資本主義以前の古い社会的差異を人種的差異へと誇大化したということである。ロビンソンは、たとえば、近世の“blacke moore”（ブラック・ムーア人）や“Ethiope”（エチオピア人）という表現が「ニグロ」に先立つものであることを明確にしている。「ニグロ」の発明は、「西洋の莫大な精神的、知的エネルギーを費やして」行われた歴史的なプロセスである（Robinson: 4）。イスラム王朝が支配するグラナダ（イベリア半島最後のイスラム王朝、ナスル朝の都）をスペイン王国が陥落することに成功したことで、「ヨーロッパの歴史に対するイスラムの侵入」を排除するプロセスが完了したと、ロビンソンは説明している。

ヨーロッパ人の心のなかでは、イスラムは長い間アフリカと結びついていたので、ロビンソンにとってレコンキスタは、ヨーロッパ人がそれ自身の歴史においてアフリカの役割を否認した到達点であった。ヨーロッパの歴史から切り離され、アフリカ人は空っぽの器となり、「ニグロが誕生するために必要だったのは、直接的な原因と特定の目的であった」（Robinson: 100）。その目的とは、もちろん大西洋奴隷制である。つまり、人種をつくるプロセスというのは、奴隷貿易という形で資本主義の発展そのものによって進められた。それは「西欧の支配者層と商人層が作って支配した世界経済にとって、黒人の労働力が持つ重要性に見合った努力」であった。別の言い方をすると、近代の人種概念は、それ以前の差異の形をもとにつくられているが、同一ではない（Robinson: 4）。

ロビンソンは資本主義の起源の物語を語るにあたって、差異に基づく支配を、メインイベントとし、主役とし、誘因とした。しかし、もし近代的な形で人種の現れたことが資本家の多大な努力を必要としたのであれば、なぜ古代の「人種的構築物」や中世の「人種的算法」が、『ブラック・マルクス主義』の議論の中心になったのか。ロビンソンによれば、ヨーロッパの歴史において鍵となるのは、深く、実存的なものですらある差異の社会理論により予測され、正当化され、根付いた経済的支配であった。「労働者階級の役割は、国家とその特権階級に、彼らの地位を維持し、権力と富のさらなる蓄積のために必要な、物質的・人的資源を提供することであった。しかし、これは支配階級が大衆を支配するという単純な問題ではなかった。大衆はそのようには存在しなかったからである（Robinson: 21）。支配階級と下層階級の違いは、ロビンソンにとっては単に富の違いではなく、文化、宗教、民族、国民性／国籍の違いであった。したがって、「人種、部族、言語、地域の特殊性を含むこのヨーロッパ文明は、対立する差異の上に構築されて」おり、資本主義はその差異を人種へと変換したのである（Robinson: 10）。

ロビンソンは、奴隷制、帝国主義、そしてそれ以降の歴史を通して、人種と資本主義の関係を理論的に論じた研究者の一人である。この研究は二〇世紀にまで射程が及んでいる。私たちは、こうした人種資本主義の研究が「新しい」あるいは「一般的な」資本主義史の反動やサブフィールドではないことを強調するために、この学問領域を「資本主義古史」（"old history of capitalism"）と称することもできるだろう。資本主義古史は、次の二つの重要な洞察を与えてくれる。第一に、これにより人種資本主義という「用語」の特有の歴史と、人種資本主義のより広い「考え方」を区別することができる。後者のような使い方をする学者たちは、人種資本主義に特有の用語を使わなかったが、彼らとロビンソンの研究を合わせると、資本主義とともに発展してきた人種の沈積した歴史がむき出しになる。第二に、資本主義古史は、人種資本主義に関する思想の見事な奥行きに注目させる。実際、黒人のマルクス主義者を中心に構成されたこの知的集団は、人種と資本主義の関係の正確な性質についての理解を共有しているわけではなかった（Burden-Stelly 2020）。

このような違いは、特に起源の問題で顕著に現れる。ロビンソンが議論したのは、資本主義がアフリカ人をニグロに変えたとはいえ、そのような変化は結局のところ、古い社会力学の延長線上にあるのであって、まったく新しいものというわけではない、ということだった。また、近代的な人種は、それまでのものとは大きく異なるものであり、資本主義が生み出したものであることは明らかだと主張する者もいた。西インド諸島の奴隷制は英国の産業化に不可欠であったと主張したことで有名なエリック・ウィリアムズは、動産奴隷制の起源にあるのは「人種ではなく経済」であると主張した。プランターたちは「労働力を得るためには、必要ならば月にでも行っただろう」と書いている。アフリカは月よりも近く、インドや中国のような人口の多い国よりも近かったのだ（Williams 1994: 19-20）。トリニダード生まれの社会学者、オリバー・クロムウェル・コックスは、最初の著書『カースト、階級、人種』で、「人種間の対立は階級闘争の一部である。なぜなら、それは資本主義体制のなかでその基本的特徴の一つとして発展してきたからである。今日我々が知っているような人種的対立は、一四九二年頃以前の世界には存在しなかったことが証明されるかもしれない。さらに人種的感情は、我々の近代的な社会システムの発展と同時に発展した」と主張した（Cox1948: xxx）。一九七二年に出版された帝国主義に関する古典『世界資本主義とアフリカ――ヨーロッパはいかにアフリカを低開発化したのか』［一九七八年邦題、柘植書房］のなかで、ウォルター・ロドニーは、同じような結論を導き出している。

世界を覆うようになった白人の人種差別主義が、資本主義の生産様式の不可欠な一部であったことは断言できる。……時折、ヨーロッパ人がアフリカ人を奴隷化したのは人種差別的な理由によるものだと誤解されることがある。ヨーロッパのプランターや鉱山開発者がアフリカ人を奴隷にしたのは、経済的な理由であって、彼らの労働力を搾取できるようにするためである。……純粋に人種的な理由によるアフリカ人の抑圧は、経済的な理由による抑圧に付随し、強化され、区別がつかなくなった。（Rodney [1972]1982: 88-89）

アメリカ合衆国の人種資本主義――奴隷制・人種国家・帝国主義

歴史研究者のバーバラ・J・フィールズ（コロンビア大学）は、アメリカにおける（資本主義）起源論争に最も影響力のある貢献をした歴史家である。彼女は、米国史における奴隷制と自由の関係を「パラドックス」として描く長年の考え方に異議を唱えた。フィールズは、奴隷制を「主に人種関係のシステムとして、あたかも奴隷制の主なビジネスは、綿花、砂糖、米、タバコの生産ではなく、白人至上主義が生み出したものであるかのように」書いた歴史家を非難した。アメリカの社会的・経済的生活における人種の生の必要性を、最も簡潔かつ鋭く説明するなかで、フィールズは「自由を不可侵とし、アフロ・アメリカンを奴隷として所有する者は、最後には人種を自明の理とするに違いない。……自明の理の法則が自由を保証してくれるということは、その否定を説明できるのは、同じく自明の理の法則だけである」と述べている。文化、宗教、国籍、外見、習慣などの理由から、アフリカ人の労働力は、イギリス人の年季奉公人よりも搾取しやすかった。だが、普遍的自由の観念が定着するまでは、「それが人種的劣等性のイデオロギーに結びつくことはなかった」（Fields 1990）のである。簡単に言えば、フィールズにとって、奴隷となったアフリカ人の経済的搾取は、黒人としての人種化に先んじていたのである。

この伝統を受け継ぐ他の学者たちは、資本主義と人種の絡み合いの正確な起源には関心がなかった。代わりに、この関係の性質と意味を理論化して、黒人や黒人国家が経験した人種的・経済的暴力を根本的に覆す説明を試みた。アイダ・B・ウェルズは、リンチについての画期的な著作のなかで、リンチは奴隷解放後の黒人の犯罪性に対する反応であるという通説を覆した。彼女は、リンチは実際には黒人の社会的上昇に向けられたものであり、「富と財産を手に入れた黒人を排除して、人種を恐怖に陥れて、「黒人を貶める」ための言い訳である」と主張した（Wells 1970: 64）。ウェルズは、リンチを南部の人種経済秩序を維持するための資本家階級の武器の一部と解釈した。実際、「リンチの脅しは、南部の悪魔のような無法者の所業ではなく、一流のビジネスマンが、一流のビジネスセンターにおいて行っていた」（Wells 2014: 61）。W・E・B・デュボイスは、『黒人から見たアメリカの再建期』のなかで、白人性そのものを「公的で、心理的に付与された賃金のようなもの」と表現している。それによって、白人労働者は実際の賃金の低さに対する不満を鎮めることができるのである（Du Bois 1998: 700）。また、マニング・マラブルは、名著『いかに資本主義はブラック・アメリカを低開発化したのか』のなかで、アメリカを資本主義国家であると同時に人種国家でもあると述べている。「資本主義の発展は、黒人が排除されていたにもかかわらず起こったのではない。黒人が労働者や消費者として残酷に搾取されたために起こったのだ。黒人は決してアメリカの社会契約の対等なパートナーではなかった。なぜなら、このシステムは黒人を発展させるためではなく、発展させないために存在しているからである。……その奇妙な歴史的経緯のために、アメリカは単なる資本主義国家ではなく、南アフリカと同様に、人種／資本主義国家なのである」。マラブルにとって、このような国家の結果は明らかである。「資本主義／人種国家は、白人の場合と同じように、黒人社会の問題を力ではなく詐取で解決しようとする。それにもかかわらず、白人よりも黒人に向けられた強制力の遍在に依存している」。こうしてマラブルは、資本主義の下での生活は、黒人にとっては本質的に異なる経験であると結論づけた。「最終的には資本の利益のために、人種差別的なテロリズムの環境を許すことになる」（Marable 2000: 1, 10, 107-108, 249）。

帝国主義と人種資本主義

このような資本主義の分析は、帝国主義の人種的力学にも研究が広がっている。デュボイスは『戦争のアフリカ的ルーツ』のなかで、ヨーロッパの平和、繁栄、国民性そのものが、植民地主義の配当のようなものだと述べている。「世界を搾取しているのは、もはや単なる豪商でも、貴族階級の独占によってでも、雇用者階級でもない。それは国家である、新しい民主的国家が資本と労働を結びつけているのである」（Du Bois 1915）。デュボイスは、グローバル・ノースの先進国のなかで、ブルジョアジーと労働貴族の間に、階級を超えた新たな連携の出現を予見していた。この新たな階級の結合は、（「ニグロ」と「ネイティブ」についての）人種的知と、（排除、暴力、殺人などの）人種的実践によって実行され、明示された。C・L・R・ジェームズは、ハイチ革命についての優れた著作のなかで、「人種問題は、政治においては階級問題の補助的なものであり、帝国主義を人種の観点から考えることは破滅的である。しかし、人種的要素を単に付随的なものとして無視することは、それを根本的なものとすることに劣らない重大な誤りである」（James1963: 283）。ジェームズはここで、サン・ドマングの革命家たちの失敗の一つは、資本家プランター階級に対する自分たちの闘いを、階級的な対立ではなく、主に人種的な対立であると考えたことであると述べている。ジェームズによれば、この理解によって、彼らが白人を消極的な（島に残ったフランスのブルジョアジー）、あるいは熱狂的な（フランスのジャコバン派は自分たちの革命の目的が奴隷の目的と一致していると考えていたかもしれない）味方として見ることを妨げた。他方、ロドニーは、帝国主義とは、資本と労働の分断を世界大に拡大したものであり、「ある国の生産手段を別の国の国民が実際に所有すること」を強調し、「アフリカの視点から見ると……アフリカの労働者が生産した余剰物を、アフリカの資源を使って国外に持ち出すことになる」と指摘している。賃金労働者が生み出した剰余価値を自分のものだと主張して資本家が裕福になったように、植民地主義は「アフリカが低開発であったのと同じ弁証法的プロセスとしてヨーロッパの開発を意味していた」（Rodney: 22, 149）。

このような資本主義古史の歴史家は、人種と資本主義の関係を探ったが、彼らは人種を同じように定義したり、利用したりはしなかった。これらの違いは、彼らの仕事のささいな部分に人種の実質的な関与を要求するだけでなく、人種資本主義が拡張的であり、可鍛性があり、時間とともに変化するという我々の立場を補強することにもなる。

3　人種資本主義がもたらす違い

人種資本主義は、資本主義の研究に時間的な視座を求める。人種資本主義を考えることは、資本主義の過去、現在、未来を再考することである。人種資本主義は、根こそぎにされた資本主義の前のモメントではないし、資本主義の人種的特徴が時間とともに減少したり消滅したりすることもない。それはまた、現在の資本主義研究を構成するイディオム、テーマ、主題に疑問を投げかける方法論的実践、つまり見方でもある。最後に、人種資本主義の分析は、社会正義の実現に向けた「人種ファースト」または「階級ファースト」のアプローチを戒める、未来志向の政治的分析を提案している。

人種資本主義という概念は、時系列的にも順序的にも混乱を引き起こすものである。ロビンソンは、人種を通じて資本主義は封建制の社会的力学からの脱却したのではなく、それを高めた、と主張したのであり、それは、歴史的な時代区分と資本主義の出現に関するマルクス自身の説明を根本的に修正するものであった。マルクスは『資本論』のなかで次のように述べている。

> アメリカ大陸での金と銀の発見、鉱山での先住民人口の絶滅、奴隷化、埋葬、東インド諸島の征服と略奪の始まり、アフリカを黒い肌の人々の商業的狩猟のための戦場に変えたことが、資本主義生産の時代のバラ色の夜明けを告げるものであった。これらの牧歌的な出来事は、本源的蓄積の主要な瞬間である。……いわゆる本源的蓄積とは、生産者を生産手段から分離する歴史的過程にほかならない。それが原始的に見えるのは、それが資本とそれに対応する生産様式の前史的段階を形成しているからである。（Marx: 915, 874-75）

マルクスは、奴隷制と植民地主義の歴史的重要性を認識していたが、それらを「本源的（原始的）」蓄積あるいは資本主義以前の蓄積の形態として分類していた。マルクスにとって、この人種化された蓄積の形態は、時系列的には資本主義以前に置かれていても、資本主義の可能性を条件づけるものであった。パトリック・ウルフの提唱する図式にならえば、先住民の土地への侵略は、一時期のものではなく、すべての入植者社会において進行した構造化された論理である。この図式に基づいて説明する先住民研究や入植者植民地主義（settler colonialism）の研究者によれば、私たちの人種資本主義の概念は、資本主義社会秩序の現在進行形の組織化の原理として、本源的蓄積を組み立てるものである（Wolfe 2006）。

資本主義古史は、たとえマルクスがそうでなかったとしても、奴隷制を資本主義の射程に入れていた。しかし、人種資本主義は奴隷制と同じ範疇にあるのではなく、その運用は特定の歴史的モメントに委ねられていたわけではない。むしろ、人種資本主義は、奴隷貿易、奴隷化、植民地主義の歴史的な親密さ――このことはあまり知られずにきた――を示していた。また、人種資本主義は、今日まで続いている人種化された評価と搾取のシステムを奴隷制が象徴していることも捉えている。先住民の土地収奪と並んで、奴隷制がそのシステムを開始させ、そのシステムは奴隷制崩壊後も生き残り栄えた（Morgan 2004; Smallwood 2007; Johnson 2013; Beckert and Rockman 2016; Rothenthal 2018; Beckert 2015; Rockman 2009; Baptist 2014; Berry 2017）。ムンホ・ユンは、ルイジアナの砂糖プランターが南北戦争のさなかに労働力を確保しようとして失敗したのは、中国人移民労働者が白人と同じ特徴を持っていると不合理に評価したことや、また他の場合には、中国人移民労働者を「元黒人奴隷の残念な代用品」と主張していたことが原因であると述べている（Jung 2006: 87）。サラ・ヘイリーは、ジム・クロウ体制下の米国南部の経済的な近代化は、黒人女性の逸脱行為という人種的・ジェンダー的イデオロギーに基づいていたと論じた。すなわち、囚人貸出制度を通じて、新南部の企業は安価な労働力を確保し、文字通り企業資本主義の道を切り拓いた（Haley 2016）。奴隷制の終焉は、奴隷解放という重大な出来事があったにもかかわらず、人種資本主義の可鍛性と回復力を示している。ある作家／社会評論家の言葉を引用するならば、「奴隷解放はアメリカの盗賊に対抗するためにドアに安全錠をつけた一方で、ジム・クロウは窓を大きく開け放った」（Coates 2019）。

人種資本主義の研究者で、ロビンソン以降に、封建的な移行の問題を取り上げた者はほとんどいない。しかし、彼らは、人種資本主義の下での歴史の連続性と反復を理論化する別の方法を提供した。たとえば、投資資本を通じて、あるいは、元奴隷所有者への賠償金（賠償金を投資して「苦力」と呼ばれた人種化された南アジアの労働者を、英領ガイアナのプランテーションに採用したこともあった）を通じて、人種資本主義が再生されることなどが考えられる。サイーディア・ハルトマンの「奴隷制の死後」という概念は、「何世紀も前に確立された人種的算法と政治的算術によって、黒人の命がいまだに脅かされ、切り捨てられている」ことを捉えている。（Hartman 2007: 6）また、デュボイスが再建期について描いた有名な文章には、「奴隷は自由になり、ほんの一瞬だけ太陽の下に立った後、再び奴隷に戻っていった」とある。（Du Bois, 1998: 30）このような時間論は、人種と資本主義が絡み合っている現在の状況は過去の反響であって、時間とともに弱まっていくとか、構造的な本質ではなく歴史的な偶発性から生まれたなどという考え方を否定するものである。人種資本主義の時間性は、その正確な性質が動的で変化しているとしても、現在進行形のものである。それは瞬間ではなくプロセスであり、この本に掲載されている各章のなかには、こうした異端の時間性理論に基づくものがある。たとえば、ジェンキンズは、人種イデオロギーと人種的統治に関する物語を、債務の三部構成の時間性（過去の借入行為、現在の財政状況、将来の経済パフォーマンス）を中心に据えている。一方、リロイは、どんなに不均一であっても、前方への直線的な動きのイメージでは黒人の歴史や黒人の自由への失望を説明できないとしている。

人種資本主義の方法論――研究に定量的分析は有効か？

人種資本主義はまた、資本主義の歴史の研究手法とアーカイブの仕方について再考を促している。本書の寄稿者はそれぞれこれに応えてくれているのだが、たとえば、パク［・K・スエ］は住宅ローンを貯蓄ではなく奪取の道具として位置づけようとしている。財産の法的基礎の一つを再理論化することで、パクは資本主義を理解するためのキーワードとして、起業家精神――イノベーション――投資ではなく、窃盗――略奪――収奪に注目するよう促している。人種資本主義の分野は、本書も含めて、定量的手法との関係が不安定である。資本主義の研究において定量的な手法は重要であり、またそうあるべきだが、人種資本主義の批判者にとっては、その主張の内容と格闘することなく、この分野の主張を否定する手段ともなっている。たとえば、エリック・ウィリアムズの古典的な研究書『資本主義と奴隷制』については、延々と議論と批判が繰り返されてきた。ウィリアムズの本論は、第一に、西インド諸島の奴隷制はイギリスの産業経済の発展に不可欠であり、第二に、奴隷貿易（そして最終的には奴隷制度）を廃止する決定は、道徳的なものではなく、経済的なものであったというものである。これらの議論で問題となっているのは、先進国《グローバル・ノース》の台頭は、グローバル・サウスの何百万人もの人々の貧困化が前提になっているという点であり、資本主義が反奴隷制に向けた道徳的志向を生み出したという考えを否定した点である。いくつかの顕著な例外を除いて、批評家たちは、イデオロギー的主張の力にではなくて、奴隷制が英国経済にどれほどの貢献をしたのか、その定量分析の正確性に焦点を当ててウィリアムズ批判を展開してきた（Solow and Engerman 1987）。

私たちは人種資本主義の研究者として、定量的な研究の有用性を認めつつも、その分析の信頼性に警鐘を鳴らしておきたい。数字は、他の証拠《エビデンス》と同様に、遂行機能を果たしている。メアリー・プーヴィーが注意喚起しているように、近世までは、レトリックが証拠としての裁きの特権的な方法であった。また、奴隷制や資本主義の勃興に重要な役割を果たした複式簿記は、一部は商人のための道具であり、商人は複式簿記を使って知識の独占を力尽くで奪い取った。会計は社会的機能を果たしており、何が証拠とできるのかを再定義するのに役立った（Poovey 1998）。疑い深い者からすれば、正しい数値が人種資本主義の存在を証明することにはならない。奴隷制の賠償金や先住民の土地条約の価値を研究している学者が算出した、あり得ないほどの巨額の金額は、グローバル・ノースの富を蓄積する上で人種的な所有権剝奪がどれほど重要であったかを確かめるための信頼できる証拠とはなり得ない（Beckles 2013; Draper 2010）。

人種資本主義の歴史の展望

資本主義古史の伝統を受け継ぐ作家たちは、過激な政治組織の形成にも積極的に関わっていた。彼らは資本主義の過去について書きながら、まだ来ていない反資本主義の世界を構築することを、夢想していた。人種資本主義の枠組みは、未来に対して二つの関連した主張をしている。第一に、人種正義は、経済的正義を求める一般的な呼びかけの下に包含することでは達成できない。資本主義の下での苦しみを人種的な差異に基づいて分配したとしても、人種のしっかりとした分析なしには是正されない。第二に、資本主義は、かつて排除されていたグループを包摂するのでは再生できない。資本主義の人種的暴力は、政治的・法的権利が与えられたところで、終わることはない。

デュボイスは、南北戦争中に奴隷がプランテーションから逃げ出したことを「奴隷制に対するゼネスト」と表現した（Du Bois 1998: 57）。労働運動の言葉をプランテーション体制に適用することで、デュボイスは、労働と階級の問題は常に人種の問題でもあると主張していた。彼の結論は、歴史学的にも裏付けられている。マルクスが書き残したことで記憶に新しいのは、「白い肌の労働者は、黒い肌に烙印を押されているところでは自らを解放することはできない」ということだ（Marx: 414）。最初の黒人労働組合の一つである寝台車ポーターズのリーダー、A・フィリップ・ランドルフは、マルクスの格言を奴隷解放後の世界に向けて次のように更新した――「南部では黒人労働者はまだ完全には自由になっていない。それと同じように、南部の白人労働者もまだ完全には自由ではない。なぜなら、黒人労働者が南部のブルボン（ブルジョワ）の束縛を受けている限り、白人労働者は完全に自由にはなれないからである」（Leu Blanc 2017: 136）。資本主義が最も安い労働コストを求め、黒人労働者が最も低い労働コストを要求するならば、その人種的不平等ゆえに、白人労働者はより高い賃金を要求する能力を制限されてしまうのである。

研究者によっては、奴隷制は単なる一つの労働問題ではなく、まさに最重要の労働問題であり、合衆国における経済的正義を理解するための根本構造を表すものと考えられている。オリバー・コックスは、「奴隷は、何よりも、資本主義市場の利益のためにその労働力を搾取された労働者であることを忘れてはならない。この基本的な事実こそが、合衆国における黒人問題を、肌の色に関係なくすべての労働者の問題と同じ土俵に位置づけさせるのだ（Cox 1948: xxxii）。デュボイスのように、C・L・R・ジェームズは、奴隷化された人々を南北戦争の間、反ブルジョアジーのエージェントとみなしていた。奴隷となった人々はストライキや組合に馴染みがなかったかもしれないが、「黒人たちは、自分たちの経験に基づいて、マルクス主義の結論に近づいていた」と主張した（Leu Blanc 2017: 223）。また、キング牧師は、人種差別、資本主義、戦争を「相互に関連する三つの悪」と指摘した同じ演説で、「二四四年間も人々を奴隷にしておく国は、彼らを「モノ化」する。それゆえに、黒人や貧しい人々を経済的に搾取することになる」と語っていた。キング牧師によれば、奴隷制は経済的搾取の青写真であり、人間を商品化するための最初の実験だったのであり、そのことが、貧困への冷淡さをアメリカ社会のイデオロギーの一部にしたのである。

しかし、資本主義に対する解決策は、公的な人種平等や権利の拡大にのみあるのではない。資本主義の人種化された経済的暴力に対処するには、これらの要素は重要かつ必要であるが、それだけでは十分ではない。一九四九年に発表された黒人女性の好戦性に関する画期的な論文、「黒人女性問題の無視《ネグレクト》に終止符を！」において、トリニダード・トバゴ生まれの共産党指導者クローディア・ジョーンズは、「大企業の観念論者たちの自慢――アメリカの女性は「世界一平等だ」――は、ニグロや労働者階級の女性に関して言えば、水際で止まっている（Jones 1949）。

ジョーンズは、人種／ジェンダーの結合体は、深く持続的な不平等を露呈しており、それは資本主義の平等という建前によって曖昧にされている、と主張した。アメリカの資本家が、資本主義の道徳的・経済的優位性の証拠として、(白人の) アメリカ人女性の権利を提示すると、ジョーンズはそれへの反論として、黒人女性の「超搾取」の証拠を示した。ジム・クロウ体制が終焉しても、資本主義を平等にしたり弱体化させたりすることはできないのだ。一九六八年に出版された『ニグロと仕事』の序文で、ランドルフは、「社会的、政治的な平等に向けた進歩にもかかわらず、黒人労働者は自分の相対的な経済的地位が悪化、停滞していることに気づく。……ずっと昔、再建期に黒人は、社会的・政治的な自由は、経済的に不安定な状況下では維持できないという残酷な教訓を学んだ。黒人たちは、自由のためには物質的な基盤が必要であることを学んだのです」(Randolph 1968: v)。ジョディ・メラメドとチャンダン・レディが注意を促しているように、「人種資本が「個人の権利」というリベラルな理想を再利用して……植民地化され、人種化された人々の運動から生まれた権利の急進的で集団的な使用を否定する」場合には、権利の拡大でさえも資本の支配下に置かれる可能性がある。言い換えれば、人種資本主義の下では、権利は抽象化され、個別化され、正義 (経済的正義を含む) の要求から切り離されてしまう。権利は脱急進化され、「資本家や企業の「法人」が、政府 (規制や課税) から自由になる権利に変換されてしまうのである。……個人の権利の概念は、政府と企業の側が他者のニーズを無視するという新しい文化的規範を増幅させることによって、投資家階級の利益のために採用されるのである」(Melamed and Reddy 2019)。ランドルフの言葉を借りれば、自由と同じように、権利は、その物質的な文脈から切り離すことはできないのである。

人種と資本主義の不可分性を主張することは、政治的権利や法的権利を変革させるインパクトを否定することではなく、他方で、普遍的な経済改革が、有色人種のコミュニティに与えた変革のインパクトを否定するものでもない。人種資本主義の概念を受け入れることは、人種の不変性や永続性を受け入れることではない。しかし、人種資本主義が過去の研究にもたらす洞察は、未来を描くためにも重要である。人種が資本主義の社会的力学を正当化するために生まれたのだとしたら、人種正義は資本主義の下で育つことはできない（Fraser 2019）。

［抄訳したのは一頁～一五頁まで。節タイトル以外の小見出しは訳者が付した。註は一部省略しているので、原著を参照のこと］

おわりに——人種資本主義の歴史学のこれから

以上、ジェンキンズとリロイ編の序説の一部を抄訳して紹介した。本書のタイトル『人種資本主義の歴史』がHistoriesと複数形になっていることが示すように、編者は本書が決定版というわけではないと言う。人種資本主義の射程は広く、すべての知的探究に応える内容を一冊の本に収めることは無理なのである。ただ、この序説を読むことで、人種資本主義の議論が盛んになった歴史的背景、セドリック・ロビンソンや南アフリカの政治闘争にまで遡っての用語の由来、資本主義古史として紹介される研究史、人種資本主義の射程や時間論、方法論に関する整理など、これから人種資本主義の歴史学をスタートする上での概念整理はこれで十分ではないだろうか。

BLM運動でロビンソンの『ブラック・マルクス主義』が再び脚光を浴びることになったのは、BLMの抗議運動や掲げられた目標が、黒人ラディカルの伝統を継承したものに見えるからである。この観点から、W・E・B・デュボイスやオリバー・クロムウェル・コックス、エリック・ウィリアムズらの思想家／研究者／活動家の論考は再読されるべきだろう。また、アンジェラ・デイヴィスが『監獄ビジネス――グローバリズムと産獄複合体』（岩波書店、二〇〇八）などで展開した刑務所民営化により利益を追求する監獄ビジネスとレイシズムとの関係、監禁国家論《カーセナル・ステイト》、資本主義・階級・人種の共犯的な関係の解明は、人種資本主義の視座と共振している。BLM運動のスローガンとなった刑務所廃絶――現代版アボリショニズムの系譜――は、奴隷制下に警察機構の起源を求める研究などとともに、今後さらなる研究が期待される。

さらに言えば、資本主義史古史と対をなす、ベッカートらの米国資本主義新史（New History of American Capitalism、NHACと略称で呼ばれることもある）について、奴隷制と一九世紀米経済の発展史、資本主義に内在する暴力の問題、世界商品をめぐるグローバル・ヒストリーなど、研究史の整理を行うことは喫緊の課題である。資本主義の歴史は、斎藤幸平の『人新世の「資本論」』がベストセラーになるなど、日本でも盛んに議論されるようになってきている（祝賀資本主義、惨事便乗型資本主義、パンデミック資本主義など）。BLM運動により、新自由主義経済が前提としてきた人種やジェンダー、セクシュアリティ不関与の資本主義――酒井隆史の言葉を用いれば、「ネオリベラルのユートピア」――の幻想が吹き飛んだとするならば、レイシズムとセクシズムと資本主義の協働を問う人種資本主義の視座からの研究は、今後ますます増えるのではないか

（酒井二〇二〇）。

二〇二〇年が世界史像の大きな転換点となるのか、未来を予測することはそう容易いことではない。これに関連して、BLM運動が現在のような奴隷制の歴史的問い直しの機運をつくり出す以前の二一世紀転換期に、ユネスコや奴隷貿易の主役であった英国が中心になって、奴隷貿易・奴隷制の語り直しが歴史実践されたことを思い出しておくのは無駄ではあるまい。きっかけは、ユネスコが一九九四年に奴隷貿易と奴隷制の記憶を掘り起こす「奴隷の道」プロジェクトを開始し、二〇〇二年にはハイチ独立二〇〇周年を記念して、二〇〇四年を「奴隷貿易とその廃止を記念する国際年」とすることが宣言された。今日でもハイチ革命が始まった日として、毎年八月二三日には記念イベントが開催されている。

こうした動きは、南アフリカで開催された「反人種差別・差別撤廃世界会議」（ダーバン会議）へとつながり、奴隷貿易が残した「負の遺産」の問い直しが開始された。奴隷貿易や奴隷制の過去の歴史的責任をめぐっては、賠償をめぐる議論も浮上し、アフリカ諸国とかつて奴隷貿易で利益をあげた欧米諸国との間では議論が展開されることになった。こうしたなか、一八〇七年に世界に先駆けて奴隷貿易を廃止したイギリスでは、その二〇〇周年イベントを二〇〇七年前後に行い、「帝国」の問い直しが始まった。だが、そのときにコルストン像が引き倒されることがなかったのはなぜなのか。英国史家の井野瀬久美惠は、二〇〇七年と二〇二〇年の違いについて、後者の議論のコンテクストでは、「イギリスという国家、あるいはイギリスが「帝国であった過去」を超えて、グローバルなものへと再編された」のかもしれないと述べている（井野瀬二〇二二）。トマ・ピケティは最新刊『資本とイデオロギー』で、一九世紀の世界的な奴隷制廃止が、奴隷所有者に圧倒的に有利な有償解放や賠償金請求などの過程をたどったことを指摘し、ハイチを搾取し続けてきた仏はハイチに対して四兆円弱を支払うべきだと主張している。これもまたヨーロッパ資本主義の発展の根幹に奴隷制を位置づけた検証であり、奴隷解放とはいったい何であったのか、その歴史的検証がきわめて重要なテーマとなる（鈴木二〇二〇、Piketty 2020）。

二〇二〇年がこのような歴史的視座の転回の契機となるのであれば、従来の帝国史、国民史を乗り越えるための新しい世界史の分析枠組みの手がかりの一つは、人種資本主義の視座となるに違いない。歴史学の隣接学問領域である国際関係学の起源について論じた話題の書、『帝国のディシプリン――人種と国際関係学の設立』は、その起源を第一次世界大戦後の平和主義に求めず、ヨーロッパ列強が参加した円卓会議《ラウンド・テーブル》の植民地主義、人種思想に求めている（Davis, Thakur, and Vale 2020）。国際関係学と同じく、歴史学もまた帝国の語りに縛られ、レイシズムの問題を隠蔽してはいまいか、歴史研究者は自問する必要があるだろう。[2]

「帝国」の歴史再考と同時に、もちろん近代国家のナショナリズムに組み込まれたレイシズムの問題を人種資本主義との関係でいかに読み解くのかも大きな課題であろう。筆者は米国史において、移民国家／理念国家としてのアメリカとは別に、白人性を基礎とする人種国家（奴隷国家）としてのアメリカを問う必要を示してきた。移民史と黒人史を接合すること、環大西洋史と環太平洋史を接合することの重要性は、人種資本主義の観点からすれば、理解も深まるのではないか。こうした人種資本主義とナショナリズムの再検討を他地域に広げてみると、おのずと二一世紀の歴史学が進むべき方向性が見えてくるように思えるのだが、それは楽観にすぎるだろうか。

［註］

1 Neville's speech, in Biko Lives!; see also the 22 Introduction published version, "Azanian Manifesto," South African History Online. https://www.sahistory.org.za/archive/azanian-manifesto

2 本文献については、「移民国家アメリカの歴史研究とナショナリズムの問題」早稲田大学ナショナリズム・エスニシティ研究所講演会（二〇二一年三月六日開催）において、コメンテーターの小沢弘明氏よりご教示いただいた。

［参考文献］

井野瀬久美惠「コルストン像はなぜ引き倒されたのか——都市の記憶と銅像の未来」『歴史学研究』第一〇一二号、二〇二一年八月号、四一〜五〇頁

貴堂嘉之「アメリカ社会とコロナ禍——人種マイノリティ差別とブラック・ライヴズ・マター運動」歴史学研究会編『コロナの時代の歴史学』績文堂出版、二〇二〇年

酒井隆史「ポリシング、人種資本主義、#BlackLivesMatter」『現代思想』一〇月臨時増刊号、二〇二〇年

鈴木英明『解放しない人びと、解放されない人びと——奴隷廃止の世界史』東京大学出版会、二〇二〇年

Anderson, Kevin B., *Marx at the Margins: On Nationalism, Ethnicity, and Non-Western Societies*. University of Chicago Press, 2010.

Baptist, Edward, E., *The Half Has Never Been Told: Slavery and the Making of American Capitalism*. Basic Books, 2014.

Berry, Daina Ramey, *The Price for Their Pound of Flesh: The Value of the Enslaved, from Womb to Grave, in the Building of a Nation*. Beacon Press, 2017.

Le Blanc, Paul ed., *Black Liberation and the American Dream: The Struggle for Racial and Economic Justice*. Haymarket Books, 2017.

Burden-Stelly, Charisse, "Modern U. S. Racial Capitalism," *Monthly Review* 72 (3) July-August 2020: 8–20.

Carmichael, Stokely and Charles V. Hamilton, *Black Power: The Politics of Liberation in America.* Vintage, 1967.

Clarno, Andy, *Neoliberal Apartheid: Palestine/Israel and South Africa after 1994*. University of Chicago Press, 2017.

Coates, Ta-Nehisi, quoted in Sheryl Gay Stolberg, "At Historic Hearing, House Panel Explores Reparations," *New York Times*, June 19 2019.

Cox, Oliver Cromwell, *Caste, Class, and Race: A Study in Social Dynamics*. Doubleday, 1948.

Davis, Alexander E., Vineet Thakur and Peter Vale, *The Imperial Discipline: Race and the Founding of International Relations*, Pluto Press, 2020.

Beckert, Sven, "History of American Capitalism," Eric Foner and Lisa McGirr, eds., *In American History Now*, Temple University Press, 2011.

Beckert, Sven, 2015, *Empire of Cotton: A Global History.* Vintage.

Beckert, Sven, and Seth Rockman, eds., *Slavery's Capitalism: A New History of American Economic Development.* University of Pennsylvania Press, 2016.

Beckles, Hilary McD., *Britain's Black Debt: Reparations for Caribbean Slavery and Native Genocide.* University of the West Indies Press, 2013.

Davis, Alexander E., and Vineet Thakur and Peter Vale, *The Imperial Discipline: Race and the Founding of International Relations.* Pluto Press, 2020.

Jenkins, Destin and Justin Leroy, ed., *Histories of Racial Capitalism.* Columbia University Press, 2021.

Draper, Nicolas, *The Price of Emancipation: Slave-Ownership, Compensation, and British Society at the End of Slavery.* Cambridge University Press, 2010.

Du Bois, W. E. B., *Black Reconstruction in America, 1860-1880.* Free Press, [1935] 1998.

Du Bois, W. E. B., "The African Roots of War," *Atlantic Monthly*, May 1915.

Fraser, Nancy, "Is Capitalism Necessarily Racist?" *Politics/Letters 15,* May 20 2019.

Haley, Sarah *No Mercy Here: Gender, Punishment, and the Making of Jim Crow Modernity.* University of North Carolina Press,

2016.

Hartman, Saidiya, *Lose Your Mother: A Journey Along the Atlantic Slave Route.* Farrar Straus, and Giroux, 2007.

Fields, Barbara Jeanne, "Slavery, Race, and Ideology in the United States of America," *New Left Review*, May/June 1990.

James, C. L. R., *The Black Jacobins: Toussaint L'Ouverture and the San Domingo Revolution.* Vintage, [1938] 1963. [『ブラック・ジャコバン――トゥサン＝ルヴェルチュールとハイチ革命』青木芳夫監訳、大村書店、一九九一年]

Johnson, Walter, *The Broken Heart of America: St. Louis and the Violent History of the United States.* Basic Books, 2020.

Johnson, Walter, *River of Dark Dreams: Slavery and Empire in the Cotton Kingdom.* Harvard University Press, 2013.

Jones, Claudia, "An End to the Neglect of the Problems of the Negro Woman!" *Political Affairs*, June 1949.

Jung, Moon-Ho, *Coolies and Cane: Race, Labor, and Sugar in the Age of Emancipation.* Johns Hopkins University Press, 2006.

Kelley, Robin D. G., "What Did Cedric Robinson Mean by Racial Capitalism?" In "Race Capitalism Justice," special issue, *Boston Review*, Winter 2017.

Marable, Manning, *How Capitalism Underdeveloped Black America.* South End Press, [1983] 2000.

Marx, Karl, *Capital* Vol. 1, Penguin, 1990.

Marx, Karl and Friedrich Engels, *The Civil War in the United States*, Andrew Zimmerman ed., International Publishers, 2017.

Melamed, Jodi, "Racial Capitalism," *Critical Ethnic Studies* 1, no. 1. Spring 2015.

Melamed, Jodi, and Chandan Reddy, "Using Liberal Rights to Enforce Racial Capitalism," *Items: Insights from the Social Sciences*, July 30, 2019.

Morgan, Jennifer L., *Laboring Women: Reproduction and Gender in New World Slavery.* University of Pennsylvania Press, 2004.

Piketty, Thomas *Capital and Ideology,* Harvard University Press, 2020.

Poovey, Mary, *A History of the Modern Fact: Problems of Knowledge in the Sciences of Wealth and Society,* University of Chicago Press, 1998.

Randolph, A. Philip, "Foreword" to *Negroes and Jobs: A Book of Readings*, ed. Louis A. Ferman, Joyce L. Kornbluh, and J. A. Miller, University of Michigan Press, 1968.

Robinson, Cedric J., *Black Marxism: The Making of the Black Radical Tradition.* University of North Carolina Press, [1983] 2000.

Rockman, Seth, *Scraping By: Wage Labor, Slavery, and Survival in Early Baltimore.* Johns Hopkins University Press, 2009.

Rodney, Walter, *How Europe Underdeveloped Africa.* Howard University Press, [1972] 1982. [『世界資本主義とアフリカ——ヨーロッパはいかにアフリカを低開発化したか』北沢正雄訳、柘植書房、一九七八年]

Rosenthal, Caitlin, *Accounting for Slavery: Masters and Management.* Harvard University Press, 2018.

Schermerhorn, Calvin, *The Business of Slavery and the Rise of American Capitalism, 1815–1860.* Yale University Press, 2015.

Smallwood, Stephanie E., *Saltwater Slavery: A Middle Passage from Africa to American Diaspora.* Harvard University Press, 2007.

Solow, Barbara, and Stanley L., Engerman, eds., *British Capitalism and Caribbean Slavery: The Legacy of Eric Williams.* Cambridge University Press, 1987.

Wells, Ida B., *Crusade for Justice: The Autobiography of Ida B. Wells,* ed. Alfreda Duster. University of Chicago Press, 1970.

Williams, Eric, *Capitalism and Slavery.* University of North Carolina Press, [1944] 1994. [『資本主義と奴隷制』中山毅訳、ちくま学芸文庫、二〇二〇年]

Wolfe, Patrick "Settler Colonialism and the Elimination of the Native," *Journal of Genocide Research* 8 (4), December 2006.

[『人種資本主義の歴史』「序説 資本主義古史」出所]

I
帝国としてのアメリカにおける人種とジェンダーの交錯

第1章　帝国建設において人種とジェンダーはどのように関係しているのか

――アメリカ帝国主義についての省察

ルイーズ・M・ニューマン（荒木和華子訳）

はじめに

アメリカ合衆国（以下、米国）は一八七〇年代から一九二〇年代にかけて、未曾有の帝国主義的外交政策の時代への航海に乗り出していた。それは、初めは米国の大陸部の領土拡張（expansion）を正当化するために用いられ、後に海外の領土を獲得する際にも用いられた「マニフェスト・デスティニー」（明白なる「白人の」運命）による政策に基づいた船出であった。したがって、一七、一八世紀に（インディアンと呼ばれた）先住アメリカ人を征服し支配下に置くために最初に立案されたマニフェスト・デスティニーの政策と実践は、一九世紀に解放されたアフリカ系アメリカ人の社会・政治的状況を説明する際に適用され、さらに一九世紀、二〇世紀の海外での帝国主義的投機事業《インペリアリスト・ヴェンチャー》においても利用されたのである。これらすべての領土・範囲《ドメイン》において、人種とジェンダーは帝国を獲得し、正当化し、建設するために非常に重要な役割を担った。このことは、米国の場合、アメリカ人自身の国家に関する自己認識が、自治を行う（つまり民主主義的な）「共和国」であるために、非常に深刻な問題を生じさせている。人種とジェンダーに関する言説《ディスコース》は、次のような理由で帝国建設においてより好ましいものであると受けとめられた。つまり、人種やジェンダーに関する思考様式や実践を通じて、アメリカ帝国の形態を（アメリカ人が自分たちより遅れていると考える）他の社会に「文明化」の一環として伝播し、それによってアメリカ人こそ地球上において人種的進歩を推進しているという確証をアメリカ人が得ることが可能になったのである。

本章は、新聞、絵葉書、商業用広告に掲載されたイメージを分析することにより、帝国建設がその核心部においていかに人種化され、ジェンダー化されたものであるかを探査するものである。人種化、ジェンダー化の影響としては、抑圧や暴力が行われているその只中においてそのような行為を隠蔽し、公的領域へ進出することを要求した白人女性たちをエンパワーしたという点が指摘できる。白人男性は抑圧的な政府を征服すること、そして白人女性は異教徒・未開人を市民へと教育し変容させることの責任を請け負った。さらに、文明化という使命の成功の度合いは、それが米国内であろうと領土外であろうと、一九世紀後半に定着した白人中産階級のジェンダー役割や規範への適応や遵守の程度によって測られたのである。

1　帝国建設の基盤としての人種とジェンダーの交差性

帝国建設において人種とジェンダーはどのように関係しているのか。この問いへの答えはシンプルで、「すべてにおいて［関係している］」となる。人種とジェンダーは帝国建設の基礎をなしている。そのなかでもわかりやすい三つの要点について述べたい。これらは難解な事柄ではないが、にもかかわらず深遠である。問いを立てると、その答えは最初に逃げ出そうとする。そのため筆者は問いを立てるプロセスそのものに強い興味を抱いている。担当する授業では、筆者はいつも学生たちが良い問いを立てられるような方法を教えるようつとめている。問いを立て始めるとき、まず自身が提示するカテゴリーについて考える。人種とジェンダーは、異なる歴史的瞬間において、異なる意味を持つ。米国の場合、これらの意味は常に変化している。アメリカ人の多くは、人種的カテゴリーは長期にわたって不変であり、誰かを特定の人種カテゴリーに当てはめたら、その人が常にそのカテゴリーのメンバーであると思い込んでいる。しかし、米国の文脈における人種について研究をすれば、人々を人種的カテゴリーに適合させるためにはかなりの作業が必要であることが判明する。これがここで筆者が明らかにしたいと思っていることの一つ目である。

今日の米国には人種を識別するいくつかの方法がある。たとえば白人、黒人などのような色分けによって最も頻繁に人種が識別されている。民族的に識別する方法もあり、イタリア系アメリカ人のように祖先を参照して人種を選別したり、ユダヤ系アメリカ人のように宗教によって人種を識別する場合もある。一九世紀に遡ってみれば、人種のカテゴリーは異なっているし、またそれらのカテゴリーは異なる意味を持っていたと言える。

筆者はジェンダーという用語を、性的差異の認識を押しつける様々な価値観と諸制度という意味で使っている。ジェンダーは生物学的なカテゴリーではない。生まれつきマスキュリンな男性とか、フェミニンな女性が存在するわけではない。そうではなくて、ジェンダーはむしろ特定の文化が、男性とはどのような人たちであり、女性とはどのような人たちであるのかについて、あるいはどのような役割をそれぞれの性［男性、女性］が想定すべきであるかについて指し示すのである。

これから見ていくように、人種とジェンダーの二つのカテゴリーは分離不可能であると言える。白人男性とはどのようであるべきかということに関する文化的期待は、黒人男性や（一九世紀の文脈ではインディアンと呼ばれる）先住民男性に関する文化的期待とは異なっている。同様に、性的差異に関する言説《ディスコース》はたいてい明示的には人種化されておらず、男性が女性とどのように異なるかについての説明は他の修飾語なしで説明されるのがほとんどである。

一九世紀における性的差異の言説に関する第一のポイントは、性的差異が人種的分割や人種的境界を構築するために利用されたという点である。第二のポイントは帝国建設という状況下の人種とジェンダーに関する一九世紀の言説が、白人女性が新たな公的役割を担うことを可能にしたという点である。一九世紀における規範的言説とは、女性（白人女性のことであるが）が家庭にいて良妻賢母であるというものである。これは、おそらく現代の私たち誰にとっても馴染み深いジェンダーの言説であろう。公的役割を担いたい、あるいは政治的に積極的に関わりたいと望む白人女性たちは、このような規範的言説による限界に直面しなければならなかった。彼女たちの言葉を借りれば、「女性たちの領域を拡張する」ことに成功した方法には、米国の帝国建設の一環として世界中の人々を文明化することにおいて、白人女性が特別な役割を担っていると主張したことがある。米国の白人女性たちは、国家が帝国建設に着手した際に、彼女らにとっての特別で公的な社会的役割を開拓し、創出したのであった。第三のポイントとして、アメリカにおける人種とジェンダー、（あるいはこの思考様式を特定するもう一つの方法である）人種とジェンダーの交差性は、最後に述べるように、現在でも海外における帝国主義的な事業についての人々の考え方に影響を与えているのである。

2　ロゴ地図が不可視化する他者とマニフェスト・デスティニー

まず、アメリカ人の多くが米国をどのように認識しているかについて示そう。図1は、ダニエル・イマーヴァールの研究による「ロゴ地図」であり、アメリカ人の国家認識を如実に表している。境界線は大陸の四八州と追加された二つの州（アラスカとハワイ）を含む米国の大陸部（本土）に輪郭を与えている。多くのアメリカ人の脳裏によぎらないこと、そしておそらく多くがそもそも知らない事実として、米国はさらに異なる政治的地位に置かれた広範な領海外土を保持しているという点がある。二〇世紀初頭において、これらの領土は地理的に広範囲にわたっており、フィリピンの例のようにいくつかの地域では人口も多かった（現在、フィリピンは米国領土ではない）。イマーヴァールが著書『帝国の隠し方（*How to Hide an Empire*）』（二〇一九）において問うていることは、なぜこのような［米国による海外の領土保持に関する］認識が当初広まったものの、次第に消えていったのか、またなぜ本土に居住する人々に対して［海外の］米国領土が不可視化されたのかという点である。私たちは歴史研究を通して、かつて可視化されていたものが不可視化され、再び可視化される様子について考察することができる。

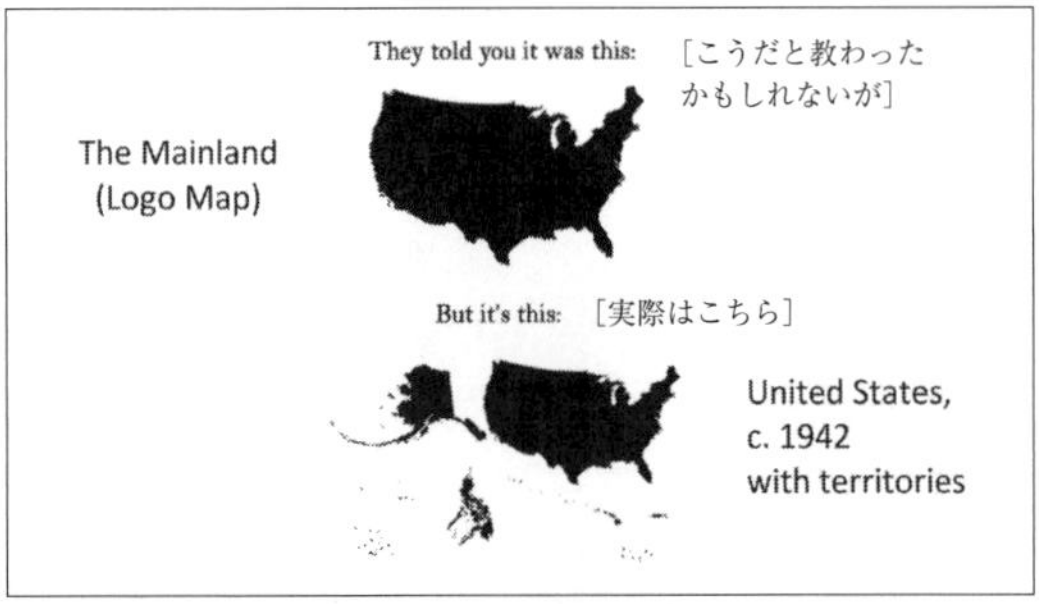

図1　ロゴ地図と領土を含んだ実際の地図（1942年）の本土の比較
出所：Daniel Immerwahr, *How to Hide an Empire: A History of the Greater United States* (New York: Picador, 2019): 8 より転載

図1、2の地図は一九四一年以降のものであり、アメリカ帝国の拡がりに関する理解を助けてくれる。過去も現在もほとんどのアメリカ人が、このような認識を持っていない。ほとんどが本土のみを国家として認識している。アメリカ人の多くに「海外における米国領土に関する」認識がないことの理由は、アメリカ人が本土に注目したままでいられるようなアメリカの歴史に関する特定の語り方が存在するからである。アメリカ人は特定の表現を用いているが、このうち最も有名なものとしては、マニフェスト・デスティニーと呼ばれるものがある。この用語には、「神から与えられた」運命づけられた使命という含意がある。マニフェスト・デスティニーは、領土獲得は不可避であると説明づけることにより領土拡張を正当化してきた。図3は、

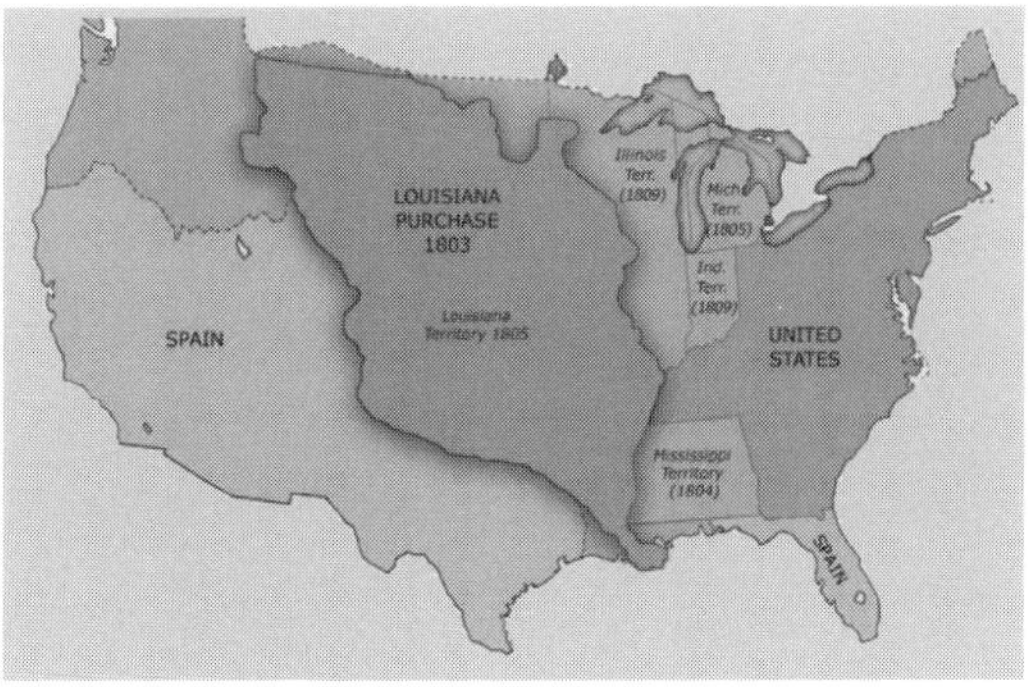

図3　18C 末〜 19C 初頭の米国の西部への拡張を表す地図
出所：www.ushistory.org

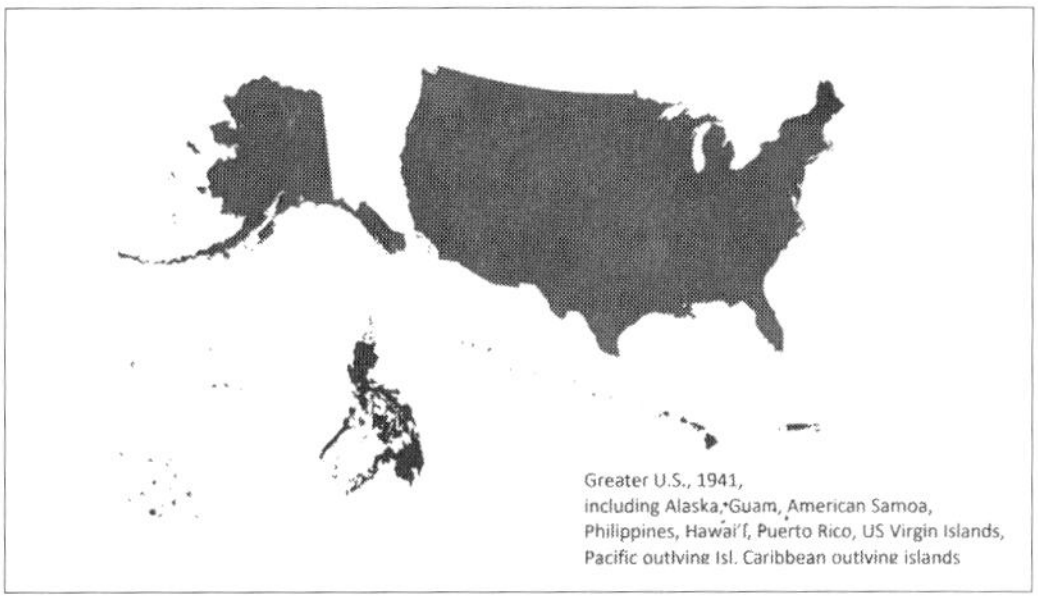

図2　「より偉大なアメリカ合衆国」の地図（1941 年）
出所：Daniel Immerwahr, *How to Hide an Empire: A History of the Greater United States* (New York: Picador, 2019): 9 より転載

数十年間にわたって段階を踏みながら大陸拡張が行われたことを示している。領土獲得は暴力や征服を伴ったが、しかしこれらの〔暴力や征服という〕用語を用いて議論されることはめったにない。高校で使用されているアメリカ史の教科書では「拡張《エクスパンション》」という表現を用いることがある。しかし国家の拡張に関してしばしば見落とされているのは、以前から居住していた人々にどのようなことが起こっているのかという点である。一九四一年までに、米国はアラスカやハワイを併合する形で大陸からの拡張を図った。

3　一九世紀の宣教活動と世界の色分け地図——「野蛮な・異教徒の」文明化事業

領土獲得の代わりに、征服《コンクエスト》という用語を使用すれば、ここで議論されているのは米国の外交政策であることが明らかとなる。外交政策とは政府による主導、運営によるものであるが、他の部門の人々が担ってきた重要な役割がある。つまり、この征服において一九世紀の宣教師が重要な役割を果たしたことが、研究によって実際に明らかになってきたのである。

図4の地図から、宣教師が世界をどのように認識していたかを理解することができる。これは、一九世紀にアメリカ宣教師協会が、海外の宣教活動に人々をリクルートするために配布したパンフレットに掲載されていたものである。配色はとてもシンプルであり、黄色は、米国、ヨーロッパの一部地域、南アフリカ、一九世紀末には英領下となっていた被植民地域である。これらの黄色の地域は、キリスト教の政府によって運営されていたことを示している。ここでのキリスト教とはプロテスタントのことであり、カトリックのことではない。この地図上で茶

色に塗られているのは「野蛮な・異教徒の（heathen）」人々の地域であることを表している。heathenという用語は一九世紀に頻繁に使用された表現であり、人種と宗教の両方について言及している。heathensとは非キリスト教徒のことであるが、この用語には文化の欠如に関する重要な含意がある。この用語は文明化されていない人々のことを指し、「野蛮な・異教徒の」文化は、人種・文化的ヒエラルキーにおいて最底辺に配置される。よって、人種やジェンダーによる差異化が非常に重要な意味を持つ。図4の地図からわかるように、カナダは「野蛮な・異教徒の」人々の地域であるとみなされており、また南アメリカも同様である。赤・ピンクで塗られているのはローマ・カトリックの地域である。プロテスタントの宣教師にとって、これらのピンクの地域は、改宗困難な地域――、つまり人々をプロテスタント派に改宗させることが難しい地域であった。緑色の地域はイスラム文化圏を表している。所どころに散らばる黄色い小さな星の点は、「野蛮な・異教徒の人々を文明化する」ためにプロテスタントの宣教師が赴いた場所を示している。

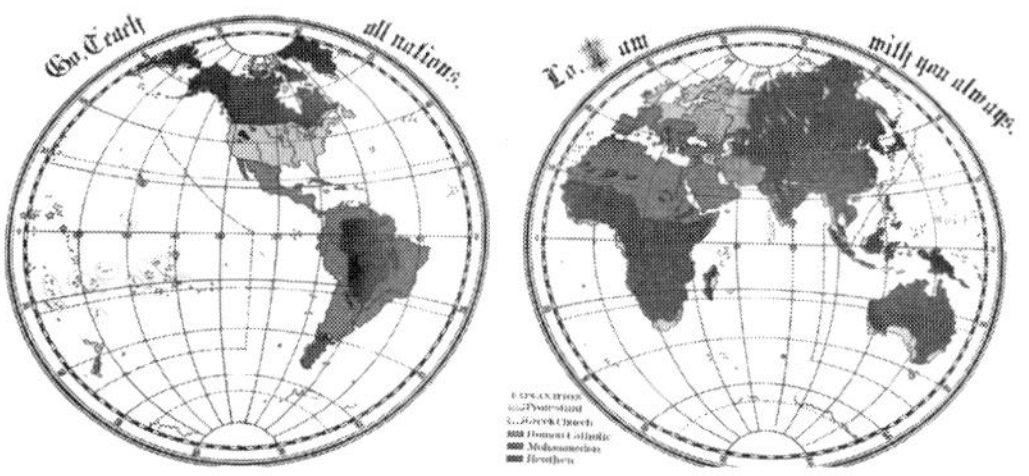

図４　キリスト教宣教師の世界地図

訳註：元の資料はカラーであり、地図上の色分けは、最も暗い箇所が茶色であり、地図上の陸地の約３分の２を占めている。左側の地図の２番目に濃い箇所と右側の地図のヨーロッパ南部とロシアが赤・ピンクで塗られている。右側の地図の２番目に濃い箇所が緑色であり、左側の地図の最も薄い箇所と右側の地図の北欧、南アフリカとオーストラリアの南端が黄色く塗られている

出所：Christian Missionary World Map. パンフレット、筆者所蔵

　次に、一九世紀末にアメリカ人が米国の帝国主義的野望についてどのように議論したのか、その

方法・様式について述べたい。このテーマに著者が関心を持った端緒は、ある種の暴力が特定の方法・様式によって慈善的な行為に変容したこと、そしてこの変容において主要な役割を白人女性が担ったことにある。女性史におけるこのような著者の関心が、アメリカ帝国主義研究へと誘ったのである。このテーマに関して調査を開始した当初、宣教師のパンフレットを見てみたが、宣教師が何について言及しているのかまったくわからなかった。しかし視覚的なイメージを取り入れた途端に、宣教師の女性たちがいかに実際に［色づけされた地図を通して］「世界を見ていたか」について理解できるようになった。宣教師の人々が使用していた地図から筆者が研究を出発させたのは、このような理由による。

4　奴隷解放と文明化事業の連結による帝国建設
――イコノグラフィー、表象、ミンストレルシー

次に、政治的なイコノグラフィー（図像）を紹介したい。これらのイメージの大半は一九世紀末に掲載されたもので、多くは、一九世紀末のエリートによって購読された『パック（*Puck*）』誌と『ジャッジ（*Judge*）』誌の二つの雑誌の表紙である（図5～7）。これらの雑誌は当時の重要な政治的出来事について論じ、また出来事に関して色鮮やかに描かれた挿絵を掲載した。図5のなかで、立っているのは民主党の大統領候補者のウィリアム・ジェニングス・ブライアンであり、一八九六年にウィリアム・マキンリーとの選挙戦で敗れた。ブライアンは反帝国主義的立場でよく知られている。左側後方に薄暗く描かれている像はエイブラハム・リンカンが奴隷を引き上げ《アプリフト》ようと

しているものである（奴隷の解放者としてのリンカンのこのようなイメージは一八六三年以降、一九世紀の政治的イコノグラフィーとして頻繁に共有された）。『ジャッジ』誌の画家は、一八六〇年代後半の奴隷解放と［一九世紀末の］米国外に居住する野蛮な・異教徒の人々を「解放する」可能性について、歴史的な繋がりを主張しているのである。筆者がここで注目したいのは、（通常、このように指摘されることはないのであるが）ブライアンの前でひざまずいている女性の姿である。女性はキューバを象徴している。女性は［肌の色が］白っぽく描かれ、白人として表象されており、ここでの議論においては、この女性は「引き上げられる《アプリフト》」ことが可能な存在であることを意味している。言葉でははっきりと述べられていないものの、これらの二つの像の比較によって暗示されていることとは、一八六〇〜七〇年代において米国が男性奴隷を「引き上げる」ことができたのであれば、キューバのような国を米国が引き上げることができないはずはないという主張である。この「引き上げる」ことと奴隷制との連結こそが、筆者が一九世紀末の文明化事業と呼んでいるものである。つまり、この連結によって征服行為の棘を抜こうとしているのである。

図５「ブライアンとリンカンの像」『ジャッジ』誌
出所：*Judge*, Arkell Publishing Company, New York, May 15, 1897.

　これらの類の表象は一八九〇年代に頻繁に行われたので、もう少し紹介したい。図6では、（米国を象徴する）サムおじさんが右側にいて、キューバ、フィリピン、ハワイを籠に入れて、背負っている。彼は、先を行く（イギリスを象徴する）ジョン・ブルに続

図６　「白人（男性）の責務」『ジャッジ』誌
出所："The White Man's Burden," *Judge*, 1899.

いている。ジョン・ブルは英国植民地を担いでおり、ここから大英帝国を模倣して凌ごうとする米国の欲望が読み取れる（この時期、米国にとっての帝国主義のモデルとして、アジアの帝国は眼中にないようである）。図では、困難な地勢［の岩山］を登る二人が描かれており、一八九九年のラドヤード・キプリングの詩から引用して、キャプションには「白人（男性）の責務」（The White Man's Burden）とある。野蛮、無知、悪、死すべき運命、奴隷制などの底辺から上昇していった最終到達点には、クラシックな服を身にまとった白人女性が文明化の頂点として象徴的に君臨している。

このイコノグラフィーからさらに次のようなことが読み取れる。白人の文明化実践者（civilizer）や帝国主義者は、野蛮な・異教徒の人々が文明化されうる存在であり、米国というより優れた文化に統合され、同化されうる存在でもあるという信念を抱いていた。帝国主義者は人種的文化的統合の可能性について楽観的であった。したがって、筆者が発見して驚いたこととは、反帝国主義者らがひどく人種差別主義的な言葉を用いて帝国主義に反対したことであった。ジェファソン・ディヴィス夫人は、南部連合国の大統領の妻であったが、反帝国主義者の心情を次のように表した。

大統領はおそらくフィリピンを征服し、保有することについての説得力のある理由をお持ちなのでしょう。しかし、私としては、米国に八百万人もの黒人人口があるというのに、さらに数百万人を追加させる意味がわかりません。これらの人々をどのように統治すべきか、これらの人々の福利をどのように推進すべきか、我々はまだ解決策を見出していません。（中略）問題は、「これらの追加の数百万人の黒人たちをどのように処遇するのか、またどのように文明化させるのか」ということです。（*Arena*, 一九〇〇年一月）

次の図7は反帝国主義者たちの風刺画であり、ディヴィス夫人の見解をサポートしている。この風刺画の描き手は米国国家の偽善を批判している。つまり、自国の西部開拓地において人種問題を抱えているにもかかわらず、米国が他者（others）を文明化できると主張することの偽善性を批判しているのである。もちろん、一八七〇～一九四〇年代という時期は帝国主義的外交政策が遂行された前代未聞の時代であったということ、そして白人女性が文明化事業を推進し、自ら参加したことによってこの政策を支持したということが、現在、研究者

図７ 「帝国主義に関する民主的で力強い反論」『ジャッジ』誌
出所：“A Powerful Democratic Argument Against Imperialism,” *Judge*, August 11, 1900 [artist: Victor Gillam]

図8　アリス・フレッチャー（右端）と先住民
出所："1870s-1890s: U.S. Control of American Indians," NBC News, https://www.nbcnews.com/id/wbna24714425

らによって判明している。歴史家による研究において、この文明化事業はしばしば、白人プロテスタントが劣等とみなした移民、先住民、人種グループをアメリカ化する試みであったとして言及される。先住民がそれまで居住していた土地の権限を白人入植者たちが奪うにあたって、米国政府は東海岸から西部のあちこちに指定した居留地《リザベーション》に先住民を強制的、暴力的に移住させたのである。この歴史において、筆者が興味深いと思っているのは、これらの先住民居留地がどのように運営されるべきか決定するにあたって、白人女性が重要な役割を担ったという点である。白人女性は、先住民独自の生活様式を消滅させる立法であった一八八〇年代の土地割当法の制定に貢献した。当時は、先住民との武力衝突というあからさまな暴力よりは、このような方法がより人道的であると考えられていた。図8の女性はアリス・フレッチャーであるが、彼女は複数の居留地（そこでは、従来、集団で所有されていた土地が私有財産所有者としての個々の先住民に分割して与えられ、これによる「余剰地」は米国政府に「返還」されることになった）の割り当ての責任者であった。

また白人女性は、南北戦争後に南部で新たに解放された人々を、（彼女たちの言葉によれば）教育し、向上させるために、学校教師として解放民局の事業に従事した。この教育は識字教育にとどまらなかった。つまり、女子生徒には料理・裁縫などの家庭的な技術が教えられ、男子学生には大工などの職業訓練的技術が教えられるなど、学校教育を通して今一度ジェンダーによる役割が再強化されたのである。図9は一八九〇年代のトレーディングカードであり、スペイン人の血をひくフィリピン人がシンガー社のミシンの前に腰掛けているイメージが描かれている。図10、11は、（より色黒い）「文明化されていない妹《シスター》」と対比させるイメージであり、この絵を見る人々は、この絵の中の一人ひとりの服装に着目することが想定されている。これらのイメージは、アメリカのビジネスと政治と宗教がどのように交差しているのかについて、示唆を与えている。シンガー社は、一九世紀末において最も規模の大きな輸出企業の一つであり、国内のアメリカ人に対しては、世界中で未開の人々を文明化させることに役立っている機械［＝ミシン］であると説明して販売を行った。シンガー社によるトレーディングカードは、アジア、アフ

図10 「同化の達成。フィリピンにおける典型的なマニラの少女と文明化されていない妹」絵葉書、1902年
出典：Newman, *White Women's Rights*: 45.

図9 「フィリピン諸島、マニラでの同化、進行中」1893年シカゴ世界万博で配布されたシンガーミンシ社のトレードカード
出　典：Louise Michele Newman, *White Women's Rights: The Racial Origins of Feminism in the United States*, Oxford University Press, 1999: 44.

リカ、東南アジア、南アメリカ（そして米国内ではインディアン居留地も含む）など世界の異なる多様な地域における女性をミシンの前に配置して描くことによって、これらの領土の居住者が文明化されうる存在であるというイデオロギーを提唱しようとしたのである。

　そして図12では、先住民や中国人［中国系移民］を教育することが無駄な努力であること、加えて、［米国］領土における人々を教育することが不可能であるというイメージが描かれている。前列には、キューバ、フィリピン、ハワイ、プエルトリコの表象・代表《リプリゼンテーション》として、ミンストレル化され、だらしなく、反抗的でないとしても不機嫌な態度の生徒たちが座っている。その後ろでは国内の諸州であるテキサス、カリフォルニア、アリゾナ、ニューメキシコの表象・代表として、従順な生徒たちが本を読んでいる。後方の奥の先住民は本を逆さに持って読んでおり、中国人は遅刻して教室に入るのをためらっている。

　筆者がこのイメージを紹介するのは、これらの領土を表すために、ミンストレルシー（ミンストレルの方法・様式）が用いられているからである。ミンストレルシーとは、南部で発展した文化的形態の一つであり、白人の人々が自らの顔を黒く塗

図11　「縫製を学ぶコンゴの孤児の少女たち」アメリカ・バプテスト海外宣教協会絵葉書
出所：筆者所蔵

図 12 「学校の開始」『パック』誌
出所："School Begins," *Puck*, Keppler & Schwarzmann, New York, January 25, 1899 [artist: Louis Dalrymple]

り、奴隷居住区で見聞きした奴隷たちの歌や踊りを模倣した、人種差別的な娯楽であって、アフリカ系アメリカ人を馬鹿にして楽しむものである。南北戦争後に、ミンストレルシーは商業的なエンターテイメントとして発展・成功し、形成された劇団はあちこちを旅しながら、ステレオタイプに基づいた（ジム・クロウ、ジップ・クーン、マミーなどの）役柄を演じた。後に黒人の人々自身も、顔を黒塗りし、白人の観客のためにミンストレルの演技を披露するようになり、次第にミンストレルによるステレオタイプが他のメディアや娯楽においても浸透していった。未熟さや愚かさを誇張した特徴を題材にした人種差別的なユーモアは、この図のプエルトリコ人、ハワイ人、フィリピン人、キューバ人の表象において見られる。実際にはこれらの人々はそれぞれ独特の文化を保持しているにもかかわらず、このイコノグラフィーにおいてはすべて黒塗りで表現されているのである。

5　セクシュアリティと人種に関する恐怖の神話

図13、14のイメージはセットで理解されるものであり、米国本土であれ海外領土であれ、強制的、暴力的に領土を獲得し、白人が非白人に遭遇することになったことにより生じた白人の人種に関する恐怖を表している。人種による恐怖には、先住民による拉致やレイプ、（白人男性と黒人女性による）異人種間混淆、そして人種の自殺（白人女性の出産率の減少）が含まれている。

まず、白人女性が開拓地において拉致されてレイプされるであろうという恐怖から見ていこう。このことが実際に起こったことを示す史料は歴史家によって見つけられていないにもかかわらず、このことは一七世紀に関するアメリカ人の集合的な記憶のなかで根源的なものになってしまった。図15のように、「自制心のテスト」と題する絵葉書に異人種間混淆が暗示されている。アメリカ人兵士の表象から、海外赴任によって兵士が退化してしまい、トロピカルな環境で暮らしたことにより兵士の男性性が劣化したことが示唆されている。ここでの恐怖とは、未開の地に赴任した男性は先住民女性の誘惑に抵抗することができなくなるというものである。これらの地の女性たちは白人女性たちとは異なり、慎み深さがなく、自身を抑制することができないとされたのである。ここでも、先住民女性たちを表象するのにミンストレルシーが用いられている。つまり女性の文化的遺

図13「逃亡しようとしているところ。捕虜にされ、残酷な処遇を受けた私」インドの捕虜のナラティヴ、1850年
出所：筆者所蔵

図 14 「あれらの手を触れさせるな！新ヴィクトリー債を購入せよ」第二次世界大戦期プロパガンダ・ポスター
出所：Odell, Gordon K., "Keep these hands off!" The United States in World War II: Historical Debates about America at War, http://oberlinlibstaff.com/omeka_hist244/items/show/235.

図 15 「アメリカの植民地主義における性的な危険性。自制心のテスト」絵葉書、1900 年代初頭
出典：Newman, *White Women's Rights*: 16.

産や背景がどのようであり、また男性がどこに赴任したのかは意味がなく、このイメージ［ミンストレルシー］によって一つの種として描かれているのである。

ここで問題化されている事柄は領土という文脈のなかの事柄であるが、黒人女性に対する白人男性の性的な関心が適切か否かをめぐる問題は、アンテベラム期［南北戦争前の奴隷制下における］南部のプランテーションや、ポストラベム期［南北戦争後］においては黒人メイドを雇っていた白人家庭においてより該当する問題である。これらの場［南部プランテーションや白人家庭］においては、黒人女性に対する白人男性のレイプは頻発しており、日常的なことであって、わざわざ言及するまでのことではないとみなされていた。その代わりに、黒人女性が自身のセクシュアリティをコントロールできない存在として誤って表象されたことにより、白人男性の黒人女性に対する欲望は文化的に否定されたのである。対照的に、黒人男性に対する白人女性の性的欲望は、より一層深刻な文化的タブーとみなされて否定され、さらに、強い性欲をコントロールできない黒人男性によるレイプ神話へと変形されたのである。

むすびに――「離婚の理由」が可視化する異人種間混淆の歴史の不可視性

異人種間混淆がアメリカ人にとって抑圧された文化的意識の一部をなしていることを示す最後の例を紹介しよう。図16は、今日まで連続する隠された歴史の一部を含有しているため、筆者が最も重要視しているイメージである。米国において人々にこのイメージを見せると、見ている人々の人種が何かによって、このイメージの解釈が大きく異なる結果となる。これは絵葉書のイメージであり、下には「離婚の理由」と書かれている。白人男性と白人女性が弁護士事務所におり、メイドが黒人の乳児を抱えて近くに立っている。このイメージを米国の白人の人々に見せると、妻が出産したのは黒人の乳児であるため、妻が黒人男性との姦通を犯した証拠として、「夫である」白人男性が離婚を申し立てていると言う。ところ

図16 「離婚の理由」絵葉書、1900年代初頭
出典：Newman, *White Women's Rights*: 38.

が、このイメージを米国の黒人の人々に見せると、白人のように見える女性は実は白人ではなく、実際は黒人であり、その証拠に黒人が産まれたと言う。黒人の人々の間で、この女性が意図的に白人としてパッシング〔本来とは異なる属性に所属すると偽り、それで通ること〕しようとしたのか、あるいは女性が自身の先祖の人種について知らされていなかったかどうかについては合意は見られないのであるが〔パッシングしたという点については黒人の人々の間で見解が一致している〕。黒人の人々は、米国史のより広い文脈のなかでは白人に対して不可視化されてきた側面——つまり人種の境界を越えて行われる性的行為である異人種間混淆が米国の歴史のなかで頻繁に一般的な実践として行われてきたこと、そしてこのような行為による子孫はかなり肌の色が白いので白人としてパッシングして生活することが可能であったということを、自らの家族の歴史から知っているのである。このように、可視性と不可視性は個人の歴史に関する知識に基づいているのである。

［参考文献］

Newman, Louise Michele, *White Women's Rights: The Racial Origins of Feminism in the United States*. New York: Oxford University Press, 1999.

Immerwahr, Daniel, *How to Hide an Empire: A History of the Greater United States*. New York: Picador, 2019.

［付記］

本稿は Louise M. Newman, "Keynote Lecture: What do Race and Gender have to do with Building an Empire?: Reflection on U.S. Imperialism," *Theorizing Gender and Race in Historical Contexts: Invisibilities, Transboundary Imagination, and Post-Colonial Futures beyond "the Veil": Proceedings of the AISRD 10th Anniversary International Symposium on January 18th-19th, 2020*（国際地域研究学会一〇周年記念国際シンポジウム報告書）, Association of International Studies and Regional Development（国際地域研究学会、責任編集＝荒木和華子）2020: 5-13 を訳したものである。

Column 1

「真の女性らしさ」イデオロギーとアボリショニストによる解放民援助活動

荒木和華子

近代化、そして産業化によって、男性と女性の間で領域分離が起こったというのがジェンダー史研究上の通説となって久しい。前近代においては、家庭が職場を兼ねる場合が多く、血縁関係のない拡大家族や、徒弟制度下の「従業員」たちが一つ屋根の下で暮らすことはめずらしくなかった。近代における産業革命によって、男性が「パンの稼ぎ手《ブレッドウィナー》」として工場などの職場で賃労働し、また一家の主として政治にたずさわる性、対する女性が家庭内で家事や育児を担う性と規定され、「公的な」男性の領域と「私的な」女性の領域としてそれぞれが分離されていった、というのが「領域分離」（separation of spheres）である（図1）。

換言すれば、近代化が進んだ産業革命期に、北部では前近代的な家族・労働システムが瓦解し、職場と家庭が分離されたことにともなって、（男性は仕事、女性は家事育児を担うべきであるという）男女の性別役割分業が確立した。資本主義経済の導入期でもあり、男性の領域が、パイの取り分をめぐって競争する（欲に塗《まみ》れた）世俗的で公的な空間であると認識されたのに対して、女性の領域とされた「家庭」は、女性の生来の特性と愛情によって無償労働が行われる（そして帰宅した男性が癒される）私的な空間として聖域化されたのである。

図1　領域分離のイメージ

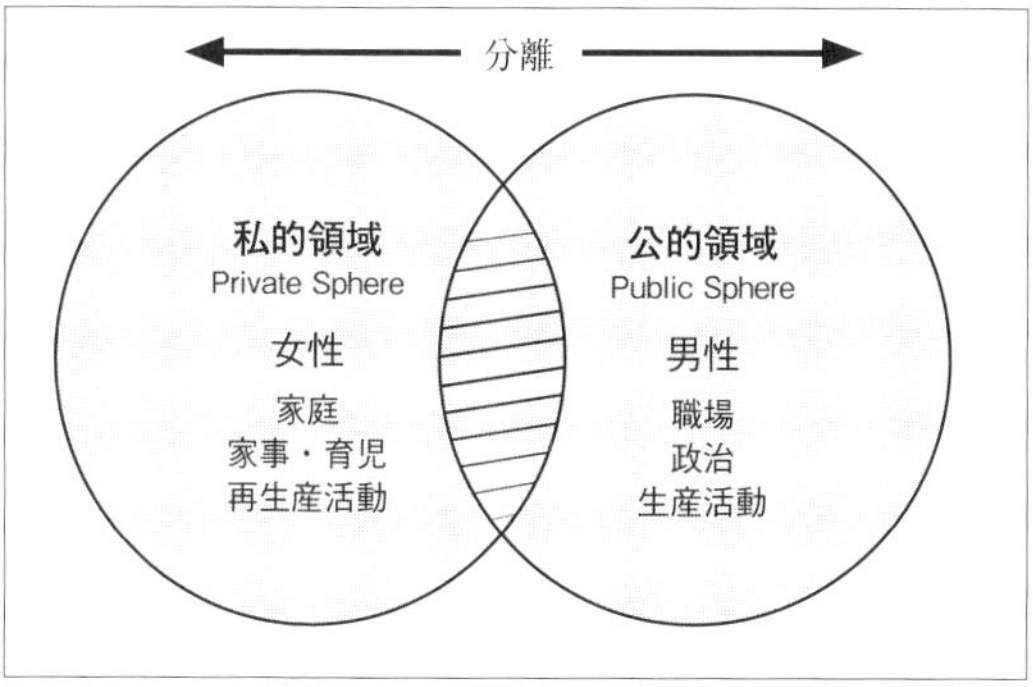

特に、アメリカの一九世紀前半には、北部白人中産階級のプロテスタントの影響により、恋愛と結婚、再生産活動である生殖行為をすべて同じ異性のパートナーと行うべきとするいわゆる「三位一体」の言説が出現した。もちろん、図1の中心の斜線部のように実際には公的領域（public sphere）と私的領域（private sphere）の間には重なりも存在するし、男性の領域とされる公的領域に様々な理由や方法で参入する女性たちも存在する。しかしながら、領域分離はイデオロギーであるために、「規範」として作用する。規範にそぐわない存在は、異端・異常として社会による負のレッテルを貼付されることになる。時代は遡るが植民地期のニューイングランドの「魔女狩り」やアン・ハッチンソン裁判のように、当時の家父長制における女性の規範である「善良な妻」の定義からはずれ、領域をはみ出す女性たちが社会から制裁を受けた事例も存在する。

　また「売春婦」の語源が「公的な女性」であるように、当時、対置される「淑女」（lady）は私的領域にとどまるべきであるという規範が存在していた。一九世紀半ばにリスペクタブルな階級に属する北部の奴隷制《アボリ》廃止主義者《ショニスト》の女性たちの間でもパブリックな場で自らの意見を述べるかどうかをめぐって葛藤があったと言われているが、これは同じ理由に基づいており、公共におけるスピーチ行為は淑女の定義からの逸脱とみなされてきたからであった。

北部の都市部出身で教育を受けた中産階級のアボリショニスト女性の多くが、南北戦争中に奴隷解放が大義となった北部連邦軍支援の一環として、南部の北軍占領地へ赴き、解放奴隷の救助活動にあたった。そのなかでも最初期の試みは「ポート・ロイヤルの実験」と呼ばれ、後の連邦政府による南部再建のモデルとなったと言われている。このとき、医療や食料物資の支援とほぼ同時に着手されたのが、読み書き算術等の生活における基本的知識を教授するための解放民学校における教育である。これらの解放民学校は現在の歴史的黒人大学（HBCU, historically black colleges/universities）の前身となった。

しかし、これらの解放民学校で教鞭をとった北部出身のリスペクタブルな階級に属する白人女性たちは「淑女《レイディ》」でありながらも、学校という公的空間（男女が共学する教室内は公的空間となる）において発言する姿が反‐淑女的であるために、「ヤンキー・スクール・マダム」と揶揄《やゆ》された。ヤンキーとは南部人による北部人の蔑称であり、南部では特に教師職は尊敬に値する地位の職業とはみなされていなかったことから、そのような仕事につくマダムたちというこのニックネームは侮蔑的に使用された。

しかも彼女たちは、自らの教育や教養を盾にして、奴隷制廃止主義の実際の政治に南部の現場において参入したことによって、南部社会からの反発の煽《あお》りを直に受けることになった。奴隷制に基づく南部独自の家父長制社会のなかにおいて、彼女たち解放民学校教師は、まさに「公的な女性」であるために攻撃の対象となったのである。事実、ＫＫＫなどの暴力的白人至上主義者らは、解放民学校、教師、生徒を当初から攻撃の対象とし、被害は当時から深刻であった。再建期における黒人男性の参政権などの市民権獲得を快く思わない人々は、ソーシャル・ダーウィニズムや優生学の影響もあり、異人種間の混淆をアメリカ国家の退化であると憂慮した。特に白人女性教師と黒人男性生徒の教室内での接触はタブー視され、根も葉もない噂が広められて女性教師が移動や辞職を強いられることもしばしばあった。これらの事例が示唆するのは、南北戦争や再建期における民衆史を理解するために、人種やセクショナリズム（地域間の対立）だけではなく、ジェンダーや階級の視点からの考察も欠かせないということである。

一九世紀に関するパイオニア的な米国ジェンダー史研究は、領域分離のうち、女性の領域内が規範化されたものが「真の女性らしさイデオロギー（ideology of true womanhood）」として一八三〇～六〇年代に定着したことを明らかにした。女性史研究者であるバーバラ・ウェルターはこのイデオロギーを構成する要素として、家庭らしさ（domesticity）、従順さ（submissiveness）、敬虔さ（piety）、純潔性（purity）の四つをあげた。

現代の読者は「女性らしさ」、「男性らしさ」について問われた場合、どのような特徴を思い浮かべるだろうか。あるいは、このような男女の二分法的な問いかけや、当然〇〇であるべきと社会が個人に要求する無言の圧力、または「眼差し」自体に違和感を覚える人もいるかもしれない。規範や基準を一方的に押しつけられるときに感じる「もやもや」を放っておかずに、またその原因を個人の内面に探り、個人に責任転嫁するのでもなく、歴史・文化・社会のコンテクストのなかでそれらの生成過程を理解することによって、現状の問題解決のためのヒントを得られるかもしれない。

再び一九世紀半ばに戻ろう。ウェルターが明らかにした「真の女性らしさ」イデオロギーはどのように機能していたのであろうか。結論を先に述べれば、真の女性らしさというジェンダーによるイデオロギー作用を理解するにあたって、人種や階級を度外視することはできない。まず、これまでの女性史研究者が単に「女性」と述べた際の、このカテゴリー内の多様性を考慮する必要があるだろう。「真の女性らしさ」といっても、これが問題なく当てはまる（べき）と想定されたのは、まずは白人（ヨーロッパ系）の中産階級の女性たちであった。このような人種、階級の範疇外の女性たちには、このイデオロギーが基準として必ずしも適用されてはいない例として、ジェニファー・モーガンの研究によるイギリス植民地下におけるアフリカ人女性のイメージがある。図2・図3のイメージのように、アフリカ人・先住民の女性たちは、農作業に従事する労働者であると同時に子を産み育てる母親として、二種類の（再）生産活動《リプロダクション》を行うことの可能な特定の人種・階級の女性として描かれ、公私両方の領域に配置されていた。

南部奴隷制を糾弾する北部の奴隷制廃止主義者《アボリショニスト》たちは、まさにこの点から奴隷制の「悪」を追及したのであった。彼女たちアボリショニストは、奴隷化された黒人女性たちが家庭性（domesticity）を奪われ、「中途半端にしか文明化されていない（half-civilized）」状態を深刻な問題であると指摘した。例として、全国解放民救済協会によって北部から派遣されて南部で元奴隷たちの救助や教育活動に夫とともに従事したフレンチ夫人は、サウスカロライナ

図３　イギリス人旅行者によって描かれた、乳児を背負ってマリワナを一服して休憩する南アフリカ・ケープタウンの労働者兼母像。18世紀のロンドンで閲覧された
出所：図２と同様、43頁

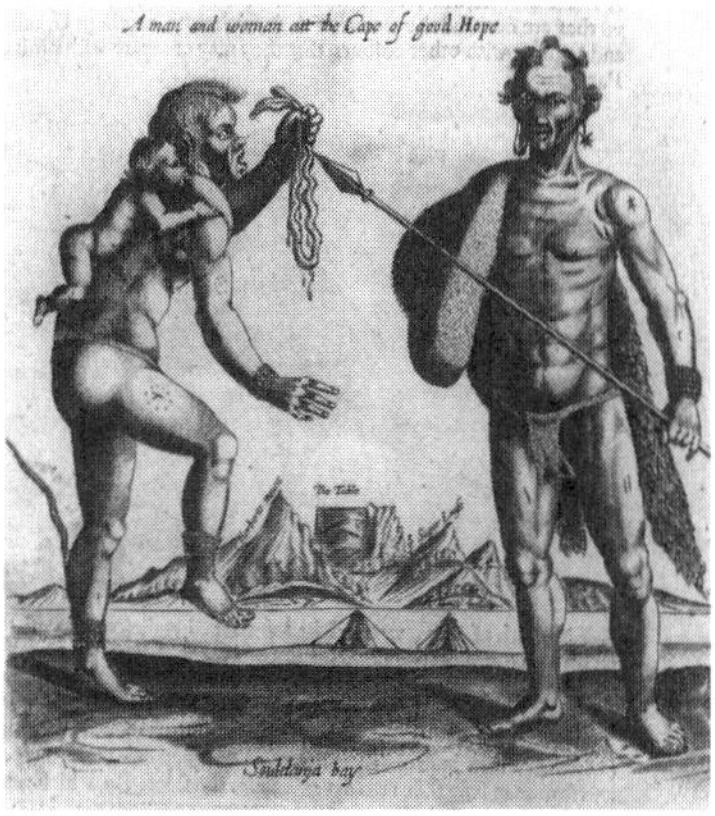

図２　イギリス人旅行者によって描かれた南アフリカ・ケープタウンの男女の様子を伝えるイメージ。17世紀のロンドンで、閲覧された
出　所：Jennifer L. Morgan. *Laboring Women: Reproduction and Gender in New World Slavery*: Philadelphia: University of Pennsylvania Press, 2004, 34.

州の奴隷制と元奴隷に関する著書（一八六二年刊行）のなかで、奴隷の女性たちが「男性と同じように働かされていることに」驚愕している。そして「女性と文明化」と題する章のなかで、北部ニューイングランド出身の女性たちが、解放民女性たちに「文明化され洗練された様式で生活できるようになるために」適切な家事の方法をいかに懸命に教えているかを強調した。

　南北戦争の初期に北部が占領した南部地域において、このように解放民の援助・教育活動に従事した北部出身の女性たちは、解放民女性が北部ニューイングランド式の家事の知識や技術を身に着けて初めて、奴隷解放が真に達成されると認識していた。本書の第1章で人種・ジェンダーが交錯しつつ文明化、帝国主義化が行われた歴史過程が論じられているが、ここでも女性というジェンダーに割り振られた「適切な」役割（ここでは家事）を担えることが、文明化や進歩と結びつけられて理解されていることがわかる。彼女たちアボリショニストの主張と活動は、当時、すでに一般にも広く普及していた「真の女性らしさ」イデオロギーに基づいて展開されたがゆえに、説得的であったと言える。

ここまで読み進めてきた読者は、解放民女性に家事の方法について教示する北部出身のアボリショニスト女性たちは、家事のエキスパートだったであろうと想像するかもしれない。おもしろいことに、実は彼女たちの大半は家事が不得意どころか、大嫌いであったようである。彼女たちの日記には、女性であるために家事を行わなくてはならないことへの不満が綴られている。一八六二年のある日のスーザン・ウォーカーの日記をのぞいてみよう。

昨日は私にとって大変な日でした。私がポート・ロイヤルに来て以来、最も大変な日で、疲労困憊で、意気消沈してしまいました。（中略）三人の淑女と数人の紳士を私が［料理をして］もてなさなくてはならなかったのです。ピアース氏は非常に親切な方で贅沢なほどたくさんの食糧を持ってきてくれました。そして、彼は美味しいお料理が大好きなのです。それを好まない人がいるでしょうか。私も大好きですが、自ら美味しいお料理を準備するのは好きではないです。もし私たちによい給仕人がいれば、嫌で面倒な家事を任せて、教育や説教のように、これらのともに毎日求められて

いるもっと重要な仕事のために貴重な時間を割くことができるのに……[1]

ウォーカーは、最初期の解放民学校であるペン学校の校長を務めたローラ・タウンという北部出身の白人女性も同様に家事が大嫌いであったと記録している。これらの北部出身の白人女性たちは、やがて解放民女性を自宅で雇うことにより家事労働を免れた。

家事労働だけが、北部出身の白人女性教師たちが「真の女性らしさ」イデオロギーと矛盾した点ではなかった。教師たちは自分たちの生徒である解放民に、婚姻関係を結ぶことを奨励し、頻繁に結婚式を取り仕切ったのであるが、教師たちの多くは独身であった。この時代、同性間の親密な関係が多く存在していたことが近年の研究で明らかになっているが、先述したローラ・タウンのパートナーとして生涯、南部の黒人学校で教師を務めたエレン・マレーのように同性同士のパートナーシップに基づいた生活の例も見られた。男性への献身や従順さを基調とする「真の女性らしさ」の理想は、ネオ・アボリショニスト（実際に奴隷制廃止という目的が達成された後も、奴隷制による負の遺産を解消するために解放民の援助・教育活動等を継続したアボリショニストたちの呼称）の仕事や生活スタイルという現実にそぐわなかったと言える。

このように、ネオ・アボリショニストの女性たちによって生きられた現実を歴史の文脈のなかで見てみると、領域分離の概念や「真の女性らしさ」イデオロギーの機能がより立体的に見えてくる。文化、社会、歴史のなかで「規範」を押しつけられつつも、巧みにそれを利用したり、かわそうとしたりする例も多くあるだろう。ジェンダーの概念やイデオロギーを、二分法的枠組みにとらわれず、人種や階級が交錯するあり様を視野に入れて、その時どきの人々が向き合っていた課題を理解し、人々に寄り添って資料を読み解いていくことが社会史研究の課題でもある。

［註］

1 "Journal of Miss Susan Walker March 3rd to June 6th, 1862," Henry Noble Sherwood, ed., *Quarterly Publication of the Historical and Philosophical Society of Ohio*, 7(1), January-March, 1912: 47-48.

［参考文献］

荒木和華子「ジェンダー」小谷一明ほか編『国際地域学入門』勉誠出版、二〇一六年。
Araki, Wakako, "Gender, Race and the Idea of Sperate Spheres: Neo-Abolitionist Work in South Carolina Sea Islands," *The Japanese Journal of American Studies*, No. 19, 2008.
Cott, Nancy F., *The Bonds of Womanhood: "Woman's Sphere" in New England, 1780-1835*, Yale University Press, 1977.
Karlsen, Carol F., *The Devil in the Shape of a Woman: Witchcraft in Colonial New England*, W. W. Norton & Co., 1987.
Welter, Barbara, "The Cult of True Womanhood: 1820-1860," *American Quarterly* 18 (2), Summer, 1966.

第2章　一九世紀アメリカにおけるフリー・ラヴ思想
――ロマンティック・ラヴの理想と結婚制度

箕輪理美

はじめに

誰と結婚するのか、パートナーとどのような関係を築くのか、婚姻内でどのような役割をそれぞれが果たすのかということは、あるレベルにおいては私的領域におけるごく個人的でプライベートな選択の問題であると言える。しかし同時に、二〇一五年六月の連邦最高裁判所の判決により全米五〇州で同性婚が合法化された現在でもなお、その是非が論争を呼んでいることからもわかるように、結婚はアメリカの歴史を通して政治的・社会的な含意を持ってきた。結婚とは単にすでに存在しているカップルを法的に登録するという性質を持つだけではなく、それを通じて男女の性役割や人種の秩序、国家のあり方などが形成され、再生産されるような制度として機能してきた。結婚のあり方が社会によって規定されているということは、結婚とは人間にとって普遍的で超時代的なものなどではなく、その内実は文化により異なり、また、同じ国や地域であっても時代状況によって絶えず変化を遂げてきたということでもある。それは、多くの州においてかつては違法であった異人種間結婚や前述の同性婚が現在のアメリカでは可能になっていることからも明白である。そうであるならば、結婚の歴史を振り返ることは、その時代の政治・経済・社会的な状況を理解する際の重要な視角を与えてくれると言えるだろう。

本章で焦点を当てる一九世紀半ばのアメリカにおいては、結婚は社会におけるあらゆる人間関係の基盤となる制度とみなされ、非常に重要視されていた。その一方で、同じ時代において、結婚制度を批判し、その廃止を唱えるという、現代の私たちから見てもかなり急進的と思われるような社会運動が存在した。このフリー・ラヴ（自由恋愛）と呼ばれる思想は、南北戦争前の北部社会における各種改革運動の文化のなかから生まれたものだった。フリー・ラヴを提唱したフリー・ラヴァー（自由恋愛主義者）たちは、結婚は人間の愛情を不自然にコントロールする制度であり、また、女性の不平等な立場に法的な認可を付与するものであると痛烈に批判した。本章では、フリー・ラヴがなぜ一八五〇年代のアメリカに出現することになったのかを、その背景にあった結婚にまつわる時代状況を概観することにより検証していきたい。

1　制度としての結婚におけるジェンダー・人種

共和国における結婚と市民権

ナンシー・F・コットは、著書『公の誓い（*Public Vows*）』のなかで、結婚というプライベートな領域に属すると考えられている制度が、アメリカの歴史を通じて常に政策決定者の政治的な関心事となっていたことを論じている。二人の結びつきが「結婚」として成立するためには、公的な承認が必要である。その際、誰が結婚できて誰が結婚できないのか、誰が結婚式を執り行えるのか、どのような義務や権利が伴うのか、離婚はどのような条件において許されるのかといった諸々の問題が法律によって定められた。アメリカ合衆国の建国から現在に至るまで、結婚の重要性やその適切な形式は政策に埋め込まれ、ジェンダー秩序や人種の境界を構築し、そして新たな市民の包摂や排除の条件を設定してきた（Cott 2000）。まず本節ではこうしたコットの議論を参照し、建国初期のアメリカにおいて結婚がどのように規定されていたのかを概観していく。

一七七六年の独立宣言による建国以後、政治および法的な権力は、一人のパートナーと生涯を共にする一夫一婦制というキリスト教的な結婚を統一モデルとして推進した。建国前の植民地期にアメリカの結婚様式を決定していたのはキリスト教の教義であったが、独立革命を迎えると、それに道徳・政治哲学による理論づけが加わった。ヨーロッパの政治理論においては、一夫一婦制は無秩序な性的欲望を抑制し、被扶養者への保護や支援を保障する機能があるとされたため、社会秩序を維持するのに効果的であると長らく考えられていた。それに加えて、独立革命期に新たに強調されたのは、結婚が男女双方の同意に基づくという点であった。つまり、お互いの利益のために、自由意志を持つ個人が自発的な同意に基づいて交わす「契約」により成立するという点において、結婚は共和国と類似性を持つものであると考えられるようになったのである。ただし、独立革命期を過ぎ、建国以降にアメリカ社会が次第に保守化していく時期になると、契約を結ぶ二者間の対称性よりも、契約を結んだことで起こる権限委譲に議論の焦点が置かれるようになっていく。つまり、自発的な同意により、市民は選ばれた代表に権限を委譲し、また、妻は夫に権限を委譲する。その結果行われる支配は正当なものであり、市民が政府へ反逆することが許されないのと同様、妻の夫への反逆は許されないものとされた。こうした論理の下で、一夫一婦制は神によって定められた神聖な結びつきであるだけでなく、最も「文明化」された結婚形態でもあると理解された。

また、結婚における夫婦間の関係を規定していたのはイギリスのコモン・ロー（慣習法）に由来する「夫の保護下にある妻の身分（coverture）」と呼ばれる原則であった（有賀 一九八八、小檜山 二〇〇二）。この原則により、ひとたび結婚すると妻の法的存在は夫に統合された。この夫婦の法的同一性は、女性にとっては、結婚することで自らのアイデンティティを失うことを意味していた。結婚により、妻の所有財産は夫の管理下に置かれ、結婚後に自分で働いて得た収入も夫に帰属するとされた上、妻は独自に訴訟を起こしたり契約を結んだりすることもできなかった。また、妻の身体に対する権利や子どもの親権は夫に委ねられた。こうして妻が一個人としての様々な権利を放棄する反面、夫は妻を適切に扶養し、寛容に扱い、法的な責任を引き受ける義務を負った（妻が犯罪を犯したり借金をしたりしても、監督者である夫が責任を負うとされた）。結婚によって、夫は妻を保護し扶養することを誓い、妻は夫に仕え従うことを誓う。愛情だけではなく、こうした相互に対する義務が男女を一生涯にわたって結びつけるとされた。そして、男性は結婚という契約を結び、妻や子どもへの扶養義務を果たすことで一人前の市民として認められた。平等主義の理念の下にすべての人の「生命・自由・財産」の権利を守ることを約束し、成立した共和国において、自由や財産権を認められない「夫の保護下にある妻の身分」の存在は明らかな矛盾だった。また、既婚女性は投票権資格に必要であった財産を持たない上、投票の際に夫の意向に従う可能性が高いということを根拠に、すべての女性に参政権が認められていなかった。このように、婚姻内での女性の従属的な立場を規定することにより、結婚の法律はより広い社会一般におけるジェンダー秩序を形成する力を持った。

法的な結婚が誰に認められ誰に認められないのか、どのような関係が結婚とみなされるのかという判断は市民権の問題とも結びついていた。アメリカ合衆国が建国された当時、キリスト教的な一夫一婦制で、かつ、夫が家長であり経済的な大黒柱としての役割を果たすような結婚は、世界各地に存在する数ある結婚のあり方の一つにすぎなかった。しかし、建国者たちはこの結婚のモデルを支持し、新しい共和国の繁栄は国民のなかでこうした結婚が実施されることにかかっていると確信していた（Cott 2000）。アメリカが領土を西に拡大し、国内にますます多くの先住民や移民を包含するようになるにつれて、結婚は新たな市民の包摂と排除を決定する際の言語を提供した。そして、そこでの結婚についての想定はジェンダー規範を強化するだけではなく、人種的ヒエラルキーを構築し、再生産するものでもあった。

植民地期のアメリカにおいて、ヨーロッパからやってきた入植者たちは、先住民の人々が自分たちとはまったく異なる種類の社会システムや結婚の慣習を持っていることを発見した。概して、先住民たちは夫婦中心の排他的な核家族ではなく、より大人数な（多くの部族では母系の）親族関係のなかで生活を営んでいた。さらに、権力者の男性は複数の妻を持つことがあり、離婚・再婚や婚前交渉が認められていた。性役割のあり方は部族により様々であったが、男性が狩猟や戦闘、貿易を行う代わりに、女性が農業を行ったり家庭についての一切を取り仕切ったりなど、ヨーロッパとは異なる形の性別分業が行われており、女性は実質的な世帯主として土地や財産に対する権利を有している場合も多かった。こうした先住民たちの異質な文化は民族の劣等性と結びつけられたが、その反面、彼らを「文明化」し、新たに建設された共和国に統合するため、先住民男性を狩猟ではなく農業に従事させ、キリスト教的な結婚をさせようとする試みは絶え間なく行われた。こうして先住民男性が家父長的役割を果たすことを求められた一方で、女性たちは部族社会のなかでかつて有していた力や権利を奪われていった（Gutiérrez 1991, Plane 2000）。

また、動産という立場であることから市民権を持たない黒人奴隷は、法的な結婚をする権利をそもそも認められていなかった。黒人奴隷は同一プランテーション内で、もしくは近隣の異なるプランテーションにまたがって、非公式な結婚をすることがしばしばあり、奴隷所有者のなかにはそうした奴隷同士の結婚を奨励する者もいた。しかし、奴隷同士の法律で認められていない結びつきは、奴隷所有者がカップルのうちのどちらかを売却したり贈与したりすることを勝手に決めてしまうことで、容易に破壊されてしまう脆いものだった。その一方で、一夫一婦婚に基づいた家父長的な核家族は、階級やエスニシティにかかわらず、南部白人家庭の根幹をなしていた。ブレンダ・E・スティーヴンソンが強調しているように、奴隷が結婚する権利を有していないという事実により、南部における白人性にとって結婚が不可欠な構成要素となったのである。南北戦争が終結した一八六五年に奴隷制が完全に廃止されるまで、南部社会において結婚は自由と隷属の、市民と非市民の、そして白人と黒人の間の境界を表し、また、それを再生産した（Stevenson 1996）。

さらには、植民地期以来、白人による支配体制を維持するために白人と非白人の性的混交を禁止する規範が存在しており、これは建国以降も拡大していった。一六九一年にヴァージニア植民地において初めて法制化されて以来、南部だけではなく北部や西部の各州にも異人種間の結婚を禁止する法制度が成立した。一八〇〇年には全米一六州中一〇州、南北戦争終結後の一八六六年には全米三六州中二五州が異人種間結婚禁止法を制定していた。こうした異人種混交を禁止し、違反者を罰する法律は、人々の間に明確な人種の境界を創り出す役割を果たした（山田二〇〇六）。

家族の変容——近代家族の誕生

アメリカの北部諸都市では一七九〇年頃から産業革命が起こり、一九世紀の初め以降、市場経済が急速に拡大していった。こうした経済システムの変化はまた、家族の変化も引き起こした。産業革命以前の自給自足を主体としたアメリカ社会では、家庭は家族全員が生産労働を担う場でもあった。しかし、工業化が起こり、労働の場が家庭外の工場や事務所へと移行していくと、家庭は徐々に生産機能を喪失していった。その結果、家庭は生産の場から消費の場へと変容し、世界は生産を担う公的領域と、次世代と労働力の再生産を行う私的領域に分化した。このような動きのなかで、北部の都市部で新たに誕生した白人中産階級は、研究者が「近代家族」と呼ぶような家族を形成した。こうした家族は、恋愛結婚により開始された、夫婦と未婚の子どもによって構成される核家族で、ジェンダー役割による分業体制によって特徴づけられる。近代家族のなかでジェンダー役割分業が起こった結果、男性は、家庭から離れた公的領域での職業を通じて自己実現をするようになり、一家の大黒柱としての経済的成功により評価を受けるようになった。個人主義的な競争社会での成功を目指す男性とは対照的に、女性たちは、他愛的で信仰深く、純潔な、道徳の擁護者としての役割を与えられた。そして、資本のルールで動く公的領域は男性の汚れた世界とみなされた一方で、家庭という私的領域は女性が情愛のルールで支配する、安らぎと休息を与える神聖な「避難所」と考えられるようになった。

また、この白人中産階級的な近代家族において特徴的なのは、家族内の愛情が重要視されたことである。植民地期においては、結婚は第一に経済的な契約関係であるという面が重視され、子どもは労働力を提供する家の財産であるとみなされていた。それに対して、一九世紀初め以降の中産階級の家族ではロマンティックな愛情に基づく結婚が理想とされ、また、子どもは夫婦の愛情を体現する存在であり、彼らに愛情を注ぎ、十分な教育を受けさせることが必要であると考えられた。そのためこの時期には、経済・社会的な安定のみを目的とした愛情のない結婚に対する批判が見られるようになった。ロマンティック・ラヴという理想は、男女の領域分離やジェンダー不平等な社会規範があったにもかかわらず、結婚という私的領域においては、ジェンダー・ギャップを越えたお互いへの理解や、精神的な平等が存在するかのような幻想をつくり出した。こうした愛情に溢れた家庭の理想化は、白人中産階級家族を支える重要なイデオロギーとなったのである。

白人中産階級のアメリカ人たちは、セックスは婚姻内での再生産に限定されるべきだという、キリスト教福音主義の影響を受けた厳格な道徳規範を定め、結婚前の純潔や結婚後の貞節や性的節制を求めた。しかし、この純潔のルールがどの程度厳格に適用されるかは、男女によって異なっていた。純潔や貞節は男女ともに規範とされてはいたが、男性の婚姻外の性交渉（結婚前の性経験や浮気、買春など）は現実にはある程度許容されていた。それに対し、男性より信仰深く道徳的であるとされた女性は本質的に性欲のあまりない存在と考えられ、純潔であることがより一層強く求められた。また、妻や母として家庭に生きる純潔な女性の対比モデルとして、「堕落した女」のイメージがつくり出された。婚姻外での性行為という罪を犯した女性への社会的スティグマが強まったことにより、女性の純潔という理想はさらに強化された。

また、ジョン・デミリオとエステル・フリードマンが論じているように、一九世紀の中産階級が計画的な家族戦略をとり、子どもの数を制限するために避妊・中絶による産児制限を行うようになったことや、夫婦関係にロマンティック・ラヴを取り込んだことは、少なくとも家庭内においてはセックスが再生産と切り離され、親密さや愛情の表現へと結びついていく潜在的な可能性を秘めていた（D'Emilio and Freedman 1997）。しかし、セックスと再生産との分離の程度もまた、男女で差異があった。男性にとっては、セックスと再生産の分離は比較的容易に進行した。しかし、効果的な避妊法がまだ確立されておらず、頻繁な妊娠・出産が命に関わる危険なものであった一九世紀において、女性にとってセックスはいまだ再生産に密接に結びついたままであった。しかし、夫は妻の身体に対する絶対的な権限を有しており、妻は夫の性的要求に従う義務があった。さらに、結婚の基盤としての夫婦間の愛情やパートナーシップが強調されたことは、結婚への期待度を高め、また、それが実際の結婚生活と異なっている場合に不満がつのるという結果を引き起こした。

2　結婚改革とフリー・ラヴ思想

女性の権利運動における結婚についての議論

一八五〇年代の北部に現れたフリー・ラヴの活動家たちは、結婚制度が特に女性に与える弊害を指摘し、この制度の廃止を唱えた。フリー・ラヴァーの主張は急進的であったものの、当時のアメリカにおいて彼らと類似した問題意識から現行の結婚のあり方を批判していた人々は少なくなかった。南北戦争前のアンテベラム期（一八三〇年代～一八六〇年を指すことが多い）においては、結婚制度の批判は幅広い社会改革運動家たちの見解のなかに見られた。ナンシー・アイゼンバーグが論じているように、アンテベラム期の改革運動家たちは禁酒運動や反売春運動、奴隷制廃止運動をはじめとする各種の改革運動に関わることを通じて、結婚の法規定が様々な形の女性の不平等の根底にあると論じていた（Isenberg 1998）。

女性の権利（women's rights）運動（以後、女権運動）に関わっていた活動家は、結婚内の不平等を是正するためにフリー・ラヴァーよりも穏健な手段を選んだ。一八四〇年代までには、こうしたフェミニストの運動家たちは既婚女性の財産権を獲得することに焦点を当てるようになった。アメリカにおいて結婚や離婚に関する具体的な規則を定め、人々の結婚を管理しているのは各州であるが、一八三〇年代以降には既婚女性の財産権の一部を認める州がすでに現れていた。しかし、こうした初期のいわゆる「既婚女性の財産法」（married women's property law）を可決した州の議員たちは男女の平等の権利に関心があったわけではなく、妻の財産を夫とは別にすることによって夫の債権者から家族の資産を守るという、より現実的で保守的な目的があった。

しかし、女権運動家はこうした法改正の動きをさらに加速させようとした。ニューヨーク州では、アーネスティン・L・ローズやポーリーナ・ライト・デイヴィスをはじめとするフェミニストたちが既婚女性の財産権への支持を集めるために講演をして回り、ロビー活動や署名活動を行った。参政権が認められていない一九世紀の女性たちにとって、こうした署名活動は自分たちの意見を政治の場に反映させるための数少ない手段の一つだった。その結果、一八四八年四月、ニューヨーク州議会は既婚女性の財産法を初めて可決し、女性が結婚前に所有していた資産や、結婚後でも個人として移譲された資産については、女性本人が管理する権利を認めた。また、一八六〇年の同法の改正では、女性自身が働いて稼いだ収入の所有権が既婚女性に与えられた。南北戦争が終結する一八六五年までには、ほとんどの州がニューヨーク州と同様の既婚女性の財産法を制定した（Cott 2000, Wellman 2004）。結婚後も女性が自らの財産や収入を管理する権利を得たことは、「夫婦の一体性」という理念の経済的基盤を切り崩す潜在的な可能性を持った。

比較的少数ではあるものの、離婚法を改正し、女性が不幸せな結婚を解消しやすくすることを目指した女権運動家も存在した。アメリカでは独立後、ほとんどの州で離婚が認められるようになった。離婚はいまだ例外的ではあったが、一定の条件下で離婚が法的に可能になったことは、貴族以外には離婚が許されていなかった元宗主国のイギリスとは大きな違いであった。ただし、裁判所で離婚判決を受けるのに必要な離婚理由や条件については州によって差異があった。厳格な離婚法を持つニューヨーク州では離婚理由として認められるのは夫婦のどちらかが不倫を犯した場合のみであり、有責配偶者は以後の再婚が禁じられた。また、サウスカロライナ州のように離婚が一切認められていない州もあった（Basch 1999）。家父長的な結婚制度下で横暴な夫に従うことを余儀なくされている女性たちにとっての打開策として、離婚が認められる条件を緩和することを州政府に求めるフェミニストたちもいたが、こうした離婚の自由化の議論は既婚女性の財産権の要求よりもはるかに物議を醸すものだった。エリザベス・ケイディ・スタントンのように離婚の自由化を求めた女性運動家の多くは、禁酒運動に関わった経験があった。そのため、彼女たちは、酒に酔っては散財して家計を苦しめ、妻を心身ともに虐待するような夫の例をあげながら、離婚条件の緩和の必要性を主張した。その結果、一八五〇年までには一四州が常習的な酩酊を離婚の理由として認めた。しかし、より穏健なフェミニストたちは、離婚の自由化を女権運動の達成課題に含めることを拒否した。彼女たちもコモン・ロー的な結婚における男女の不平等には反対していたものの、女性が自活するのが困難な時代背景のなかで、離婚の自由化が現実的に女性に及ぼす結果を危惧したのである。このように、離婚に関する問題はフェミニストの間でも意見の分かれる問題であり、しばしば運動内部の亀裂を生み出した。

フリー・ラヴ

前述のような女権運動家たちは婚姻内で女性の諸権利が剝奪されている状況への改革を訴えていたものの、法律の下での結婚の意義や価値には疑問を持っていなかった。フリー・ラヴがこうした同時代の結婚改革と異なっていたのは、結婚という制度自体の是非を問題にした点にある。あらゆる社会的問題の根源を結婚制度に求め、その廃止を唱えるフリー・ラヴは運動としては一八五〇年代に登場したものであったが、思想面でも、また、運動を担った人的な資源においても、一八二〇年代以降にアメリカで流行したオーエン主義やフーリエ主義などの社会主義思想や、スピリチュアリズムと呼ばれる宗教的運動にその系譜をたどることができる。こうした運動では、既存の経済システムや宗教の改革とともに、オルタナティブな性関係のあり方が唱えられ、時に実践されていた。

フリー・ラヴァーは、個人間の序列をつくり出すような組織化を嫌い、活動家をまとめ上げる全国組織を持たなかった。その代わり、彼らは書籍や定期刊行物などの出版、および活動家による講演会や会合の開催などを通して運動のネットワークを形成した。また、フリー・ラヴァーの一部は自分たちの思想を実践するために一九世紀を通じていくつかのコミュニティを形成した。アンテベラム期において最もよく知られたフリー・ラヴのコミュニティ建設の実践には、ニューヨーク州の「モダンタイムズ」やオハイオ州の「ベルリンハイツ」などがあった。それぞれのコミュニティは数十人程度の小規模なものだった。しかし、フリー・ラヴァーの思想やコミュニティ建設は大衆的な新聞メディアでもセンセーショナルに取り上げられ、一八六〇年までには「フリー・ラヴ」という言葉は全国的に悪名高くなっていた。

一言でフリー・ラヴと言っても、「自由な」状態の愛のあり方とは具体的にはどのようなものなのかについては実際には論者によって考え方に幅があった。ただ、フリー・ラヴァーたちが認識を共有していたのは、現行の結婚制度の下では愛のあるパートナーシップを形成し、維持することが不可能であるという点である。彼らは、愛という感情はそもそも制度でコントロールすることができない自然の力であり、生涯の間一人の人を愛すると誓うことは不可能であると論じた。不幸な結婚の例が巷に溢れていることは、社会のあらゆる人にとって一夫一婦制がふさわしいわけではないことを証明していた。また、愛のない、不幸な結婚は、単に家庭内に不協和音をもたらすだけではなく、より広い社会においてネガティヴな波及効果を生み出すとされた。トマス・L・ニコルズは、「文明における不和や犯罪の大部分は、愛のない、解消不能な結婚に原因がある」と断言した（Nichols and Nichols 1854）。このように、フリー・ラヴァーは社会問題や悪習の多くは家庭内の不和に端を発しており、そのため、フリー・ラヴはそれらを解決する万能薬であると信じていた。

フリー・ラヴァーによると、かつては愛し合っていた男女であっても、いったん結婚をするとその愛は消えてしまう。それは、結婚がパートナーの身体と愛情を独占することができるという間違った認識を特に夫の側に植え付けるせいであるという。結婚によって夫に妻の「所有権」が法的に付与されると、夫は結婚前のように妻の感情やニーズを気にかけることがなくなっていくのである。このようにフリー・ラヴの理論のなかでは、結婚は男女ともに悪影響を与えるものであるが、特に女性にとって抑圧的な制度であり、さらに、不平等な女性の社会的立場は私的領域における結婚にそもそもの原因があるとされた。本来、女性も男性と同等の能力を持っているが、結婚の契約によって妻が夫に経済的に依存する状況が発生することにより、男女間に支配と従属の関係が生まれる。そのため、女性が平等な権利を獲得するために必要なのは、参政権の獲得などの政治的改革の前に、私的領域における性改革なのだと主張された。

女性にとっての結婚の不正義を表現する際、一九世紀のフリー・ラヴァーは「奴隷制」や「買売春」の比喩をしばしば使用した。彼らはしばしば結婚を「性的奴隷制（sexual slavery）」と表現したが、それは「夫の保護下にある妻の身分」というコモン・ローの原則が妻を法的に奴隷と同様の立場に貶めると考えたからである。また、フリー・ラヴァーは婚姻内での半強制的な性行為や、それによる望まない妊娠・出産を特に問題視した。夫婦間の愛情が失われてしまっても、妻はそれでも夫の性的要求に従う法的義務があり、結婚がもたらす経済的な安定や社会的立場と引き換えに自分自身の身体に関する自己決定権を諦めなくてはいけない。そうした文脈において、結婚は「合法的売買春（legal prostitution）」でもあるとフリー・ラヴァーは主張した。

つまり、生活手段のために愛のないセックスを行うという意味では買売春と愛のない結婚は基本的には同じ仕組みであり、両者の違いは制度で守られているかそうでないかだけであった。よって、売春婦が置かれている状況は既婚女性一般にも言えるのであり、現状の男女の性的関係の根本的改革を図る必要性をフリー・ラヴァーは説いたのだった。

一九世紀のアメリカにおいて、男女間の関係が社会的に認められるか否かは、その二人が法的に結婚しているかどうかによって決まっていた。しかし、フリー・ラヴァーが強く主張したのは、性的関係の正当性を決定するのは結婚の法律ではなく、お互いに対する愛情と同意があるかどうかであるということだった。そして男女の間に真の愛情が成り立つのは、双方が完全に対等で独立した関係性においてのみであるとされた。そのためには、女性の社会的・経済的な自立が不可欠であると彼らは主張した。女性たちは、経済的・社会的な必要性や法律上の規定からではなく、自分の自由意志から、男性との関係に留まるべきなのである。フリー・ラヴァーは一九世紀のアメリカ社会で神聖視されていた結婚という制度を否定したものの、愛情のみが性的関係を結ぶ理由となるべきであるという彼らの信念は、スパーロックが示唆しているように、逆説的にロマンティック・ラヴという理想の究極的な論理的帰結の産物であったとも言えるだろう（Spurlock 1988）。

フリー・ラヴに批判的な人々は、フリー・ラヴは性的放逸を必然的に引き起こすだろうと論じた。しかし、教会や行政による個人的な関係への介入を拒否したものの、一九世紀のフリー・ラヴァーが意図していたのは無制限に欲望を充足することではなく、単に性生活を自分自身が管理するということであった。フリー・ラヴのコミュニティであるベルリンハイツに関して、近隣住民がこのコミュニティの性生活に懸念を示したとき、ベルリンハイツ住民だったジョセフ・トリートは「私は三〇歳ですが、まだ肉体的には女性を知りません」と述べて反論した。提唱者たちの認識のなかでは、フリー・ラヴによってむしろ性的関係がより道徳的になり、純化されると考えられた。なぜなら、彼らの主張の要点は、相互の愛情と同意に基づかないのであれば、夫婦間であろうとセックスは認められるべきではないということだったからである。特に女性フリー・ラヴァーによって頻繁に主張されたのは、女性の身体の自己決定権だった。それは、いつ誰と性交渉を持つか、また、いつ誰と子どもを持つのかを決定する権利は女性に与えられるべきであるというものである。女性の意志が尊重されることによって、女性には性行為を拒否する権利が与えられ、これが性的抑制において決定的な役割を果たすだろうとされた。ただし、フリー・ラヴァーのセクシュアリティに対する見方は決して否定的なものではなく、同時代のアメリカ人とは異なり、フリー・ラヴァーは女性にも自然な性的欲望があると信じていた。そして、パートナーとの同意に基づいた愛のあるセックスは美しく純粋なものであり、人間の幸福にとって不可欠であるという点も、彼らにとって重要な思想の核だった。

このようにフリー・ラヴァーは結婚制度が女性にとって不平等なジェンダー秩序を構築していることを指摘したが、彼らの鋭い分析は人種の問題に向けられることはなかった。フリー・ラヴァーは「自然な愛情を人工的に管理しようとするあらゆる法律に反対する」と宣言していたため、彼らに批判的な同時代のアメリカ人のなかには、「フリー・ラヴ」とは異人種間結婚を禁じる法律や慣習をも廃止することを意味しているのではないかと案じる者もいた。しかし、現実には、当時存在していた異人種間の愛や結婚を禁じる法律に反対する発言をしたフリー・ラヴァーはほとんどいなかった。フリー・ラヴァーはほぼ全員が白人だったが、彼らが異人種間の性的関係の禁止という社会規範を特別問題視していなかったということは、自然な愛情とは同じ人種間で起こるものだということを暗黙のうちに前提としていたと言えるのではないだろうか。彼らの考えのなかでは、フリー・ラヴ思想とは、人種のヒエラルキーと何ら関係のあるものではなかったのである。

おわりに

以上に述べてきたように、一九世紀のフリー・ラヴァーの男女は、結婚という最も親密な関係性のなかでの個々の女性に対する支配が、女性を抑圧するような社会総体を生み出す根本的要因となっていると分析した。これは、一九六〇年代後半の第二波フェミニストが「個人的なことは政治的なことである」というスローガンによって、個人的なものとして政治から切り離されてきた私的な人間関係における権力を問題化したことに通底するフェミニズムが、一九世紀のアメリカに社会運動として存在していたことを示している。

ただし、結婚制度の廃止という問題を別にすると、一九世紀のフリー・ラヴァーが想定していた性的関係は、基本的には一人の相手とのみ関係を持つが、生涯でパートナーとなる人が複数いる可能性のある、いわゆる連続的単婚（serial monogamy）を指している場合が多かった。[1] フリー・ラヴァーが愛を語る際はそれが男女間のみに成立することが前提となっている上、彼らが異なる人種間の愛を禁止する法制度について言及していない以上、それらを特段問題視していなかったと考えざるを得ない。そのため、彼らの目指した「自由な愛」とは、一九世紀という時代状況によって制限された、現在から見るとある意味ではそれほど「自由」ではないものだったとも言えるかもしれない。それでもなお、フリー・ラヴ思想は当時のアメリカ社会においては非常に急進的であり、社会的に危険視された。フリー・ラヴの指導者たちは一八七〇年代以降、猥褻物の郵送を禁じる連邦法によって見せしめ的に繰り返し逮捕され、迫害されていくことになる。

現在に至るまで、結婚制度の廃止というフリー・ラヴの目標がアメリカ社会で実現されることはなかった。愛のない不幸せな夫婦関係を解消するために結婚制度そのものを廃止する必要があるという考え方は、限られた状況を除いては法的に離婚することがまだ難しかった時代背景を反映していたとも言えるだろう。

その反面で、キャロル・フォークナーが示唆しているように、結婚（もしくは性的関係）は相互の愛のみを基盤としており、それらがなくなった時点で関係を解消することもやむを得ないというフリー・ラヴァーの信念は、時代を経るにつれ、アメリカ社会に次第に浸透し、主流化していった（Faulkner 2019）。二〇一五年にアメリカのすべての州で同性婚を認める最高裁判決が下った際に叫ばれた「Love wins（愛は勝つ）」というスローガンが示しているように、結婚するパートナーの性別が異性に限定されなくなっても、愛のみが結婚の妥当性を決定するという考えは現代アメリカではもはや常識となったのである。

ステファニー・クーンツは、『結婚、ある歴史――いかに愛が結婚を征服したか（*Marriage, a*

History: How Love Conquered Marriage）』において、愛が結婚する際の主たる理由になるべきだという、一八世紀末以降の欧米社会で生まれたラディカルな考え方が結婚制度を次第に弱体化してきたと論じている。それまでは結婚は第一に政治的・経済的利害に関わっており、当事者同士の愛などという不安定で非理性的な感情に任せるにはあまりにも重要なものであったため、親族の意見によって決定されるのが常だった。しかし一八世紀末以降、資本主義による社会構造の変化の結果、結婚にまつわる様々な機能が家庭外に移行することによって、若者たちは結婚相手を自分たちで選択できるようになり、愛情から結婚することを推奨されるようになった。愛が結婚の最も重要な条件となった、この（クーンツが言うところの）「愛の革命」以降一五〇年間以上にわたって、結婚での幸福の追求と、愛の期待が満たされない結婚を解消することへの制限との間の適切なバランスが探られてきた。しかし、愛の理想が結婚制度にもたらす不安定要素は一九七〇年代以降に一気に露呈し、離婚率や未婚率の上昇、婚外出産の増加が顕著になり、結婚制度は現在危機に瀕しているとクーンツは述べている（Coontz 2006）。フリー・ラヴが一九世紀半ばのアメリカで出現したことは、結婚とは夫婦間の愛情に基づくということが社会通念になった時点で、結婚制度の安定的な維持がいずれ難しくなることを予兆していたと言えるのではないだろうか。

［註］

1　しかし、先にも述べたようにフリー・ラヴァーの見解は個人によって幅があり、パートナーがいながらもお互いの同意の上で別の異性とも恋愛関係を持つような、今で言うところの「オープン・リレーションシップ」を提唱しているフリー・ラヴァーも一定数存在した。

[参考文献]
有賀夏紀『アメリカ・フェミニズムの社会史』勁草書房、一九八八年
小檜山ルイ「アメリカにおける結婚――結婚はなぜ重大なのか」小檜山ルイ・北條文緒編『結婚の比較文化』勁草書房、二〇〇一年
山田史郎『アメリカ史のなかの人種』山川出版社、二〇〇六年
Basch, Norma, *Framing American Divorce: From the Revolutionary Generation to the Victorians*. Berkeley: University of California Press, 1999.
Coontz, Stephanie, *Marriage, a History: How Love Conquered Marriage*. Reprint. New York: Penguin Books, 2006.
Cott, Nancy F., *Public Vows: A History of Marriage and the Nation*. Cambridge: Harvard University Press, 2000.
D'Emilio, John, and Estelle B. Freedman, *Intimate Matters: A History of Sexuality in America*. 2nd ed. Chicago: University of Chicago Press,1997.
Faulkner, Carol, *Unfaithful: Love, Adultery, and Marriage Reform in Nineteenth-Century America*. Philadelphia: University of Pennsylvania Press, 2019.
Gutiérrez, Ramón A., *When Jesus Came, the Corn Mothers Went Away: Marriage, Sexuality, and Power in New Mexico, 1500-1846*. Stanford: Stanford University Press, 1991.
Isenberg, Nancy, *Sex and Citizenship in Antebellum America*. Chapel Hill: The University of North Carolina Press, 1998.
Nichols, T. L. and Mary S. Gove Nichols, *Marriage: Its History, Character, and Results*. New York: T. L. Nichols, 1854.
Plane, Ann Marie, *Colonial Intimacies: Indian Marriage in Early New England*. Ithaca: Cornell University Press, 2000.
Spurlock, John C., *Free Love: Marriage and Middle-Class Radicalism in America, 1825-1860*. New York: New York University Press, 1988.
Stevenson, Brenda E., *Life in Black and White: Family and Community in the Slave South*. New York: Oxford University Press, 1996.
Wellman, Judith, *The Road to Seneca Falls: Elizabeth Cady Stanton and the First Women's Rights Convention*. Urbana: University of Illinois Press, 2004.

第3章　黒人女性が経験した人種差別の交差性

――ファニー・ルウ・ヘイマーのスピーチを通して

西﨑　緑

はじめに

多くの日本人にとって、公民権運動は、一九五四年のブラウン判決、一九五五年のアラバマ州のモンゴメリーのバス・ボイコット、一九六三年のワシントン大行進、ローザ・パークスやキング牧師の抵抗活動を経て、ついに一九六四年公民権法を勝ち取ったという、直線的なストーリーで理解されていることだろう。しかし、このような描かれ方では、アメリカ社会の差別構造を解明することはできない。一九九〇年代に入ってから、クロフォード、ロウズ、ウッズらを皮切りに、歴史学者は公民権運動への黒人女性の貢献を真摯に追究するようになった。[1]

図1　ファニー・ルウ・ヘイマー、ミシシッピ州自由民主党代議員（民主党全国大会1964年8月22日アトランティックシティ）ワレン・K・レフラー撮影
出　所：Education Images/ Universal Images Group/Gettyimages

実際の差別や抑圧は、より複合的であり、それに対する抵抗活動

も複雑で多様であった。この複雑さを少しでも理解するために、本稿では南部の「普通の」黒人女性たち、そして彼女らの代表となる人物、ファニー・ルウ・ヘイマーに体現された黒人女性のリーダーシップの特徴を見ていくことにする。その際、読者の理解の鍵となるのは、「橋渡しリーダー（ブリッジ・リーダー）」という概念である。この概念は、一九八〇年代末からのポストコロニアリズムや社会史の研究成果により生まれた。公民権運動は、名もなき多数の人々の絶え間ない努力によって、その裾野が広げられてきたことが意識されるようになったためである。

たとえばベリンダ・ロブネットは、橋渡しリーダーは、①社会運動体とその参加者となる可能性のある人々を結びつける、②明確でない要求を戦略的政治要求に結びつける、③将来リーダーになる可能性のある人々と既存のリーダーを結びつける、という三つの仲介的指導者の役割を果たすと述べている。[2]

橋渡しリーダー、あるいは労働運動における「センター・ウーマン」と呼ばれる女性リーダーたちには、抑圧された人々の苦悩とニーズを自分自身が体験しているという特徴があった。そして彼女らは、公民権運動に参加する以前に、すでに教会、学校、近隣などで、コミュニティの人々と個人的繋がりを持っていた。[3] また彼女らは、地域社会のネットワークの中心的な存在であり、問題解決や生活改善のために、人々の連携・連帯を形成・維持する役割を果たしていた。それゆえ彼女らが黒人コミュニティの一人ひとりの心を動かして公民権運動への参加を促すことができたのは、自身がこのような黒人コミュニティの生存を図る挑戦者であったためだと言える。

しかし公民権運動の表舞台では、演説がうまく決断力があるように見える、キング牧師のような伝統的な男性リーダーが表に立っていた。[4] 若い活動家アン・ムーディは、黒人女性たちの日々の努力と公民権運動への大いなる貢献は、人種差別と性差別の複合差別によって、陰に押しやられていたと捉える。そのことに対しての納得できない思いを次のように語る。ワシントン大行進でキング牧師や他の公民権運動指導者たちのスピーチを聞いたとき、「ふと、私たちを導いてくれていると思っていたのは、指導者ではなく、「夢を見ている人たち」だったのだということに気づいた。マーティン・ルーサー・キング・ジュニアが壇上に上がって、自分の夢について話したが、そこに腰を下ろしたまま私は、キャントンで私たちは夢を見るどころか眠る時間もないのに、と考えていた」。[5] ムーディの憤りは、命の危険や経済的破綻を覚悟して闘っていた、多くの黒人女性たちが正当に評価されないことに対して生じたものである。

黒人女性たちが経験したこのような差別の複合性については、法学者クレンショーが「交差性（Intersectionality）」、社会学者コリンズが「支配のマトリックス（Matrix of domination）」、バーネットが「連動する（Interlocking）抑圧システム」という概念を用いて説明している。[6] つまり、人種、民族、出身国、性別、階級や社会階層、セクシュアリティなど、様々な差別の軸が組み合わさった上で、それらが相互依存的に作用するために、単純な足し算では把握し得ないような抑圧を被差別者は経験すると言うのである。

しかし、黒人女性たちは、抑圧の交差性のなかを生き抜き、社会変革への松明を掲げて黒人民衆を率いていった。本稿で取り上げるファニー・ルウ・ヘイマーもその一人である。ヘイマーは、ミシシッピ州の農村で分益小作人の家に生まれ、複合的差別によってアメリカ社会の最底辺に押し込められた人であった。[7] しかし中年になって学生非暴力調整委員会（SNCC）と出会ったことが彼女の人生を大きく変えた。自らの権利に目覚め、公民権運動に参加することになった彼女は、黒人女性のレジリエンスの強さを証明する橋渡しのリーダーとなった。[8]

1　ファニー・ルウ・ヘイマーとは誰か

ファニー・ルウ・ヘイマーは、一九一七年一〇月六日ミシシッピ州モンゴメリー郡の分益小作人のタウンゼント家に二〇番目の子どもとして生まれた。一九一九年に一家はミシシッピ・デルタの西部に移り、E・W・ブランドン・プランテーションで働いた。六歳から彼女は両親とともに農園で働き、一二歳からは、一家の生活を助けるために学校を辞めて農園の仕事にフルタイムで従事するようになった。一九四四年にペリー・〝パップ〟・ヘイマーと結婚し、以後一八年間、彼女は夫とともにルールヴィル郊外のW・D・マーロー・プランテーションで、綿花の収穫労働とタイム・キーパーに従事した。[9]

ヘイマーが公民権運動に出会ったのはかなり遅く、四四歳の時であった。彼女は一九六二年八月二七日、たまたま友人のメアリー・タッカーに誘われ、ルールヴィルのウィリアム・チャペル・宣教バプテスト教会で行われたSNCCの集会に参加した。そして黒人の有権者登録のボランティアに志願し、八月三一日に一七人の黒人とともにインディアノーラの郡庁舎で有権者登録を試みた。[10] 帰宅後、プランテーションの主人から有権者登録を辞退するか、農園を出ていくかと迫られた彼女は、農園を出て公民権運動の活動家になった。[11] そしてSNCCの現場活動家として、黒人の有権者登録を進め、貧困者への連邦補助金制度申請を行った。一九六三年六月サウスカロライナ州チャールストンで行われた南部キリスト教指導者会議（ＳＣＬＣ）主催の有権者登録ワークショップの帰途、モンゴメリー郡ワイノナで警察に逮捕され、留置場で瀕死の重症を負った。[12] これによって彼女は、右の腎臓障害、左目の動脈の血腫、足の障害に死ぬまで苦しんだ。

一九六四年四月二六日ＳＮＣＣは、既存の白人のみの民主党から拒絶されたため、ミシシッピ自由民主党（ＭＦＤＰ）を結成した。ヘイマーは、ミシシッピ自由民主党代表団の一人として、八月二二日にニュージャージー州アトランティック・シティで開催された民主党全国大会に参加し、資格審査委員会に対して、ミシシッピの白人代表は、違法な代表者であり、本来の代表は自分たちであると迫った。[13] ジョンソン大統領の妨害も加わり、ＭＦＤＰの望みは叶わなかったが、ヘイマーの演説は夜の全国放送で流れ、ミシシッピ州の黒人の悲惨な状況を全国の人が知ることになった。[14]

アメリカでは一九六四年公民権法、一九六五年投票権法が成立したが、一九六五年選挙でサンフラワー郡の黒人の有権者登録が却下されたため、ヘイマーは、一九六六年に裁判を起こした。[15] 彼女は貧困黒人の生活支援にも熱心で、一九六九年には、フリーダム・ファームを立ち上げた。彼女は、一九七七年三月一四日乳がんのため五九歳でボリヴァー郡マウンド・バイユーにおいて亡くなっている。

2　ヘイマーが語るアメリカ南部の人種差別と解放への道筋

ＳＮＣＣの集会が契機となって自らの政治的権利に目覚めたヘイマーは、有権者登録運動に積極的に参加する。その過程でヘイマーは、自分を含む多くの貧しい分益小作人の黒人女性たちに共通する経験に基づいて、人種差別の生々しい姿とそれを乗り越える道を語っていく。以下に、黒人コミュニティ、特に黒人女性が経験した悲惨な生活経験をもとに彼女が語った主張を①白人と同じ権利ではなく、すべての人に共通する人権を求める、②政治参加による自立した人格の回復、③同意なき不妊手術が黒人女性に対して行われてきたこと、④非暴力アプローチからブラック・パワーへの移行、⑤生活の自立が精神の自立を生み出す、の順で述べていく。

真の人間の権利を求めること

ヘイマーにとって公民権運動の目的は、単に白人と同等の地位を獲得するものではなく、黒人に人間として本来あるべき姿を回復させることであった。その理由は、不当な抑圧を続けて黒人を苦しめる白人を市民としての理想にできなかったからである。

この不当な抑圧について、自身の経験を彼女は次のように語る。

「私が一三歳のとき、とうとう両親は収穫の利益を貯めたお金で家畜を買うことができました。そんなある夜、白人が我が家に来て、家畜の飼料に一ガロンの花緑青を混ぜて殺したのです。うちには、三頭の騾馬と二頭の牛がいましたが、すべて失いました」[16]。以後、彼女の家族は再び家畜を飼うことができず、分益小作人として生きるほかに道がなかった。

このような経験から、彼女にとって公民権運動の闘いは、人権という普遍的な価値の実現に行きつく。彼女は言う。「決して（白人と）同じになるために闘っていると言うことはできません。そんなことではなく、私は人権のために闘っているのです。自分の先祖を強姦し、インディアンを虐殺し、私の尊厳を破壊し、本当の名前を奪い取った人と同じになりたいとは絶対に思いません」[17]。つまり彼女は、先住民の生活を奪い取り、黒人を奴隷の地位に押しとどめたアメリカ社会の抑圧の歴史を踏まえた上で、すべての人に人権を保障する社会への変革を求めていた。

政治的権利の回復は、人格を回復すること

ヘイマーは、有権者登録ボランティアになった経緯を次のように話している。

「それまで、私は集会というものを聞いたことがなく、黒人が有権者登録して投票できることを知りませんでした。その集会は、ボブ・モーゼス、レジー・ロビンソン、ジム・ベベル、ジェームズ・フォルマンなどのＳＮＣＣの人たちが開催していました。彼らが、翌日、郡庁舎に行く人たちは手を挙げてほしいと言ったとき、私は自ら手を挙げました」[18]

南部各州では、南北戦争後の再建期に黒人に選挙権が与えられたが、二〇世紀初めまでに祖父条項、人頭税、識字テストが次々に課され、黒人の選挙権は実質的に奪われていた。ヘイマーのような分益小作人は、プランテーション外との接触も少なかったので、自分に選挙権があることさえ知らなかった。外部からのアウトリーチであるＳＮＣＣの集会は、ヘイマーを覚

醒させ、橋渡しリーダーとなる道を拓いたのである。

郡庁舎に行き、生まれて初めて有権者登録を経験した彼女は、プランテーションの主人から有権者登録を取り消せと詰め寄られた。このときの彼女は、「マーローさん、私は今日、あなたのために有権者登録をしたのではなく、私自身のために有権者登録をしたのです」と宣言する[19]。

これは、彼女が自己決定の力を獲得したことを示している。有権者登録には、参政権のみならず、支配者の意思から解放され、自我を獲得する意義がある。この覚醒と解放の精神的波動が、橋渡しリーダーを通して黒人コミュニティに広がり、大きなうねりとなっていったのが、一九六〇年代の公民権運動の高まりなのである。

しかし、当然、そこには凄まじい反動もある。ヘイマーは農場を追い出され、身を寄せた友人宅には銃弾が撃ち込まれた。それでもヘイマーは、それを突き破る論理と力を備えて、黒人たちが立ち上がって戦うべきであると語る。

「私は、最初に集会に参加して以来、ここ（ミシシッピ）で有権者登録のために働いてきました。一九六四年には、六万三千人の黒人がミシシッピ州で有権者登録をし、自由民主党に投票しました。白人が私たちの有権者登録さえも阻止したため、私たちは自分たちの政党を組織しました。そして私たちは、民主党全国大会で白人の民主党に挑戦することを決めました。（中略）私たちは自分たち自身のパワーを築かなければなりません。黒人の住民が多数を占める地区ではどこでも議席を獲得しなければなりません。白人たちが過去一〇〇年間独占してきた議員の地位を白人と分かち合う道もある、という人たちもいます。でもあの暴漢が笑顔を見せて優しい言葉で話しかけてきたとしても、それで権力を私たちに渡すわけがありません。（中略）黒人にとっての問題は、いつ白人が私たちの権利を返すのか、いつ白人が私たちの子どもに良い教育をしてくれるのか、いつ白人が私たちに仕事をくれるのか――つまり、いつ白人があなたに何かを与えてくれるのか――ということではありません。忘れてはなりません。白人が黒人に何かを与えるときには、取り上げる準備ができているときなのです。私たちは何事も自分の力で獲得しなければなりません[20]」

このように、ヘイマーは、黒人自身が抑圧者の温情に期待せずに精神的自立を果たすべきことを強調したのであった。

黒人女性の人権を奪う同意なき不妊手術

一九六四年ミシシッピの公民権運動に関しての連邦議会上院（ワシントンD・C）での公聴会において、ヘイマーは、黒人女性が遭遇する複合的差別を以下のように述べている。

「サンフラワー郡であった他のことは、北サンフラワー病院に行く一〇人の黒人女性のうち約六人が卵管結紮術の不妊手術をされてしまっているということです。彼らは、女性に非嫡出子がいて、次に二人目の赤ちゃんがいる場合、六ヶ月または五〇〇ドルの罰金を科すことができるという法律を制定しています。公にはされていませんが、病院ではすでにこの不妊手術を、独身女性だけでなく既婚女性に対しても行っています[21]」

一九六一年にヘイマーは、子宮筋腫切除手術を受けたが、そのとき、同意なく子宮を摘出された。ミシシッピ州では、貧しい黒人女性に対する強制不妊手術が黒人人口の抑制のために実施され、地元の黒人は、これを「ミシシッピ虫垂切除術」と呼んでいた。[22]

アメリカ南部では、一九六〇〜七〇年代にかけて、連邦補助金による福祉政策を州が実施するとき、黒人女性に対しては、福祉や医療サービスの提供と引き換えに不妊手術を強制するケースや、合意に基づかない医学的に不必要な不妊手術を課すことが日常的に見られた。[23] 白人女性には、このようなことは行われなかったので、これらは明らかに黒人女性への不当な差別的人権侵害である。

奴隷制度の時代には、黒人女性が多産であることが、保有する財産と労働力の増加として歓迎された。しかし奴隷解放から一〇〇年近く経過し、差別的扱いがありながらも黒人が保健福祉制度の対象となった一九六〇年代では、事情が変わってくる。南部の白人にとっては、制度の運用には自分たちが支払った地方税も使われる上に、黒人人口が増加することは、白人の寡頭支配体制が揺らぎかねない危機に映った。たとえば一九七〇年にルイジアナ州の裁判官リーンダー・ペレスは、「ニガー（黒人の蔑称）に憎しみをぶつける最良の方法は、そいつが生まれないようにすることだ」と発言している。[24]

黒人女性に対して不妊手術を強制した背景には、二〇世紀初頭に優生学が医療や行政の専門家に広く受け入れられたという事情もある。劣等遺伝子（あるいは劣等人種）を社会から除去するという考えが普及し、全米で三〇州が遺伝的疾病（知的障害、精神病、てんかん）患者に対する不妊手術を法制化した。ミシシッピ州でも一九二八年から不妊手術法が実施された。妊娠は「女子の問題（girl's problem）」という世間の常識があったため、一九六三年まで知的障害者や精神病患者に対して行われた不妊手術は、ほとんど女性が対象となった。一九三八年から一九四一年のピーク時には、ミシシッピ州の人口一〇万人あたり三人が不妊手術を施されたと言われている。障害児寄宿学校（Ellisville State School）、精神病院、障害者施設のほか、ミシシッピ州立病院（両人種）、東ミシシッピ州立病院（白人のみ）で積極的に実施された[25]。

黒人女性に対して不妊手術が行われた理由は、識字率が低かった彼女らが知的障害者と同様にみなされていたことや、性的に堕落しているとみなされてきたことのほか、研修医の実地訓練のためや、本人や家族から提訴される恐れがなかったことが理由であった[26]。ヘイマーは、行政も専門職も、彼女ら（貧しい黒人女性）の人権を蹂躙しても当然のことと捉えている点を問題にしていたのである。

非暴力アプローチからブラック・パワーへの移行

ミシシッピ・デルタでの黒人への苛斂誅求《かれんちゅうきゅう》と白人からの過酷な暴力に晒されてきたヘイマーにとって、同じ黒人であってもキング牧師は、自分たちの苦境を救ってくれる人ではなかった[27]。明らかに黒人のなかにも階層間格差があり、彼は「中流の黒人」であり、ヘイマーは最下層の黒人女であった。「中流家庭に生まれた人は、一生悲惨な生活を送らずに済む。私なら無理なものも、その人たちは容易に手に入れることができる。それに比べて私の一生は苦しいことだらけだった」と彼女は言う[28]。

そして、そのような底辺の生活経験からヘイマーが賛同できる公民権運動の方法は、SNCCのカーマイケルやブラック・パワーのようなラディカルな方法であった。「私は、マーティン・ルーサー・キング・ジュニア博士の「非暴力アプローチ」に賛成することもありますが、このような他のケースでは、より闘争的なアプローチが必要だと思います。私は、（一方の頬を殴られたら）他の頬を差し出すことはしません[29]」

ヘイマーは、非暴力に固執したキング牧師のやり方では、いつまでたっても黒人の絶望的な状況を変えることができないと考え、ある程度の武力行使も辞さない闘争が必要であると発言するようになった。実際、非暴力の不服従アプローチを踏みにじる警察やＫＫＫの暴力が激しさを増していたので、黒人コミュニティの生存を確保するためには、非暴力不服従に限界も見えていた。

以下は、マルコムＸの「投票か銃撃か（The Ballot or the Bullet）」に影響を受けた彼女のスピーチである。[30]「黒人と多くの若い白人が起こした新しい闘争によって、深南部だけでなく北部においても、人々は、人種差別が「人と政府」または「人と武力」によって解決しなければならない（この社会の）不必要な悪であることを認識するようになりました。生存がゲームの名前であるならば、人と政府は単に暴力的対立を先延ばしにせず、創造的で進歩的な変革によって（黒人たちの）正当な不満を解決する方法を模索しなければなりません[31]」。

このように抑圧からの解放に武力が必要となれば、社会的に去勢されている黒人男性の男性性を強化しなければならないとヘイマーは主張する。[32]「私は女性で、同年齢や同じサイズの女性と同じくらい強いのですが、私は男性ではありません。私は考えることができますが、女性であり、ほとんどの女性と同じように母親です。私はメッセージを伝えることができますが、国と世界の重荷は男性が担わなければなりません。生活、快適さ、安全に関する決定は、最終的には男性の手に委ねられなければなりません。女性は男性を力づけ、意思決定を助けることができますが、最終的には男性が行動を起こすのです」[33]

この点は、同時期の第二波フェミニズムの白人女性たちが主張する「男性の支配からの独立」とはやや異なる。そもそも南部社会においては、黒人男性がその家庭のなかで一定の権力を持っていたとしても、社会的に強い立場にはなかった。白人男性のみが人種とジェンダーについて圧倒的支配者として君臨しており、リンチを含むあらゆる手段でそれを維持していたのである[34]。それゆえ、黒人男性のエンパワーメントなしには、黒人コミュニティ全体の権利獲得はなし得ないとヘイマーは考えたのである。

生活の自立が精神の自立を生み出す

北部に移住した黒人たちが、資本主義の苛酷な収奪に晒されていることを知ったヘイマーは、黒人たちが南部に留まって、経済的自立を実現するべきであると主張する。彼女は、「近い将来、南部の方が北部よりはるかに住み良いところになるでしょう。「乳と蜜」の地を求めて北部に移住した人たちも南部に帰ってき始めています」と、黒人たちが南部に留まって生活向上を目指す未来を描く[35]。その理想は、農業による自立、すなわち一種の農本主義であった。

「七〇年代以降、私たちが完全な自由という究極の目標に向かって進むにつれ、土地も重要になります。私は農地改革を信じており、共同所有を通じて土地を取得する措置を講じてきました。（中略）土地の共同所有は、コミュニティの資源を独占せず、コミュニティ全体を発展させる多くの機会への扉を開きます」[36]。ヘイマーは、分益小作人たちの救済には、自作農となることが理想であり、「食料は食べ終われば再び空腹になるだけですが、土地と鍬を与えれば二度と空腹にはなりません」と人々に説いて回った。そして、個人所有ではなく協同組合方式に実現可能性を見出していた。

一九六九年にヘイマーはフリーダム・ファーム協同組合を設立した。この組合は、青年世界開発（Young World Development）という青年グループが集めた資金とウィスコンシン州の非営利農民グループのメジャー・アンド・メジャー（Measure and Measure）からの資金をもとに、一九七〇年までに約六八〇エーカーの農地をサンフラワー郡に確保した。[37] この土地を一五〇〇軒の登録農民に原則として月に一ドルで貸し出し、綿花や大豆を生産できるようにした。同じく一九六九年に全国黒人女性協議会（NCNW）から資金援助を受けて四〇頭の豚を購入し、豚銀行（Pig Bank）の運営も開始した。豚銀行は、三五軒から始めて一〇〇軒以上が利用するようになり、貸し出した豚に生まれた子豚を返す方式で、三年間に三〇〇〇頭の豚が生まれた。[38] これらを通して黒人コミュニティが、白人に依存せずに暮らせるようになれば、自助自立が実現し、地方自治が活発になるというのが彼女の計画であった。

フリーダム・ファームは、有権者登録のためにプランテーションから追い出された農民の住居確保のため、ミシシッピの黒人コミュニティのなかでは初の水道と暖房設備を完備した低コスト住宅を二〇〇ユニット整備した。その後、ヘッド・スタート（貧困家庭の幼児教育プログラム）を請け負って収入を確保したものの、結局フリーダム・ファームの運営は財政的困難から抜け出せなかった。そしてその埋め合わせのために奔走してきたヘイマーの健康悪化とともに閉鎖せざるを得なかった。

さてヘイマーは、多くの黒人女性たちと同様、南部社会の人種差別と性差別の交差性のなかで抑圧を受け、社会の底辺で辛酸をなめてきた。それゆえ、彼女の決意は同じ境遇の黒人女性たちに影響を及ぼすことができた。また彼女の戦略は、生活の自立を確保しつつ政治的権利の完全獲得を目指すという、二つの面を持ち、生活者としての黒人女性たちの共感を得るものであった。その基盤の上に、ＳＮＣＣ、ＮＣＮＷ、北部の農民、南部以外の民主党支持者たち、そして南部の黒人たち全体との共闘を可能にする橋渡しリーダーとしての役割を果たすことができたと言える。

おわりに

一九八二年一一月にトゥガルー大学で開催された南部農村女性ネットワークミシシッピ州部会設立大会は、「バリアを取り除く——黒人女性の苦闘を語り合う」を中心テーマとして開催された。一〇〇人以上の参加者のほとんどが黒人女性であり、その前で三人の黒人女性市長たちが自らの体験を語り、他の女性たちの苦闘をも背負っていくという意思を表明した[39]。彼女らを含めて、このとき州内には二三人の黒人市長がいたが、彼らは皆、黒人の有権者登録が進んだことにより選ばれたのであった。

無論、このときすでにファニー・ルウ・ヘイマーは亡くなっていたが、彼女の蒔いた種は、大地ミシシッピの土壌でたくましく芽を出していた。分益小作人の娘として生まれた彼女は、大地を耕すすべを心得ていたと言える。彼女が耕したミシシッピの強固な人種差別の土壌は、今や、黒人女性たちを差別の交差性に閉じ込めるものではなくなっている。それでもアメリカ社会から人種差別を根絶することは困難であり、ヘイマーが望んだ公正な社会はいまだに実現していない。

二〇二〇年五月にミネソタ州ミネアポリス路上で起きたジョージ・フロイド死亡事件をきっかけにＢＬＭ運動が再燃し世界中に抗議活動が広がった。[40] #ＢＬＭネットワークは、その後世界中に拡大し、黒人の解放だけでなく、マイノリティの人権を守るためのプラットフォームとしても機能するようになった。[41] 一方、ＢＬＭ運動の高まりは、公民権運動で獲得したはずの「市民としての権利」が、いまだに黒人たちの手中にない、ということを明確にしており、それに対して私たちが何をするのか、という問題を突きつけていると言える。

［註］

1 Vicki L. Crawford, Jacqueline Ann Rouse, Barbara Woods, eds., *Women in the Civil Rights Movement: Trailblazers & Torchbearers, 1941-1965*, Georgia State University Press, 1990.

2 Belinda Robnett, "African-American Women in the Civil Rights Movement, 1954-1965: Gender, Leadership, and Micromobilization," *American Journal of Sociology* 101 (6), 1996: 1661-693, http://www.jstor.org/stable/2782115

3 Centerwomen は Karen Brodkin Sacks によって名付けられた。Karen Brodkin Sacks, *Caring by the Hour: Women, Work, and Organizing at Duke Medical Center*, University of Illinois Press, 1988.

4 黒人女性たちは、リーダーとして認識されることはほとんどなかったが、抵抗活動の戦略を考えて計画を練り、人々の動員を図って実施したのは、彼女たちであった。Bernice McNair Barnett, "Invisible Southern Black Women Leaders in the Civil Rights Movement: The Triple Constraints of Gender, Race, and Class," *Gender and Society*, 7(2), 1993: 162-82. 一六三頁参照。

5 アン・ムーディ『貧困と怒りのアメリカ南部——公民権運動への25年』彩流社、二〇〇八年、二七七頁。

6 Kimberle Crenshaw, "Demarginalizing the Intersection of Race and Sex: A Black Feminist Critique of Antidiscrimination Doctrine, Feminist Theory and Antiracist Politics," *University of Chicago Legal Forum* 1989 (1): 139-167. Collins, Patricia Hill, *Black Feminist Thought: Knowledge, Consciousness, and the Politics of Empowerment*. Unwin Hyman, 1990: 163. racism, sexism, classism の三つが連動した抑圧システムを、地域のなかで活動する南部の黒人女性活動家たちが経験していたという。

7 "Fannie Lou Hamer, December 20, 1964, Williams Institutional CME Church, Harlem, New York," Davis W. Houck and David. E. Dixon eds., *Women and Civil Rights Movement, 1954-1965*. University Press of Mississippi, 2009: 280-287. なお、分益小作人とは、地主から種と農具を借りて作物を育て、その作物を地主に売ってもらい、収益を地主と分割する農夫のことである。彼らは、住む家も食料も地主に貸与され、その費用を支払う必要もあったため、貧困から抜け出すことができなかった。

8 Belinda Robnett, "Women in the Student Non-violent Coordinating Committee: Ideology, Organizational Structure, and Leadership," Peter J. Ling and Sharon Monteith, *Gender and the Civil Rights Movement*. Rutgers University Press, 2004: 143. なお、レジリエンス（resilience）とは、脆弱性（vulnerability）の対角にある概念であり、困難な状況によってダメージを受けたにもかかわらず、しなやかに適応して生き延びる力を意味する。回復力、復元力、弾力とも言う。

9 タイムキーパーは、読み書きができる者のみが従事することができたので、数年間学校教育を受けたヘイマーが指名された。

10 有権者登録では、二一項目の識字テストと州憲法の書き写し、その意味の問答が課されたりしたため、彼女ともう一人しか申請書の提出ができなかった。帰り道では警官が待ち伏せしており、バスの色が普通のスクールバスより「黄色すぎる」という理由で三〇ドルの罰金を徴収された。

11 有権者登録を理由にプランテーションから黒人を追い出すやり方は、ミシシッピ・デルタと隣接するテネシー州南西部のファイエット郡とヘイウッド郡で一九六〇年から始まった（Charles S. Aiken, *The Cotton Plantation South since the Civil War*. Hopkins Open Publishing: Encore Edition; Illustrated, 2020: 223-224）。九月一

○日の夜、ヘイマーが一時滞在したタッカー家が銃撃され、一六発の弾丸が撃ち込まれたが、幸い全員無事であった。同夜、二人の黒人女性が殺され、ジョー・マクドナルドの家も銃撃された。ヘイマーは、危険を感じた夫の知らせで他家に逃れていた。

12　警察は、留置されていた二人の黒人男性を脅迫してヘイマーを殴打させた。

13　州人口の多数を占める黒人を排除した上でなされた選挙は無効であるという主張がその前提にある。

14　ジョンソンは大統領候補の指名を受けるために南部民主党の票を必要としていたため、党大会運営者や副大統領候補のハンフリーに圧力をかけ、ＭＦＤＰを排除しようとした。またヘイマーの演説の時間に、自ら臨時記者会見を開催してＴＶ放送をさせないようにした。主要ネットワークは夜の番組でヘイマーの演説（一五分）を全部放送したので、かえって全国民の注目を集めることになった。

15　有権者登録に関する集団訴訟の代表となった裁判。*Mrs. Fannie Lou Hamer v. Cecil C. Campbell, Circuit Clerk and Registrar of Sunflower County, Mississippi*, 358 F. 2d 215 (5th Cir. 1966), March 11, 1966. https://www.courtlistener.com/opinion/27132/mrs-fannie-lou-hamer-v-cecil-c-campbell-circuit-clerk-and-registrar-of/authorities/?

16　"Until I Am Free, You Are Not Free Either," Speech Delivered at the University of Wisconsin, Madison, Wisconsin, January 1971: 123. なお、パリスグリーン（花緑青）は、人工顔料で、酢酸銅と亜ヒ酸銅（Ⅱ）の複塩。船底の塗料などに用いられ、ヒ素が含まれるため有毒である。

17　"America Is a Sick Place, and Man Is on the Critical List," Speech Delivered at Loop College, Chicago, Illinois, May 27, 1970. In *The Speeches of Fannie Lou Hamer*: 117.

18　「私たちの橋を称賛する（To Praise Our Bridges）」ファニー・ルー・ヘイマー夫人の自伝（ヘイマーの話を録音の上、ＳＮＣＣのジュリアス・レスターとメアリ・ヴァレラが編集）。Fannie Lou Hamer Collection. Box. 1 Folder 2. Mississippi Department of Archives and History: 12. オンライン資料も閲覧可能。https://snccdigital.org/wp-content/themes/sncc/flipbooks/mev_hamer_updated_2018/index. html?swipeboxvideo=1

19　ヘイマーの演説に繰り返し出てくるフレーズである。"I'm Sick and Tired of Being Sick and Tired.": Speech Delivered with Malcolm X at the Williams Institutional CME Church, Harlem, New York, December 20, 1964, in

Maegan Parker Brooks, and Davis W. Houck, *The Speeches of Fannie Lou Hamer: To Tell It Like It Is*. Jackson: University Press of Mississippi, 2011: 59.

20 *To Praise Our Bridges*: 16-17.

21 ＣＯＦＯが計画したミシシッピ夏のプロジェクト（黒人有権者登録活動に多くのボランティアを投入すること）の開始直前にワシントンの国立劇場で開催された公聴会でＣＯＦＯの活動家二四人の一人として専門家（ハロルド・テイラー、グレシャム・サイクス、ロバート・コールなど）の前でヘイマーは証言した。Testimony Before a Select Panel on Mississippi and Civil Rights, Washington, D. C., June 8, 1964.

22 Debra Michals, ed., “Fannie Lou Hamer,” National Women's History Museum. https://www.womenshistory.org/education-resources/biographies/fannie-lou-hamer; Susan K. Cahn, *Sexual Reckonings: Southern Girls in a Troubling Age*. Cambridge, Massachusets: Harvard University Press, 2007: 174.

23 Dorothy Roberts, “Black Women and the Pill,” *Family Planning Perspectives*. 32 (2), March/April 2000. “sterilization – black women” https://mississippiappendectomy.wordpress.com/2007/11/19/black-women-in-the-1960s-and-1970s/

24 また、ノースカロライナ州で公民権運動に参加したために逮捕された若い妊婦は有罪判決を受け、その罰として強制中絶をすることになると言い渡された。“National Council of Negro Women,” editorial, *Black Woman's Voice* 2, no. 2 (January/February 1973)。

25 https://www.uvm.edu/~lkaelber/eugenics/MS/MS.html

26 “In most major teaching hospitals in New York City, it is the unwritten policy to do elective hysterectomies on poor black and Puerto Rican women, with minimal indications, to train residents” (Dorothy Roberts, *Killing the Black Body: Race, Reproduction, and the Meaning of Liberty*. New York: Pantheon Books: 91, 1997) Lutz Kaelber, “Eugenics: Compulsory Sterilization in 50 American States, Presentation about “eugenic sterilizations” in comparative perspective at the 2012 Social Science History Association. https://www.uvm. edu/~lkaelber/eugenics/MS/MS.html

27 苛斂誅求とは、情け容赦なく、税金などを取り立てるという意味である。分益小作人となる以外に道がなかった黒人たちは、地主によって借金漬けにされ、その返済のために苛酷な搾取を強いられ続けた。

28 “Fannie Lou Hamer Interview,” 1965-09-24, Pacifica Radio Archives, American Archive of Public Broadcasting (GBH and the Library of Congress), Boston, MA and Washington, DC, http://americanarchive.org/catalog/cpb-aacip-28-bg2h70895r

29 “If the Name of the Game Is Survive, Survive,” *Fannie Lou Hamer Collection*, Box 1 Folder 2, Ruleville, Mississippi, September 27, 1971.

30 マルコムXは、相手（敵）にメッセージを理解させるためには同じ言語（相手がショットガンを使うならこちらもショットガン、ライフルならライフル、ロープならロープを使わなければならないと主張し、その意味で The Ballot or the Bullet を用いた。Fannie Lou Hamer And Malcolm X Speak In Harlem, NY, 1964. https://www.harlemworldmagazine.com/fannie-lou-hamer-malcolm-x-speak-harlem-ny-1964-video/

31 “If the Name of the Game Is Survive, Survive,” 1971.

32 先にあげた一九六四年のハーレムでの演説で、マルコムXは、ヘイマーが語った体験に対して、黒人の女性や子どもたちが殴打されてもやり返さず、ただ We Shall Overcome を歌って座っているだけなら、黒人男性は男性を名乗る資格はないと述べていた。

33 “Is It too Late?” Speech delivered at Tougaloo College, Tougaloo, Mississippi, Summer 1971.

34 Wendt, Simon, “‘They Finally Found Out that We Really Are Men’: Violence, Non-Violence and Black Manhood in the Civil Rights Era,” *Gender & History*, 19 (3), November 2007: 543–564.

35 “If the Name of the Game Is Survive, Survive,” 1971.

36 “If the Name of the Game Is Survive, Survive,” 1971.

37 Measure and Measure からは、トラクターの寄付も受けた。“Mother of ‘Black Women’s Lib’” by Franklynn Peterson. *Fannie Lou Hamer Collection,* Box 2 Folder 3.

38 “Mother of ‘Black Women’s Lib.’”

39 なかでもガニソン市長のヴァイオレット・レゲット氏は、白人男性候補と競って市長となり、そのときすでに二期目を務めていた。“Seeds Planted by Famine Lou Hamer Grow in Mississippi by Marian Martin. Response

April 1983, United Methodist Women," *Fannie Lou Hamer Collection*, Box 1 Folder 5: 9.

40　この運動は、もともと二〇一二年二月にマイアミで射殺されたトレイヴォン・マーティン（当時一七歳の黒人高校生）の裁判で、犯人である自警団の男性ジョージ・ジマーマンが無罪とされたことに対する抗議として始まったものである。翌二〇一四年には、黒人の命があまりにも軽く扱われたことに対する反発と、相次ぐ警察の暴力への抗議を抱えて、BLM運動は全国に広がった。この政治的・思想的転換を求める運動の参加者が目指したのは、黒人たちを意図的・組織的に葬り去ろうとする白人優位社会の変革、黒人の人権と社会的貢献の承認、抑圧に対抗するレジリエンス増進を実現することであった。

41　Black Lives Matter のネットワークが掲げているのは、人種差別だけではなく、あらゆる差別をなくすことであり、クィアや他の性的少数者も取り込んで闘いを進めている。https://blacklivesmatter.com/herstory/

第4章　ポストコロニアルからポストヒューマンへ
——人種、ジェンダー、種の交差

丸山雄生

はじめに

ポストコロニアルの諸問題を考えるにあたって人種とジェンダーが有効な分析概念であることは言うまでもない。それらに注目することで、西洋・白人・男性を特権化した一方で他のものを排除した帝国主義の歪みがはっきりと浮かび上がる。中心と周縁、自己と他者、主体と客体を分ける帝国主義の二分法的な思考様式は、さらにまた「種（species 生物種とも訳される）」にも及ぶ。人間と動物を分ける区分は、しばしば人種やジェンダーのそれと連動する。中心にいる自己が「人間」だとしたら、周縁の他者とは「動物的」だった。

しかしながら、それらの境界は完全に一致するわけではない。人種、ジェンダー、種、そのほかの他者表象は、重なり合い、交差し、離反する。「動物的」であることのメタファーは広く応用可能だが、人種やジェンダーと安易に結びつけるとき、歴史的な経緯や経験の固有性を曖昧にする懸念がある。よって本稿では、人種、ジェンダー、種のからまりから近接するカテゴリー間の共通点と差異を明らかにし、ポストコロニアルの歴史学において動物に注目することの意義と可能性を問う。そのために、キンバリー・クレンショーが提唱した「交差性《インターセクショナリティ》」

の概念を補助線として、単純な二分法ではない、もつれた関係を分析する。その上で、近年の「動物研究」と呼ばれる分野の成果を参照しながら、自然環境の変化に伴うポストヒューマンの時代における人間と動物の関係の再定義を検討する。[1]

一九八九年の論文「人種と性の交差を脱周辺化する」において、クレンショーは黒人女性であることとの二重の否定性について論じた。というのも、黒人でありかつ女性であるという「交差的な経験は人種差別と性差別の合計以上」の不利をもたらすからである（Crenshaw 1989）。少数者であることは、しばしば複合的な脆弱性をはらむ。たとえば人種、性、セクシュアリティ、年齢、障害、外見などのカテゴリーは単独でつくられるのではなく、しばしば錯綜する。交差性はこうしたカテゴリーの複雑さを考えるためのアプローチとして導入された。

逆に、「シングルイシュー」によるアプローチをクレンショーは批判する。人種差別や性差別を切り分けるとき、黒人女性の複雑さは見えないものになる。人種は黒人男性の、ジェンダーは白人女性の問題に置き換えられ、黒人女性は自分たち自身を語ることができない。よって、黒人女性の主体性を覆い隠さずに、人種とジェンダーの交差を考える必要がある。そうでなければ、「人種差別と性差別の合流によって生み出される特異性を見過ごしてしまう」のである（Crenshaw 1989）。

クレンショーの提起以来、交差性の概念は、カテゴリーの複雑さを解き明かすために様々な分野で用いられてきた。動物もその一つであり、他者表象の相互依存的な成り立ちと特徴を考える有効な視座を提供する。たとえば、スナウラ・テイラーは障害が構築されるときには、「異常」な身体を人間よりも動物に近いものとしてまなざす「動物化」のメカニズムが働くため、障害と動物を別個の問題ではなく、複合的で広範囲な問題として扱う必要があると説く。「障害と動物性（そしていかにそれらが交差しているのか）に注意を払わないことは誤り」であるのは、「いずれの概念も他の差異のカテゴリーに、そして貧困や監獄の問題から環境正義にかんする問題まで、抑圧された者たちが直面する社会正義の問題に、深く絡みあっているゆえに、単に周辺部へと追放して済ませることはできないから」なのである（テイラー 二〇二〇）。また、クレア・ジーン・キムは動物と人種が双方向的に構成されてきた分類体系であることを指摘する。「動物化は、人種化の取り組みにおいて、中核にあるのであり、付随的なものではない。アメリカで数世紀にわたり分節化されてきた黒人性、インディアン性、中国人性は、動物性や自然の概念と連続的で親密な関係を取り結んできたのである」（Kim 2015）。テイラーとキムが強調するのは、健常や白人性のように主流とされてきた文化がマイノリティを他者化するのにあたって、動物を参照したり、動物に関する語彙を用いたことである。よって、交差性に注目することで、動物を媒介として一方にはスティグマが与えられ、他方は無徴のまま特別な地位を確立した不均衡なカテゴリーの形成過程を明らかにし、差別と搾取の仕組みに新しい光を当てることができる。[2]

1　ジェンダーと動物

西洋の伝統的な思考において女性と動物はどちらも長らく他者化（特定の集団を自己とは違うものとして扱い、なおかつその扱いを正当化すること）されてきた。意味論の次元では、両者は自然、無垢、純潔、倫理、愛情、優しさなどのメタファーに連なり、文明、闘争、強さによって意味づけられる男性性と対置されるものだった。これらのメタファーは現実においては社会制度やジェンダー規範として実体化していた。女性と動物の近さは、大西洋をまたぐ英米圏のフェミニズムの議論のなかで連綿と議論されてきた。

フェミニズムはその始まりから動物と不可分だった。一九世紀以来の女性の権利獲得や地位向上のための運動は、虐待防止や生体解剖反対などの動物の問題と併走していた。一九〇〇年代にイングランドで起きた「ブラウン・ドッグ」暴動は医学によるイヌの生体解剖に反対する抗議活動だったが、動物保護論者だけでなく、女性参政権論者と労働組合も加わった。それらの運動は弾圧や投獄に日常的に晒されており、その恐怖の体験において、解剖されるイヌを自分たちと重ね合わせた。犠牲者としてのアイデンティティは、動物、ジェンダー、階級の区分を超えるものだった（Lansbury 1985、リトヴォ 二〇〇一）。

逆に言うと、動物を殺すことと女性を抑圧することは連続しており、より一般化すれば、自然の征服は一つの巨大な力の行使だった。ダナ・ハラウェイはその力を「テディベア的家父長制」と名付けた。テディベアの語源となったアメリカ大統領セオドア・ローズヴェルトは、ハンティングを好んでたくさんの動物を殺して標本化するとともに、国立公園を設立して自然保護を進め、また優生学と社会進化論に基づく政策を推進した。一見すると分裂的なそれらの行為の根底にあったのは、「脅かされた男らしさを保持する」という「帝国主義、資本主義、そして白人の文化の病」だった。ローズヴェルトらエリート階級の白人男性は、過度な文明化による活力の低下、すなわち「人種の自殺」を恐れ、それに対抗して身体的・文化的な強さを取り戻すために「精力的な生活」を目指した（Haraway 1984-1985）。

それはジェンダー、種、帝国主義が一体となった欲望だった。第一に、工業化した都市を離れ、牧場などの自然へと回帰し、動物を狩ることは、近代化により疲弊した精神を癒やし、健全な身体を取り戻す手段だった。動物を殺すことにより男らしい強さが回復すると考えられたのである。第二に、ローズヴェルトは、アメリカが伝統的な孤立主義を捨て、積極的に諸外国に介入するための軍備増強を提唱した。米西戦争に代表される帝国主義的な領土拡張を正当化したのは、アメリカの軍事や経済や外交における競争力を高めて、国際的な生存競争を生き延びるという社会進化論のレトリックだった。第三に、ローズヴェルトはヨセミテを手始めにアメリカの国立公園制度を作ったが、それは自然の気高さが人を堕落から救うというロマン主義的自然観だけでなく、自然資源を人のために有効に使う功利主義の発想でもあった。自然を「保全」することは、効率性を重視し、技術や知識によってより良い状態へと改善しようとする革新主義の取り組みの一部をなしていた（Hays 1959）。このように白人男性の文化的権威を守る「テディベア的家父長制」により、自然と動物と女性は犠牲として捧げられた。

よって、ハラウェイら七〇年代以降の第二波フェミニズムが、動物の問題に取り組んだことは不思議ではない。キャロル・アダムズによれば、動物を殺して、その肉を食べることはジェンダー規範の確立において重要な役割を担った。肉食とは食事以上の何かである。それはイデオロギーであり、「肉は男性の食物であり、肉食とは男性的な行動である」という神話が男らしさを支えてきた（アダムズ 一九九四）。また肉を独占し、その分配をコントロールする権力が、社会においては階級の秩序を保ち、家庭内においては家父長の支配を保証する源泉となった。

肉食とポルノグラフィーは動物と女性の身体を消費可能なモノに貶める点において同等の機能を持つ[3]。その意味で肉食は性の政治学だが、それを正当化してきたのは、メラニー・ジョイの言葉を借りれば「カーニズム」という誤謬、すなわち肉食を「自然」で「正常」で「必要」なものだとみなす価値体系だった（Joy 2010）。実際には、肉食は唯一正しい普遍的な食ではなく、文化的に構築された思い込みである。しかし、歴史や宗教や科学などをもっともらしい「客観的」な根拠として用いることで、カーニズムはその虚構を隠蔽する。つくられたものにすぎない構築物を、自然で正常で必要なものに転換するためには、それがあたかも真正であるかのように証明する言説、すなわち理性が必要だが、その理性は男性のみに与えられ、動物と女性は男性の知と力に従属する。

男性のみに理性を与え、逆に女性を感情的な存在として周縁に遠ざける思考は「男根ロゴス中心主義」と呼ばれる。ロゴス、すなわち理性の働きとしての言語とは、男性と女性だけでなく、人間と動物を分かつものである。キャロル・アダムズは、人は動物ではなく肉を語ることによって、肉食をめぐる議論から動物を不在にしてきたと指摘する（アダムズ 一九九四）。「ウシ」ではなく「ビーフ」を、「ブタ」ではなく「ポーク」を語ることは、動物をモノに転じさせ、生きている動物の血や温度や臭いに目を向けることなく、抽象的で安全な物質として認識することを可能にする。人が動物を名付けることは、人が自然を管理する神の代理人としての権限を得たことを象徴するエピソードだが、この命名の暴力性をジャック・デリダは「animot」という概念で示した。それは「動物（animal）」と「言葉（mot）」を合成した語であり、動物の複数形（animaux）と同じ音を持つ（デリダ 二〇一四）。つまり、人は動物を種として全体化して、またそれを生きる主体ではなく指し示される対象と位置づけることで、動物の主体性と固有性を奪った。この動物の物象化の先に近代の法と経済の理論があり、動物は人間が所有し、使うことができる財産として理解される。男性性と言語によってつくられたヒエラルキーには動物の搾取も加わっており、その意味で「肉-男根ロゴス中心主義」なのである。

ジェンダーと動物の交差性への注目は、より広い文脈ではジェンダーとエコロジーを結ぶ「エコフェミニズム」の思想に連なる。一九八〇年代以降、前述のアダムズやキャロリン・マーチャントらのエコフェミニストは、女性や自然を弱く劣ったものと考える男性支配の原理や暴力を批判的に考察する議論を積み重ねた（マーチャント 一九八五）。また、エコフェミニストは、女性と自然の他者化を文化面から捉えるだけでなく、資本主義や帝国主義による開発と破壊、また軍と戦争の危険といった現実的な問題と接続し、反核運動や環境保護運動などの積極的なアクティヴィズムとして展開した。しかし、フェミニズムに対する保守派からのバックラッシュや、フェミニズム内部での対立により、エコフェミニズムは一九九〇年代以降、退潮に向かったとされる。特に、女性らしさは恣意的につくられたものにすぎないと考える構築主義フェミニズムの立場からは、エコフェミニズムは女性と自然をアプリオリに同一視し、女性らしさを自然で本来的なものと受けとめる本質主義として批判された（Adams and Gruen 2014）。

しかし、二〇〇〇年代以降、エコフェミニズムは、動物研究、ポストヒューマン、エコクリティシズムなどの新しい分野と連動して、再度脚光を浴びるようになった。その理由としては、世界的な環境の危機が深刻化し、温暖化対策や気候正義が必要とされるなかで、フェミニズムを含む多くの学知が人間中心主義の限界に直面し、人間以外の存在への配慮を迫られたことが大きい。野生動物の減少、森林の消失、資源の枯渇、異常気象など人間が引き起こした破壊的な変化が自然の持続可能性を危機に晒すとき、動物や自然などこれまでの議論から排除されてきた存在を無視することはできない。人間の活動が環境に不可逆的な影響を与えた後の人新世において、女性と自然の近似を問うエコフェミニズムは人間以外の主体を考える視点を提供する。また、かつての環境運動はしばしば先進国、白人、都市住民、中産階級の視点に偏り、その正義を開発国や他の人種や民族に押しつける「エコ人種主義」、「エコ帝国主義」の傾向があった（Kim and Freccero 2013）。その反省の上に立つ「新しいエコフェミニズム」は、人種や地域の多様性に敏感である（Gaard 2011）。動物とジェンダーの交差性からのアプローチもまた、声なき少数者や見えない他者をいかに議論に包摂するかという問題関心を共有している。

2　人種と動物

ハラウェイの「テディベア的家父長制」が指摘した通り、動物の支配は複合的な現象であり、ジェンダーのみならず人種とも交差していた。動物の比喩は非白人を他者化する定番の語彙だった。人種の優劣を客観的に証明しようとした骨相学などのエセ科学はしばしば黒人とチンパンジーほかの霊長類の類似を探した。社会進化論はサルから人間への単線的な進化を想定することで、白人を最先端に、非白人を未発達の、人間未満の段階に位置づけた。アメリカでは奴隷制の時代からその廃止以後も、黒人男性は過剰な性欲を持ち白人女性を襲うものとする妄想が渦巻いており、異人種間結婚の禁止や多数のリンチの原因になったが、それを支えたのは黒人を本能的で、行動を制御できない獣になぞらえるアナロジーだった。優れた種を保存し、劣った種を根絶やしにする優生学の思想は、動物の交配を通じて純血種の概念を生み出し、さらには民族浄化や大量虐殺に至った。ナチスドイツがユダヤ人を動物として考え、動物のように扱い、動物のように殺した強制収容所は、人種と動物の交差のなかでも最大の悲劇である。

一方、差別の廃絶を目指す思想もまた人種と動物の接点を焦点化する。倫理学者のピーター・シンガーは、一九六〇年代の公民権運動やフェミニズムなどの社会改革を手本に、動物の解放を主張した。その主張は動物の権利論と呼ばれ、マイノリティの社会運動の延長線上に、「種差別主義（speciesism）」への反対を訴えた。初期の動物の権利論は、動物の福祉を重視する点に特徴がある。シンガーは、動物愛護の先駆者であったジェレミー・ベンサムの功利主義に範をとり、痛みを覚えることができる情感ある動物に対しては、人間と同等の配慮をしなければならないという平等原則から、「人種主義とのアナロジーによって、「種差別」と呼びうる態度もまた非難されねばならない（中略）もし特定の人が、知的能力が高いからといって他の人間を手段として扱うことが許されるわけではないのなら、どうして人間が同じ目的で他の動物を搾取することが許されるだろうか」と主張した（シンガー 二〇一一）。人間を苦しめてはいけないように、動物にも苦しみを与えてはならない。この原則に基づき、シンガーは、動物実験、畜産、ハンティング、皮革製品、動物の展示やエンターテイメントなど、人間が自らの利益のために動物を恣意的に利用し、苦痛と死を与える種差別主義は道徳的に誤りだと論じた。[4]

近年の権利論は、動物の福祉からさらに積極的な取り組みを要求する。その代表的な論者であるゲイリー・フランシオンによれば、シンガーの論は不十分であり、動物の福祉を改善するかもしれないが、動物の道徳的地位を人間より下位に置いたままにするので、残酷な殺し方は禁止されたとしても、動物は依然として人間のために殺され続ける。動物への平等な配慮を貫くのであれば、動物の搾取を規制するのではなく、廃止しなければならない。このようにラディカルな変革を求めるフランシオンの主張の中核にあるのは、動物をモノとして扱ってきた法と経済の論理への批判だ。「私は動物がただ一つの権利を持つと考える――財産や資源とされない権利である」（フランシオン 二〇一八）。動物をモノにしてはならないのは、人間をモノとして扱う奴隷制が道徳的に間違っているのと同じ理由である。そのため動物の権利論は、種差別主義は人種差別と通底していると考え、一九世紀の「奴隷制廃止運動（abolitionism）」から一貫する平等の追求を動物に拡大する（Spiegel 1996）。

しかし、動物と奴隷のアナロジーに対しては懸念もある。たとえば動物愛護団体ＰＥＴＡがユダヤ人に対するホロコーストや黒人へのリンチを引き合いに出して畜産を非難するキャンペーンを行ったとき、ユダヤ人団体のＡＤＬや黒人団体のＮＡＡＣＰは虐殺や人種暴力の犠牲者を矮小化するものだと反発した。動物の交差性は有効な概念だが、人種との安易な比較には「差異を平坦化し、偽りの等価を生み、個々の支配の形態をすべて連結された標準的な単位として扱う」危険性がある（Kim and Freccero 2013）。苦痛を基準に平等な配慮を要請する原則は、種を超えて適用されるが、すべての痛みを同じものとして一般化してしまい、ホロコーストや奴隷制を置き換え可能な事例に抽象化してしまう。

動物の権利論がこうした批判を呼ぶのは、動物の平等に強く傾斜することで、クレンショーが言う「シングルイシュー」のアプローチになっているからだ。それは動物への暴力のみを問題視する。しかし、動物の交差性は、種差別主義が人種やジェンダーなど他のカテゴリーと常に錯綜してきたことを示す。たとえば警察暴力に抗議するブラック・ライヴズ・マター運動に対して鎮圧のために警察犬が投入されるとき、黒人とイヌの関係はねじれている。黒人を動物のように殺して痛痒を感じない権力が、人種秩序の維持のために動物を使役するグロテスクな構図において、人種と種は二重に抑圧されている。潜在的な脅威としてのイヌと有用な僕としてのイヌが共食い的に対峙することは、種差別主義が人種差別の単純なアナロジーではなく、両者の他者化は相乗的な過程によって構築・補強されてきたことを表している。[5]

3　ポストヒューマンへ

これまでジェンダー、人種と合わせて論じてきたように、動物化の語彙やイデオロギーは社会的カテゴリーの成立に広く、深く関与している。それは動物のメタファーが汎用的だという指摘にとどまらない。動物の交差性の広がりが示唆するのは、人間が限定的な概念であるのに対して、動物はより普遍的だということである。動物的であることは多くのカテゴリーに共有されており、その普遍性を掘り下げることで、人間と動物を切り分けられない現代の状況がさらに明確になる。

アメリカの解放奴隷であり、黒人指導者だったフレデリック・ダグラスは、奴隷時代の体験をこう振り返った。「私は自身の状況から、ウシとの間にいくつかの共通点があることに気づいた。彼らは所有物であり、私もそうだった。彼らはいつか壊されるであろうし、私もそうだった。コーヴィ氏は私を壊すだろう。私はウシを壊すだろう。壊し、壊される。それが生というものだった」(Douglass 1855)。ダグラスは、自身とウシがともに主人の財産であり、人格を持たないモノである点で一致することを認識していた。

ダグラスにとってウシと奴隷は使役され、最後には壊されるものだった。壊されるとは殺されることの婉曲表現だが、動物を殺すこと、あるいは動物が殺されることは、労働と分かちがたく結びついている。現代の工場生産の基軸となった組み立てラインでの流れ作業は、家畜の解体過程を応用して設計されたと言われる。一九一三年にヘンリー・フォードが自動車工場に初めてライン生産を導入したとき、そのモデルになったのはシンシナティやシカゴの食肉工場だった。ラインを移動するウシを、労働者たちが作業を分担して解体すると、一つ一つの作業は単純化され、瞬時に反復できるため、一人がすべての作業を行うよりもずっと効率的になる。フォードによるライン生産の導入は産業資本主義の大発展の原動力になったが、その導入の経緯を考えると、家畜の解体と機械製品の組み立ては対照的なように見えて、実は同一の思想と技術を共有している。

ライン生産の技術はフレデリック・テイラーによってさらに洗練された。テイラーは作業時間を計測し、最適化することで、生産性を飛躍的に高めた。彼による科学的な労働管理法は、作業のスピードを速め、身体の動きを統制し、労働から無駄を削減して、高い効率性を達成した。極度に単純化され、立ち振る舞いを訓練され、限界まで高速化された労働は、人間を動物に近づける。テイラー・システムの要点は、労働の時間を管理することにあった。時間が計測され操作されるとき、それは労働者の個人的な経験ではなく、誰によっても補完可能な数値になる。それは疎外された非人間的な労働であり、テイラーは労働者に「知的なゴリラ」であること以上を期待しなかった。動物を殺すことから始まった労働の効率化は、人を動物として理解するようになる。[6]

殺されるウシと殺す労働者に共通するのは遺棄可能性だ。それらはどちらも使われ、壊され、取り替えられる、いわば使い捨てられる生だ。精肉工場はしばしば非常に危険で劣悪な労働環境であり、それを隠すために外部から閉ざされ、不法移民など不安定な立場にある労働者が使われる。新型コロナウィルスのパンデミックのなかで精肉工場から多数のクラスターが発生したことは偶然ではない。なぜならそこは動物を殺す場所であると同時に、人間を人間として認めない場所でもあるからだ。そこで遺棄される人と動物は、ジョルジョ・アガンベンの言葉を借りれば「剝き出しの生」だ。それは殺されても特別な意味が与えられることはない（アガンベン二〇〇三）。法は彼らを支配しながら彼らを守らない。それは法の矛盾であり、彼らを体制の内側に抱えると同時に外側に閉め出している。重要なのは、「剝き出しの生」はもともと例外であったはずなのに、近代以降、例外状態が定常化していく逆転が起きたことだ。たとえば監獄では法秩序の宙吊りが一時的ではなく永続化する。囚人たちは、権利や人間性を奪われ、回復しないままに留め置かれる（アガンベン二〇〇七）。

法と例外の区別がつかなくなった監獄は、動物化の場所である。ミシェル・アレキサンダーの「ニュー・ジムクロウ」論によれば、現代アメリカでは黒人男性の大量収監が常態化しているが、彼らは諸権利を奪われた二級市民として据え置かれる（Alexander 2010）。黒人差別を合法化していたかつてのジムクロウ法がなくなり、公民権法が成立したとしても、大量収監により法ならざるものが法の代わりに黒人男性を実質的なカーストの最下位に固定する。彼らは犯罪者のスティグマを押され、安価な労働力として使役される。定常化した大量収監とは、例外状態の永続化である。犯罪者を再生産し、社会に復帰させるのではなく、刑務所に繰り返し送り込むシステムにより、制度の枠外に遺棄可能な生がつくられる。このサイクルでは、移動の自由は許されず、囚人はずっと囚人のままだ。

法や慣習のなかに組み込まれた制度的暴力は、檻に閉じ込められ、解放されることがない動物園の動物たちにも通じる。「黒人は、移動可能性を法と抑圧のシステムによって管理されている点において、いまだ部分的に動産の身分につながれている。動物園で飼われる動物と同じように」（Boisseron 2018）。動物たちは動物園で生まれ、飼われ、死ぬ。動物は教育研究や娯楽や自身の種の保存のために、移動の自由を奪われ、生殖を管理される。貧困や犯罪や大量収監が見えない人種差別であるのと同様に、動物の飼育や利用も当たり前のものとして見過ごされる。動物園や畜産は収容所群島の一部であり、動物の生を使い捨て、そのことが不問に付される場所をつくる。

所有された動物の搾取と並行して、収容された人間は動物化していく。人間が人間ではなくなるとき、人間以後を想像するポストヒューマンの時代がやってくる。この皮肉は、啓蒙的な近代の理念に対する二重の批判である。一つには、動物を含む他者を使い捨てることによって成り立っていた近代の主体的な個人という幻想を脱構築する。フェミニズムや人種理論、ポストコロニアリズムが繰り返し論じてきたように、近代が想定してきた古典的な「人間性」は、普遍的なものではなく、一部の人間、つまり男性の、白人の、そして西欧の帝国が独占する特権だった。そのイデオロギーだったヒューマニズムとは排他的な道徳で、ジェンダーや人種や種の抑圧の上に成り立っていた。第二に、ポストヒューマンは、理想的な人間のあり方がすでに不可能になったことをあらわにする。遺棄可能な生が大規模に出現し、人を使い捨てる監獄が常態化したとき、人間性は形骸となる。アキーユ・ンベンベによれば、植民地で実践された人の死に基づく統治は、現代においては政治の基本を占めるに至った。フーコーが論じたように近代とは人の生に介入する生権力の時代であったとすれば、その後に出現したのは、「人間存在の全般的な道具化、および人間の身体と人口の物質的な破壊」による「死の政治《ネクロポリティクス》」である（ンベンベ 二〇〇五）。ありふれた死は尊厳を持たない。そのような動物的な死が当たり前になるとき、人間と動物を隔てる差異は判別不能になる。

　ポストヒューマンとは、まずヒューマニズムの排他性に対する批判である。人間であることの超越的な価値は少数の人間が独占していたが、ポストコロニアリズムや動物研究は古典的な人文学を見直し、それが想定していた一貫して矛盾のない人間のあり方に疑問を呈した。伝統的な単一の主体とは他者の抑圧の上に構築・維持されてきた虚像であり、それに代わってこれまで排除されてきたものを取り入れた主体の再構築を図った。主体とは人間単体で成り立つ一貫したアイデンティティではなく、動物と関係することで生成変化する不確かな領域である。次に、ポストヒューマンは人間性の毀損の後に、人間的であることを再定義する。[7] 遺棄可能な、使い捨てられる、脆弱な生が蔓延している。それは植民地や奴隷だけの経験ではない。動物を殺すことは、実体としてもアナロジーとしても、人間性の限界と死の政治の強力な統治を物語る。その限界の先にポストヒューマンを構想するのであれば、人間の動物化が動物の搾取と死と不可分である以上、それは人間と動物の交差から、すなわち非人間的なものをメタテキストとして語られるのである。

［註］

1　「動物研究（animal studies）」は、「人間–動物研究（human-animal studies）」、「人間以外の動物研究（non-human animal studies）」とも呼ばれる学際的な研究分野で、その主題は「動物と人間のあいだの相互作用」や「動物の生と人間社会の交差」にある（Demello 2021）。また「批判的動物研究（critical animal studies）」は、動物が置かれた条件の改革を最重要視し、積極的なアクティヴィズムを展開する点に特徴がある。

2　これらを参考にすれば、たとえば「ホッテントット・ビーナス」の蔑称で知られたサラ・バートマンもまた交差性の観点から再考されるべきである。身体的特徴ゆえに一九世紀初頭のパリのサロンで人気の見せ物となった彼女を眼差したのは、人種、ジェンダー、障害、植民地主義を束ねた欲望だった（Thomson 1997）。動物の交差性に関する論考はほかにも近年相次いでいる（Chen 2012; Boisseron 2018 など）。

3　さらに言えば、メスの身体、とりわけ生殖の能力を搾取することは、肉に限らず動物性の食べ物に広く見られる。狭いケージに閉じ込めたメスに、高栄養のエサと大量の薬品を与え、人為的に日照周期を早めることで過剰に生産される牛乳や鶏卵はその代表例である。

4　ただしシンガーが動物への平等な配慮を求める一方、障害者の生は十全ではないゆえに平等に扱うことはできず、安楽死も許されると論じたことは論争を招いた（テイラー 二〇二〇）。

5　イヌの二重の役割および、動物が人種や植民地の支配の根幹にあったことについては、本書Ⅰ部のコラム「イヌとヒトの不穏な関係から考える人種と植民地主義」に詳しい。

6　ニコル・シューキンが注目するように、誰にとっても等しく適用可能な時間をマルクスが「ゼラチンのように」均質なものにたとえているのは、偶然にしては示唆的である。ウシは食肉としてだけでなく、工業資源のためにも殺されており、とくににかわやセルロイドの原料となるゼラチンの生産には動物脂肪の溶出以外に有効な方法がなかった。「ゼラチンのような」労働時間とは、動物の死と不可分だった（Shukin 2009）。

7　ポストヒューマンについて、ロージ・ブライドッティ『ポストヒューマン――新しい人文学に向けて』（門林岳史ほか訳、フィルムアート社、二〇一九）は、「非-人間的なものないしゾーエーに向けた〈生〉の観念の拡大」の可能性を積極的に評価する。ほかに Cary Wolfe, *What Is Posthumanism?* (Minneapolis: University of Minnesota Press, 2010); Richard A. Grusin, T*he Nonhuman Turn* (Minneapolis: University of Minnesota Press, 2015) を参照。

［参考文献］

アガンベン、ジョルジョ『ホモ・サケル――主権権力と剝き出しの生』高桑和巳訳、以文社、二〇〇三年
アガンベン、ジョルジョ『例外状態』上村忠男ほか訳、未來社、二〇〇七年
アダムズ、キャロル・J『肉食という性の政治学――フェミニズム－ベジタリアニズム批評』鶴田静訳、新宿書房、一九九四年
シンガー、ピーター『動物の解放』戸田清訳、人文書院、二〇一一年
テイラー、スナウラ『荷を引く獣たち――動物の解放と障害者の解放』今津有梨訳、洛北出版、二〇二〇年
デリダ、ジャック『動物を追う、ゆえに私は（動物で）ある』鵜飼哲訳、筑摩書房、二〇一四年
フランシオン、ゲイリー・L『動物の権利入門――わが子を救うか、犬を救うか』井上太一訳、緑風出版、二〇一八年
マーチャント、キャロリン『自然の死――科学革命と女・エコロジー』団まりな他訳、工作舎、一九八五年
リトヴォ、ハリエット『階級としての動物――ヴィクトリア時代の英国人と動物たち』三好みゆき訳、国文社、二〇〇一年
ンベンベ、アキーユ「ネクロポリティクス」小田原琳・古川高子訳『クヴァドランテ』第七号、二〇〇五年
Adams, Carol and Lori Gruen, “Groundwork,” Carol J. Adams and Lori Gruen eds., *Ecofeminism: Feminist Intersections with Other Animals & the Earth*. Bloomsbury, 2014.
Alexander, Michelle, *The New Jim Crow: Mass Incarceration in the Age of Colorblindness*. New Press, 2010.
Boisseron, Bénédicte, *Afro-Dog: Blackness and the Animal Question*. Columbia University Press, 2018.
Chen, Mel Y., *Animacies: Biopolitics, Racial Mattering, and Queer Affect*. Duke University Press, 2012.

Crenshaw, Kimberlé, "Demarginalizing the Intersection of Race and Sex: A Black Feminist Critique of Antidiscrimination Doctrine, Feminist Theory and Antiracist Politics," *University of Chicago Legal Forum*, 1 (8), 1989.

Douglass, Frederick , *My Bondage and My Freedom. Miller*, Orton, & Mulligan, 1855.

DeMello, Margo, *Animals and Society: An Introduction to Human-Animal Studies*. 2nd. ed., Columbia University Press, 2021.

Gaard, Greta, "Ecofeminism Revisited: Rejecting Essentialism and Re-Placing Species in a Material Feminist Environmentalism," *Feminist Formations*, 23 (2), 2011.

Haraway, Donna "Teddy Bear Patriarchy: Taxidermy in the Garden of Eden, New York City, 1908-1936," *Social Text* 11, 1984-85.

Hays, Samuel P., *Conservation and the Gospel of Efficiency: The Progressive Conservation Movement, 1890-1920*, Harvard University Press, 1959.

Joy, Melanie, *Why We Love Dogs, Eat Pigs, and Wear Cows: An Introduction to Carnism: The Belief System That Enables Us to Eat Some Animals and Not Others*, Conari Press, 2010.

Kim, Claire Jean, *Dangerous Crossings: Race, Species, and Nature in a Multicultural Age*. Cambridge University Press, 2015. Claire Jean Kim and Carla Freccero, "Introduction: A Dialogue," American Quarterly 65 (3), 2013.

Lansbury, Coral, *The Old Brown Dog: Women, Workers and Vivisection in Edwardian England*. University of Wisconsin Press, 1985. Nicole Shukin, Animal Capital: Rendering Life in Biopolitical Times. University of Minnesota Press, 2009.

Spiegel, Marjorie, *The Dreaded Comparison: Human and Animal Slavery*. Mirror Books, 1996.

Thomson, Rosemarie Garland, *Extraordinary Bodies: Figuring Physical Disability in American Culture and Literature*. Columbia University Press, 1997.

［付記］

本稿は、Yuki Maruyama, "From Post-colonial to Post-human?: Interlacing Race, Gender, and Species," *Theorizing Gender and Race in Historical Contexts: Invisibilities, Transbroundary Imagination, and Post-Colonial Futures beyond "the Veil,"* AISRD, 2020: 49-54 を元に、大幅に加筆したものである。

Column 2

イヌとヒトの不穏な関係から考える人種と植民地主義

丸山雄生

二〇一九年一〇月二七日、アメリカ軍の特殊部隊はイスラム国（ISIS）の指導者アブ・バクル・アル・バグダディを急襲し、自爆死に追い込んだ。その成果を誇るトランプ大統領の会見は、たびたび「イヌ」に言及した。一つには、それはテロリストに与えられた蔑称だった。「奴はイヌのように死んだ。臆病者のように死んだ。奴は怯えて泣き叫んだ」と大統領があざ笑うとき、「イヌ」はテロリストの非人間性を表す。しかし、この演説にはもう一匹の「イヌ」がいた。そちらはアメリカ軍の軍用犬である。「負傷者は一人もいない。ただK-9、軍はそう呼ぶが、私はイヌと呼ぶ。美しいイヌ、優秀なイヌだよ。それが一匹怪我をして、後送された」。こう称えられたイヌは、後にトランプ大統領のツイッターにも写真が投稿された。兵士の先頭に立って、傷つきながら敵を追い詰めた「イヌ」はヒトに仕える忠実な僕である。

良いイヌが悪いイヌを駆除する。イヌが持つこの二重の意味は新しいものではない。それはアメリカによるテロとの戦いの風景だった。イラクにつくられたアブグレイブ刑務所では、囚人たちへの拷問や虐待が日常化していたが、獰猛なイヌをけしかけて怯えさせることもその一つだった。キューバのグアンタナモ基地に収容されたテロ容疑者にも同様の人権侵害が行われていた。一方に人間の尊厳に値しないイヌがいて、それを痛めつけるのは別の献身的なイヌである。

対テロ戦争だけでなく、アメリカの内なる人種主義においても、イヌは欠かせない。イヌは常に黒人を襲うものだった。南北戦争以前の南部では、逃亡奴隷の追跡にイヌが大いに活用された。奴隷制の非道を訴えたハリエット・ビーチャー・ストウの小説『アンクル・トムの小屋』（*Uncle Tom's Cabin*, 1852）では、幼子を抱えた黒人女性エリザが猟犬に追われ、捕まる寸前に、凍ったオハイオ川を渡って北部の自由州に逃げ込む場面がハイライトの一つをなしている。トウモロコシ粉を団子状に丸めて揚げた南部の伝統料理が「ハッシュパピー」（イヌを静かにさせる、の意）と呼ばれるのは、逃亡奴隷が追いかけてくる猟犬の気をそらすためにそれを投げ与えたからだという言い伝えもある。

奴隷制廃止後も、イヌは白人による人種暴力の象徴であり、人種に基づく秩序を維持する手段であり、黒人につきまとう現実の恐怖だった。一九六〇年代の公民権運動では、アラバマ州バーミンガムの警察署長ブル・コナーが、警察犬を用いて黒人活動家を弾圧した。二〇一四年にミズーリ州ファーガソンで黒人男性が白人警察官に射殺された事件に抗議してブラック・ライヴズ・マター運動が盛り上がった際も、対暴動装備に身を固めた警察は、催涙ガスやゴム弾だけでなく、イヌを投入して、警察暴力に抗議する人々を力尽くで押さえ込もうとした。

イヌに黒人を襲わせるのは、テロリストがイヌであるのと同様に、黒人もまたイヌとみなされるからだ。黒人はイヌのように獰猛で危険であるから、イヌのようにヒトに従わせなくてはいけないという妄想が、イヌと人種を接近させる。たとえば、アメリカン・フットボールの黒人スター選手だったマイケル・ヴィックが違法な闘犬の開催により逮捕された二〇〇七年のスキャンダルは、動物の福祉の観点から問題になっただけではない。ヴィックが大きな社会的制裁を受けたのは、血生臭い娯楽を好む黒人として獣的な欲望と同一視されたからだ（Boisseron 2018）。

黒人とイヌはどちらも安寧を脅かす脅威である。これが人種とイヌの取締りを要請する理由となる。一八九六年のプレッシー対ファーガソン判決で「分離すれども平等」の理屈で人種隔離を是認したブラウン判事は、翌年の別の事件で、イヌは「信頼できない」から、主人には飼い犬を適切に管理する責任があり、それが果たされない場合にはイヌが処分されることもやむなしとした。この二つの裁判は、自由に主体的に行動する黒人とイヌを、潜在的な危険性において取締りの対象とする点で共通する。奴隷制から現代に至るアメリカの人種暴力において、黒人とイヌはともに主人の支配を揺るがしかねないゆえに無害化する必要があり、そのためにはイヌをしてイヌを躾けることが求められた。こうして脅威としてのイヌを有用なイヌが襲う共食いの構図がつくられた（Dayan 2011）。

さらに歴史を遡れば、人間の僕としてのイヌと敵としてのイヌという両義性は、植民地の経験でもある。イヌは帝国主義の歴史を通じて支配のための道具だった。一六世紀の南米では、ラス・カサスが告発したように、スペインはイヌを用いてインディオを虐殺した。山中に逃げ込んだインディオを狩り出すために訓練された猟犬は、主人の命令に従い、先住民を「ブタ」のように食い殺したという（ラス・カサス 二〇一三）。このように残酷なことができたのは、スペイン人がインディオを「獣」にも劣るとみなしていたからだった。敵が動物以下の畜生であるなら、それを動物に襲わせて、食い殺させてもかまわない。それは動物が動物を食べるにすぎないのだから。

しかし、この独善的なロジックは、矛盾を生む。イヌを使ってインディオを殺すキリスト教徒について、ラス・カサスは、むごたらしい非道を行う彼らこそが「獣」と同等だと糾弾した。インディオを動物のように残酷に殺すことで、スペイン人は自らの人間性を手放した。イヌによって他の動物を支配することは、ヒトのヒトたる所以のはずだったのに、むしろヒトを動物にしてしまう。同様の例は、一八世紀のカリブ海の植民地にもあった。ジャマイカで起きたマルーン族の反乱をイヌによって鎮圧したイギリス軍は、その残虐な戦術のために戦争の正当性を失った。動物のような敵を、動物を使って、動物的に殺すことで、ヒトは自らを動物から隔てる基準を自己否定する。

この矛盾は、エメ・セゼールの言葉を借りれば、植民地主義の「人肉食」である。「植民地化というものが（中略）もっとも文明化された人間をさえ非人間化するということ、土着の人々に対する侮蔑に基づき、その侮蔑によって正当化される植民活動、植民地事業、植民地征服というものは、それを企てる者自身を不可避的に変容させていくものだという こと、植民地化する者は、自らに免罪符を与えるために、相手の内に獣を見る習慣を身に着け、相手を「獣として」扱う訓練を積み、客観的には自ら獣に変貌していく」（セゼール一九九七）。帝国と植民地、あるいは自己と他者を分けるものは、人間と動物の差だった。しかし、他者を動物とみなすことは、自らの動物化を招く。人種主義と植民地主義の秩序は暴力に依拠していたが、それはイヌと黒人を近似させる人間の非人間化であり、かつ非人間的な暴力を肯定する人間の動物化だった。イヌの二重性は、彼我を切り分けるとともに、その二分法的秩序を自壊させてしまうのだ。

〔参考文献〕

セゼール、エメ『帰郷ノート／植民地主義論』砂野幸稔訳、平凡社、一九九七年

ラス・カサス『インディアスの破壊についての簡潔な報告』染田秀藤訳、岩波文庫、二〇一三年

Boisseron, Bénédicte, *Afro-Dog: Blackness and the Animal Question*, Columbia University Press, 2018.

Dayan, Colin, *The Law Is a White Dog: How Legal Rituals Make and Unmake Persons*, Princeton University Press, 2011.

II

ポストコロニアリズムの時代における
ジェンダー・セクシュアリティをめぐる
運動と批評

第5章　クィア理論入門
――鍵概念の定義

ニシャン・シャハニ（土屋匠平・荒木和華子訳）

はじめに――イデオロギーとは

クィア研究入門として筆者は本章において定義的作業を行う。

「イデオロギー（ideology）」という言葉を耳にしたことがある人はどれくらいいるだろうか。この言葉を使ったり目にしたりするとき、一番はじめに思い浮かべることは何だろうか。私たちはイデオロギーという用語から、たいていの場合、概念や想定を連想するだろう。カルチュラル・スタディーズ（文化研究）の学問分野では、イデオロギーはもう少し特定の形で定義されている。イデオロギーは「虚偽意識（false consciousness）」として定義されるのである（Althusser 1986）。「虚偽意識」とは、マルクス主義の思想家であるルイ・アルチュセールによって提示された用語である。では、これはどのような意味であるのか。いたってシンプルに、イデオロギーは、あたかも常識であるかのように、また自然であるかのように表されている諸概念のことである。それは自明であり、自然であり、常識的であるかのように見えるが、実際には虚偽意識が根っこに存在しているのである。カルチュラル・スタディーズは、特にこの「自然な・生来の（natural）」という言葉に着目する。「自然な・生来の」という言い回しに出くわすときには常に、注意深く、懐疑的になり、「自然」であるかのように見えるものに対して疑問を呈すよう心掛けることを、筆者は読者に提案したいと思っている。

それでは、イデオロギー、あるいはイデオロギー的な言明（statement）の具体例をいくつかあげていこう。

女の子たちはみな、大人になったら王子様（理想の男性）と結婚することを望んでいる。

なぜこの言明がイデオロギー的なのか。理由として、一つ目に女の子たちが全員、男性と結婚したいとは限らないこと、二つ目に結婚を望まない女性たちが存在することを見落としているからである。このような言明を通して、私たちはイデオロギーに関わっている。このような言明はあたかも常識であるかのように見えるが、実際には社会、文化、政治的な配置《アレンジメント》に根差している。イデオロギー的な言明の例をもう一つ紹介しよう。

裕福な人々と貧しい人々の唯一の相違点は勤勉さである。

なぜこの言明はイデオロギー的であると言えるのだろうか。この言明は真実を述べているのだろうか。いや、そうではない。人々が特定の階級から上昇移動することを阻害する社会的障壁が存在しているからである。相続財産も存在する。裕福な人々と貧しい人々の違いは勤勉さでは単純に説明できない。制度《システム》による障壁が多種存在しているのである。他に、私たちが生きる現代の政治的世界における次のようなイデオロギー的な言明の例をあげることができる。

黒人は暴力的である。
イスラム教徒は危険である。

これらはきわめてイデオロギー的な言明であり、すべて虚偽意識に根差している。イデオロギー的な言明は、あたかも自然で、論理的であるかのように見せかけているが、実際には、その根底に制度的不平等や権力のヒエラルキーが存在している。

「ジェンダー」は、最もあからさまなイデオロギーの形態である。先ほどの「女の子はみな、大人になったら結婚することを望んでいる」という言明はイデオロギー的であるが、他にも例文を紹介しよう。

すべての女性には生まれつき母性がある。

これはイデオロギーとしてのジェンダーの一例である。つまり、生まれつきの母性本能というようなものは存在しない。親はみな自身の子どもの世話をすることができる。このことにおいて親が男性であるか、女性であるかはまったく関係ない。ジェンダーはイデオロギーとして作用するのである。注意を向けるべきは、イデオロギーが不可視的に機能するという仕組みである。イデオロギーはその作用自体が注目を集めることはない。イデオロギーは、「見てください、私がイデオロギーですよ！」という形で表出しないのである。イデオロギーはもっと微妙に隠されているのである。このため、私たちはイデオロギーの機能がわからない。なぜ正確にわからないかというと、イデオロギーの作用は常に生じているからである。

もう一つのイデオロギーの例は、女性を私的領域に、男性を公的領域に位置づける方程式である。これは一見自然であるように思えるかもしれないが、実はジェンダー化された権力関係と虚偽意識の配置のなかに根差している。

カルチュラル・スタディーズや批評理論の課題として、イデオロギーの機能を明示化することや、日常においてイデオロギーがどのように作用しているのか、また私たちがイデオロギーにどのように関与しているのかについて検証することがあげられる。筆者は誰かがイデオロギーの外側にきっちりと置かれうるとは考えていない。私たちはみなイデオロギーに関与しており、自身のイデオロギーへの関わりには気づかずに、イデオロギーを演《パフォーム》じているのである。

1　ヘゲモニー

イデオロギーの機能を説明するために、ヘゲモニー（hegemony）という言葉を紹介しよう。これはヘゲモニック（hegemonic）」という言葉に出くわしたことがあるかもしれないが、これはヘゲモニーの形容詞形である。ヘゲモニーという用語は、イタリアのマルクス主義思想家のアントニオ・グラムシによるものであり、グラムシはこれを「自発的合意（voluntary consent）」と定義している。このヘゲモニーという用語は権力が機能する方法を説明しているのであるから、自発的合意という用語は誤解を招きかねないであろう。そもそも、権力は合意的なものになりうるのであろうか。もし権力が抑圧のシステムであるならば、私たちはどのように権力に合意し、またどのように権力に対して同意することができるのだろうか。まさにこの点が、ヘゲモニーが定義するところのものである。

このことをよりよく理解するために例をあげてみよう。権力を作用させる手段に、物理的で非理性的な暴力がある。ある人が武器を所持しているとしよう。そして銃を手にして、「私の言うことを聞きなさい、さもなければこの銃を使いますよ」と言うとする。これは粗暴で物理的な権力であるが、しかしこれはヘゲモニーの描写ではない。ヘゲモニーはもっと巧妙で、隠匿的であり、——つまりもっと覆い隠されており、潜伏しているのである。ヘゲモニーは次のような論法《ロジック》で作用する。

あなたは私があなたに頼んでいることをすべきです。なぜなら、それはあなたにとって良いことだからです。

このように前者が、軍隊や物理的暴力のような粗暴で物理的な権力であるのに対して、ヘゲモニーはより巧妙で、隠匿的である。

私の言うことを聞いてほしいのです。なぜかというと、これはそもそもあなたにとって最も有益であり、あなたがやることが良いことであるから、あなたはそれをすべきなのです。だから、（実は私にとって有益であるから説得しているのだけれども、）あなたにとって良いことであるから私は説得しているのです。

これが、ヘゲモニーの描写である。

それではヘゲモニーの例を見ていこう。一九世紀の植民地支配の例を取り上げよう。たとえば、読者は英国のインドやアフリカ諸国に対する植民地支配を思い浮かべるかもしれない。あるいは、他の様々な例についても思い浮かべるであろう。筆者は、植民地支配が物理的な力によるものではないと言っているわけではない。もちろん、その支配は非理性的で物理的な軍事による脅迫に基づいて行われたのであり、実際に英国兵士は何千人ものインド人を殺戮した。筆者はそれが物理的暴力ではなかったと言いたいのではない。そうではなくて、そこにおいてもヘゲモニーが根本に存在していることを指摘したいのである。英国人は次のように述べるであろう。

私たちに植民地支配をさせなさい。そうすれば、私たちがあなた方に洗練された人になる方法や英語という言語を教えてあげます。またそれによって、あなたたちはその野蛮で原始的な特徴を失い、文明化に向かって進歩することができます。ですから、植民地化は実はあなた方にとって良いものであるのです。それはまさにあなたたちの最良の利益なのです。

このように、植民地化には、粗暴で物理的な権力と隠匿的な覇権主義的ロジックの混合体が含まれている。つまり、イデオロギーは覇権主義的な様式の下で機能するのであり、私たちは、この覇権主義的な力によって、イデオロギーに同意してしまうのである。

2　クィア研究《スタディーズ》

ここからは、クィア研究の具体的な内容について述べていこう。「異性愛規範《ヘテロノーマティヴィティ》（heteronormativity）」という言葉をイデオロギーの一種として考察してみよう。この言葉は難解で華美な響きがあるように思えるかもしれないが、分節化してみれば実際はとてもシンプルである。最初の部分の「ヘテロ（hetero）」という言葉は異性愛《ヘテロセクシュアリティ》を意味している。「ノーム（norm）」は規範的な・正常のという概念を含意している。それゆえ、この用語は異性愛それ自体が規範・正常たらしめられたものであることを示している。

LGBT研究は、異性愛規範が一種のイデオロギーであると主張してきた。異性愛規範の定義とは、異性愛が正常であり、普遍であるという信念——誰もが異性愛者であり、よってそれは規範として望ましいことであり、それはおそらく誰もが切望することであるという想定——のことである。つまり、異性愛規範は一つのイデオロギーであり、異性愛が正常で、普遍的で、かつ望ましいことであるという信念に基づいている。これは、異性愛規範という用語を発案したクィア思想家のマイケル・ウォーナーによって与えられた定義である。著書『クィア・プラネットの恐怖（*Fear of a Queer Planet*）』で、ウォーナーは異性愛規範の概念が普遍的なものとして想定されていることについて論じたが、その際に異性愛規範という用語が初めて使用された（Warner 1993）。

3　私的領域と公的領域の二分法

異性愛規範がイデオロギーとしていかに機能するかについて、二つの定義〔の例〕を紹介しよう。一つ目は、異性愛規範が、異性愛を私的な枠組み、同性愛を公的な枠組みのなかにそれぞれ位置づけるということである。別の表現を用いれば、異性愛規範は公私の二つの領域を横断することができる。つまり異性愛にはプライバシーという贅沢が付与されているのに、同性愛は常に公的領域内に留め置かれているのである。この意味を以下に説明していこう。

たとえばあなたが街を歩いていて、男女二人が手をつないでいるところを見たとしよう。おそらく、わざわざ振り返って見ることはしないであろう。なぜならそれは、ある男女が手をつないでいるという単純な事実でしかない。しかし、手をつないでいるのが二人の男性であると仮定するとどうであろうか。途端に同じ行動（behavior）と同じ行為（act）がセクシュアリティに関する公の見世物《ディスプレイ》となるのである。そのため、人前で手をつないでいるゲイのカップルは、しばしば、まるで彼らの行動を公的な場において「誇示（flaunting）」しているかのように捉えられるのである。よって単なる普通の日常的行為として認識されるのとまったく同様の行動が、ゲイのカップルの場合には公の見世物的な行為として認識されるのである。

この点について、公的な政策との関わりを見ていこう。たとえば、数十年前、米国の軍隊には「聞かざる言わざる」政策と呼ばれるものが存在していた。その政策では、もしある男性または女性がゲイあるいはレズビアンであることを公表《カムアウト》したとしたら、彼・彼女は軍から解任、あるいは解雇される可能性があった。

ここで、公私の二分法がどのように作用しているのかを見ていこう。仮に私がアメリカ軍に所属する女性であるとして、ある日、私が夫と夕食を共にしたと言うとする。それは無視されうる一つの言明にすぎない。しかし翌日、私が妻と夕食を共にしたと言うとする。すると、それは私のセクシュアリティに関する公的なカミングアウトとみなされ、さらにそれは私が軍から解雇される理由となる。

このように、一方は家庭内で行うことは他人がとやかく言うべきではないプライベートな事柄であると認識されているのに対して、もう一方はセクシュアリティの公に対する告白として認識され、公的な枠組みのなかに位置づけられる。それゆえに、この文脈においては軍から解任される理由になりうるのである。このように、異性愛はプライバシーが保障されるのに対して、同性愛は常に公のものとして扱われるのである。

4　イデオロギーとしての異性愛規範

二つ目の定義は異性愛規範がどのようにイデオロギーとして作用するかについてである。異性愛規範は欲望（desire）と同一化（identification）の方向性が堅く結びつけられていることを要求する。

オスカー授賞式のような有名人のイベントで、有名な俳優たちがレッドカーペットを歩き、彼ら・彼女たちが紹介されているのを見たことがある人がいるかもしれない。ここで二人の有名な俳優、ブラッド・ピットとニコール・キッドマンを例として取り上げてみよう。レッドカーペットを歩くニコール・キッドマンは有名なハリウッド女優であるが、私たちはよく、次のような言明《ステイトメント》を耳にする。

やはり女性は彼女のようになりたいのですよね。

これは同一化である。女性はニコール・キッドマンのようになることを望み、男性はニコール・キッドマンと一緒にいることを望むと想定されている。このように、欲望と同一化は強固に結びつけられている。女性はニコール・キッドマンのようになることしかできず、そして男性はニコール・キッドマンに欲望を抱くことしかできない。

ブラッド・ピットの場合はどうであろうか。男性はブラッド・ピットに同一化することができ、女性はブラット・ピットに欲望を抱くことしかできない。これが異性愛規範の機能の仕方である。実際にニコール・キッドマンに欲望している女性には、何が起こっているのであろうか。異性愛規範は、欲望と同一化の結びつきが予め定まっているかのように、私たちに想定させたがっている。これらが、異性愛規範が機能する二つの方法である。

再生産・生殖に関する規範《リプロ・ノーマティヴィティ》は異性愛規範と関連があるが、しかしこれらが日常的文脈において、どのように作用しているのかを理解することは重要である。repro-normativity の「リプロ（repro）」は「再生産・生殖《リプロダクション》（reproduction）」のことであり、再生産・生殖行為が規範《ノーム》となる［イデオロギーのことである］。これが基本的に意味していることは、性に関わるすべてのことはそれが再生産につながるときにのみ良いセクシュアリティとみなされるということである。このイデオロギーはセクシュアリティの唯一の目的が生殖のためであり、子どもを持つためであると想定する。それゆえ、再生産に役立たない、再生産に貢献しない性行為は悪行であり、不道徳・淫らであり、管理《コントロール》・規制される必要があるとされる。このように、私たちの文化においてリプロ・ノーマティヴィティは、ＬＧＢＴの人々を周縁化する（marginalize）手段として幾度となく利用されているのである。

では、私たちはどのように異性愛規範に対する挑戦を始めることができるのであろうか。どのように、異性愛規範のイデオロギーに対する尋問を始めることができるのであろうか。そのような試みとしてのプロジェクトに、クィア理論とクィア政治《ポリティクス》の企図《プロジェクト》がある。

クィア（queer）の定義づけをこれから行っていくが、定義づけるその最中にそれらの定義は不適当なものとなる。なぜならクィアという用語は、様々な場面において、セクシュアリティにまつわるきっちりとした定義の妥当性を疑うための試みのことを意味するからである。私たちはたいていの場合、セクシュアリティについて、異性愛者がいて、その他は同性愛者であるというようにきれいに二つに分けられていると想定している。クィアのプロジェクトとは、このような二分法に異議を唱える試みであり、セクシュアリティがより流動的で固定化されていないことを提唱するものでもある。

さらに、クィアは単なるアイデンティティではなく、政治《ポリティクス》へのアプローチでもある。先に述べたように、クィアとは単なるＬＧＢＴの人々の包摂（inclusion）や寛容（toleration）を乗り越えて、政治へのアプローチを印《マーク》づける用語でもある。寛容という言葉は、いろいろな意味において、恩着せがましい意味で使用されているのである。つまり、クィア政治の論点は、単純にＬＧＢＴの人々を包摂することを目的としていない。これを目的にすることは、目標をあまりに低く設定することになる。なぜ「クィア」政治は包摂を乗り越えるべきなのか。包摂の何が問題であるのか。

それでは三つ目の定義を見ていこう。クィアの政策は、包摂以外は変化しないままでいるような世界へゲイとレズビアンの人々が単純に包摂されることを求めない。この文脈においてクィアは反同化主義に向けた推進力となることがわかる。つまりクィア・ポリティクスは、私たちが単純に規範に包摂されるべきではなく、その規範に挑戦し始めるべきであると主張するのである。変化することのない規範に単純に包摂されることは、世界を根本的《ラディカル》に変革していくことにはつながらないのである。

5　ゲイの結婚と軍隊への包摂についてのクィア批評

クィアはこれまで結婚と軍隊に関する批評を行ってきた。LGBTの政治《ポリティクス》について多くの人々が耳にしたことがあるのは、おそらくゲイの人々の結婚や軍への入隊に関する内容であろう。二〇一三年に米国ではゲイの結婚が合法化された。もちろんこれをLGBTの人々は盛大に祝い、またLGBTの運動《アクティヴィズム》における非常に重要なモメントとなった。しかしながら、ゲイの結婚がLGBTの人々にとっての最終的な政治的勝利であるという考えに、異を唱えてきたクィアの活動家《アクティヴィスト》たちが存在している。それはなぜか。再び筆者の主張に戻ると、クィアは反同化主義的な推進力となるものであり、よって単純に規範に包摂されることを望むわけではなく、むしろその規範に挑戦することを望むからである。

では、なぜ一部のクィアの活動家たちが実際にゲイの結婚に異を唱えたのかについて説明していこう。ゲイの結婚を支持する理由の一つに、結婚制度によって異性愛《ストレート》のカップルが健康保険を利用できるのと同じように、ゲイのカップルも結婚によって医療給付を受けられるようになるべきだ、というものがある。もちろんこれは当然納得できる理由である。私たちの社会は平等であるべきである。しかし、クィアの活動家は「なぜ医療給付を受けるために、性的、またはロマンティックな関係を誰かと築かなければならないのか。既婚か独身かにかかわらず、すべての人が健康管理を行えるべきであって、州政府〔地方自治体〕によって、一部のカップルには利益を与え、それ以外の人々には与えないような許可証《トークン》として医療が利用されるべきではない」と主張するのである。

軍に関する批評についても類似したことが言える。LGBTの人々の軍隊への包摂に関する論議はこれまで盛んに行われてきた。クィア批評は、なぜ私たちは長い帝国主義の歴史を有する制度〔である軍隊〕に包摂されることを望むのかと問いかける。米国軍は世界第一の汚染者である。米国軍は中東の至る所で一般市民の「軍事力行使に伴う付随的損害（collateral damage）」を引き起こしている。グローバル・サウス〔世界で南に位置づけられる発展途上国〕の人々の殺戮が、どのように米軍による「付随的損害」という枠組み内に収められるのか。なぜ、私たちはきわめて人種差別的な組織に包摂される権利をことさら要求するのであろうか。このような問いを投げかけることが、この政治《ポリティクス》へのクィア的な接近方法《アプローチ》となるのである。

軍に対するLGBTのアプローチによって、ストレートの人々が軍で勤務することができるのに、LGBTの人々ができないのはなぜなのかと問われるかもしれない。もし政治《ポリティクス》が単なる自由主義的な包摂のみを目的としていれば、もちろんこれはある程度、理にかなっている。しかし政治《ポリティクス》へのクィア的アプローチは、帝国主義と植民地支配の歴史を有する制度に包摂されたいという欲望に疑問を呈するのである。このような制度はきわめて深刻な問題を抱えていて、腐敗しているのであるから。この点がクィア〔政治〕と自由主義的な包摂の政治《ポリティクス》との違いを印づけるものとなっている。規範に包摂されるのではなく、規範に対して挑戦すること。読者はこの点に賛成できないかもしれないが、筆者はこれらの違いを理解することが重要であると考えている。

6 クィア研究の交差性とホモ・ナショナリズム

クィア的な視点には交差性が内在している。筆者はセクシュアリティとLGBTの課題に焦点を当てつつクィアについての論議を始めた。しかしながら、クィアはセクシュアリティにまつわることだけではなく、ジェンダー、人種、階級とも関わっていると主張したい。

二つの例をあげよう。二〇一九年、サンフランシスコにおけるゲイ・プライド〔パレードなどを通してLGBTの権利を公的に主張し、祝うイベントの名称〕の関係者間で大きな論争が生じた。数名の活動家は、LGBTの人々を暴力から守るために、ゲイ・プライドにおける警察による警備を求めようとした。もちろん、ゲイ・プライドに参加中のLGBTの人々の安全は確保されるべきである。しかし警察の警備と安全性を同一視することはやめる必要がある。米国の歴史を見てみれば、警察が黒人の人々を守ったことは一度たりともなかった。事実、警察はアフリカ系アメリカ人の人々に対する暴力をふるう最前線であった。つまり、警察の警備によってLGBTの人々が守られると言うとき、LGBTのどのような人々が対象となっているのか〔を考える必要がある〕。白人のLGBTの人々だけを対象とすべきではない。

黒人の人々でLGBTである人々もいる。これらは互いを排除するようなカテゴリーではない。
よって、クィアに関わる課題について考えるとき、私たちはより交差的なレンズを用いる必要がある。米国では、警察の警備が実際には有色人種の人々にとって害となりうることを忘れてはならない。これはクィアという用語を考察するための交差的なアプローチのほんの一例である。

二つ目の例は、過去十数年ほどの間にクィア・スタディーズの学問領域において登場した、ホモ・ナショナリズムと呼ばれる用語である（Puar 2007）。これは理論家ジャスビル・プアによる造語である。複雑に聞こえるかもしれないが、これが意味していることは植民地下のフェミニズムと幾分関係づけられる。先ほどと同様、非常に具体的な例を紹介しながら、この用語について説明していこう。ほとんどの人が、イスラエルとパレスチナの衝突（あるいはより正確に言えば、イスラエルによるパレスチナ領土の占領）について聞いたことがあるだろう。イスラエルは自国をゲイの人々に対して友好的《ゲイフレンドリー》であるものとしようとしている。イスラエルは、中東においてLGBTの人々にとって唯一の安全な場所としてパッケージ化されて提示されている。つまりここには、安全な場所であるからという謳い文句を用いて、イスラエルを訪問するよう海外からゲイの人々を誘い込むために、旅行産業によって利用されたロジックが存在しているのである。しかし批評家が指摘したのは、これがパレスチナにおけるイスラエル軍の駐留を覆い隠し不可視化させるホモ・ナショナリズム的な手段であるということである。つまり、実際のところイスラエルは現在パレスチナの領土を占領しているが、イスラエルが進歩的であることを装うためにゲイの権利（gay rights）を利用しているのである。

すなわち、ホモ・ナショナリズムとは、国家を進歩的に描写したり、ゲイの人々に対して友好的で、歓迎的であるとしながら、正確にはゲイの権利を援用して中東地域の軍の駐留を隠蔽する方法である。そうであるならば、私たちは、ゲイの権利が接収される（co-opted）時々に注意を払う必要がある。接収とは、ハイジャックされることであり、盗用とほぼ同然である。つまり、歓迎的な国民国家といった非常にバラ色のイメージを描き出すためにゲイの権利を利用しつつも、実際には、イスラエルの現状は天井のない監獄そのものであるのだ。パレスチナ人は、ガザ地区の自宅に戻るためにしばしばセキュリティーゲートを通過する必要がある。国家をこのようなゲイ・フレンドリーな楽園として描くことが、軍事政策から人々の注意をそらす方法となるのである。それゆえに、クィア研究の領域に属する多くの仲間たちが、ホモ・ナショナリズムの政治《ポリティクス》に挑戦するために、批評を行っているのである。

7　脱構築としてのクィア

次の論点は、脱構築としてのクィアである。クィア研究の企図《プロジェクト》の一つに、二分法的な考え方に対して異議を唱えることがある。二分法は単純な二元論的思考形態を指し示す。理論的プロジェクトとしての「クィア」は、生まれ（nature）か育ち（nurture）か、または本質主義（essentialism）か構築主義（constructionism）かという二分法を脱構築しようと努めてきた。これが基本的に意味することは、これらは同性愛の起源を理解する際に用いられた二つの二分法であるということである。筆者がクィア・スタディーズの授業を行っているときに、かなりの頻度で学生から受ける質問がある。「どうして人はゲイになるのですか。生まれつきそうなのですか。それとも、そのようになったのですか」という質問である。読者はこのような質問にどのように答えるだろうか。筆者は、質問そのものに欠陥があるため、これらの質問には決して答えないと伝えている。

クィア的な脱構築の方法論は、私たちに同性愛の起源を問うことよりも、むしろより有用な質問を問いかけさせようとする。より有用な質問とは、同性愛嫌悪《ホモフォビア》の起源について問うことである。なぜか。「生まれながらにしてゲイである」という議論は本質主義であるからだ。「生まれつき」説によれば、ある人がゲイであるのはそのように生まれたからである。それがなぜ問題であるのか。もし、「ある人は生まれながらにゲイである」とするならば、ゲイの要因はその人の遺伝子構造にあり、遺伝子が理由であると主張することになる。もし、それが遺伝子に起因するとするならば、ある種の優生学が次のステップとなってしまう。「生まれつき」説は、同性愛の起源を遺伝物質に求める傾向がある。「それでは、どのようにゲイの遺伝子を修復することができるだろうか」［という課題］について検証するプロジェクトに科学は関わってきた。生まれつき説、または本質主義者の議論が展開されるたびに、潜在的に優生主義者の議論の罠に陥ってしまうのである。

同様に、遺伝子によるものとせず、環境によってそのよう［ゲイ］に「なった」とするとしても、そのような論の次の展開は、同性愛を引き起こした条件や環境をどのように排除できるのかという議論となる。つまり、論の結末には両方とも大きな欠陥があるのである。「生まれつき」説と「育ち」説の両方とも同性愛嫌悪的な政治《ポリティクス》に至ってしまうのである。

筆者は「何によって人はゲイになるのですか」と誰かに問われるとき、別の質問を投げかけることによって対応している。「何によって人は異性愛者《ストレート》になるのですか」と。私たちはその質問への答えを持ち合わせているだろうか。人は異性愛者として生まれてきたのか。あるいは、異性愛者になったのだろうか。筆者がこのように問いかけている最中においてさえ、この質問が馬鹿げていることが感じられるはずであるが、筆者はあえて、同性愛の起源を問うことにこの馬鹿馬鹿しさを当てはめてみたい。これが有用な質問ではないことがわかるであろう。なぜならこの質問の回答は常に欠陥のある政治《ポリティクス》を引き起こす結果となるからである。クィアはこの問いを脱構築しようとすると筆者が述べるのは、私たちはまったく異なった問いを立てる必要があることについて考えるべきであるからだ。したがって、私たちはより有用な質問をしていかなくてはならない。先述したように、同性愛の起源を問う代わりに、私たちは同性愛嫌悪の起源について考える必要があるのだ。それこそが、はるかに有用な取り組みとなる。

8　フーコーによる『性の歴史』と「系譜学」

あともう二点ほど重要な点について述べていこう。クィア・スタディーズの学問領域は、ミシェル・フーコーという非常に重要な思想家の影響を受けてきた。

フーコーは『性の歴史』という著書のなかで、信じられないほど大胆な主張を行った。彼は、一九世紀に同性愛が創出されたと述べたのだ。一見したところ、これは馬鹿げた主張であると思うかもしれない。なぜ一九世紀に同性愛が創出されたと言えるのだろうか。一九世紀以前に、互いに性行為に及んだ女性のカップルはたしかに存在していただろう。たとえば、ギリシャにおいては一九世紀よりもはるか前からギリシャ人男性同士の性的な結びつきの長い歴史があったことがよく知られている。そうであるならば、なぜ一九世紀に同性愛が創出されたと言えるのだろうか。

ミシェル・フーコーが述べているのは、アイデンティティとしての同性愛が一九世紀に創出されたということである。もちろん行為は一九世紀以前に存在していたが、異性愛か同性愛のどちらかに人々を分類し始める方法・様式は一九世紀に創出されたのである。人々を「正常」か「異常」かに区分する性科学者、精神科医、科学者等によって、それは創出された。フーコーは同性愛の行為が一九世紀に創出されたとは言っていない。そうではなくて、私たちが今日まで受け継いできたこの異性愛／同性愛の二分法による分類のシステム、――これが一九世紀に創出されたと彼は主張しているのである。

フーコーはセクシュアリティの系譜学と呼ばれる視点を提供した。系譜学とは、歴史を有していないように見えるものの歴史を書く試みである。この文脈において、このこと「系譜学」が意味していることを、以下に述べる。つまり、セクシュアリティはしばしば私たちの内なる部分から生じてくるものであると思われているが、フーコーは、セクシュアリティは単なる内なる衝動によるものではないと述べているのである。それは歴史的模型《パターン》・傾向によっても配置されている。この文脈において、歴史的パターンとは異性愛か同性愛かのどちらかに人々を区分することである。それ「歴史的パターン」は、一九世紀にハヴロック・エリス、クラフト＝エビングのような人々、――または「正常」と「異常」な身体の診断を試みていた科学者、性科学者らによって創られたのであった。

9　イデオロギーとしての時間と空間

筆者の最後の論点は、再び広範で理論的なものに関してである。クィア・スタディーズの学問領域において、イデオロギーとしての空間と時間について考察することはきわめて重要な介入となる。これは、まさにイデオロギーに関する最初の論点に立ち返ることになる。

デヴィッド・ハーヴェイのような理論家たちは、空間は単に地理的にのみならず、イデオロギー的に存在していると主張してきた。これはどのような意味であるのか。たとえば、米国の文脈において、白人の脱出《ホワイト・フライト》（white flight）の現象（大都市の中心部に有色人種［people of color］の人々が集中して居住すると、白人が郊外へ転出し始めること）について分析した非常に重要な歴史研究が行われてきた。ホワイト・フライトと空間の分離は、陰湿な「人種的」隔離の形態である。デヴィッド・ハーヴェイのような研究者たちが示唆しているのは、私たちの周囲の空間はイデオロギーで満ちており、そして空間は権力関係と結びつけられているということである（Harvey 2007）。

クィア研究はこれまで、空間がジェンダーとセクシュアリティとの関係性においてどのように配置されているのかについて考察するプロジェクトに取り組んできた。これに関するわかりやすい喩えをあげてから、時間の話に移りたい。多くのトランスジェンダーの人々は、私たちが空間を編成する方法は二分法的システムによる区分だと主張してきた。これの最も疑う余地のないものはトイレである――男性用トイレと女性用トイレ。これらの二分法的な用語のどちらにも、つまり割り振られた性別のどちらにも実際には同一化しない人々の多様な状況がますます増えてきている。これらの人々はどこに行けばよいのであろうか。ジェンダー的隔離のイデオロギーに従って、空間がどのように分割されているのだろうか。これらの問いを通して、男性、女性どちらにも属することを望まない人々にもう一つの選択肢を与えること、つまりジェンダー・ニュートラルなトイレの設置を、多様な空間が要求してきた。これは、空間、セクシュアリティ、そしてジェンダーが相互に交差しうることを示すほんの一例である。

同様に、時間もまたイデオロギーになりうるのである。これが筆者の最後の論点である。時間もまたイデオロギー的である。それはどういう意味なのか。私たちは時間を時系列的に捉えている。一分後にもう一分という風に、まるで時間を自然化された実体として私たちは考えている。しかし時間もまたイデオロギーに結びつけられている。女性の「生物学的な時刻（biological clock ticking）」という概念について考えてみてほしい。これは女性の出産適齢期のことである。その時期が女性の結婚適齢期であると考えられている。女性が三〇歳を迎えた後に結婚していないとすれば、社会におけるその女性の価値はどのようであろうか。クィア理論は私たちにイデオロギー的なレンズを通して空間と時間の両方について考えることを奨励するのである。空間と時間は単純に自然的であるのではなく、権力関係に結びつけられている。したがって、これらの自然化された空間と時間の構造に対する挑戦を始めることが、クィア批評理論のプロジェクトである。

おわりに

これらすべての論点を結ぶのは、クィアが、理論として、解釈学として、批判的なレンズとして、私たちが当然であると思ってきた特定の概念に対して挑戦を可能にする方法を提供しているという点である。それでは、どのようにしたらクィア理論が支配的な思考方法や視点に対して挑戦し始めることが可能になるのであろうか。

［参考文献］

フーコー、ミシェル『性の歴史1 知への意志』渡辺守章訳、新潮社、一九八六年
フーコー、ミシェル『性の歴史2 快楽の活用』田村俶訳、新潮社、一九八六年
フーコー、ミシェル『性の歴史3 自己への配慮』田村俶訳、新潮社、一九八七年
Adamson, Walter L., *Hegemony and Revolution: A Study of Antonio Gramsci's Political and Cultural Theory*, Berkeley: University of California Press, 1980.
Althusser, Louis, "From Ideology and Ideological State Apparatusses," Ben Brewster, trans. Hazard Adams and Leroy Searle ed., *Critical Theory since 1965*, Tallahassee: University Press of Florida and Florida State University Press, 1986.
Halberstam, Jack, *In a Queer Time and Place: Transgender Bodies, Subcultural Lives*, New York: NYU Press, 2005.
Harvey, David, "A Brief History of Neoliberalism," *OUP Catalogue*, Oxford University Press, 2007.
Puar, Jasbir K., *Terrorist Assemblages: Homonationalism in Queer Times*, Durham: Duke University Press, 2007.
Warner, Michael, *Fear of a Queer Planet: Queer Politics and Social Theory*, Minneapolis: University of Minnesota Press, 1993.

［追記］

本章は二〇一〇年一月に新潟県立大学国際地域学部で開催された特別講義"Introduction to Queer Theory: Defining Key Terms"を翻訳したものである。

Column 3

ままならない身体、ままならない情動
――ジュディス・バトラーの「パフォーマティヴィティ」と「プレカリティ」

五十嵐舞

ジュディス・バトラーはフェミニズムやクィア研究を牽引してきた理論家の一人である。本コラムでは、バトラーの理論における重要な概念である「パフォーマティヴィティ」と、二〇〇一年のアメリカ同時多発テロ事件（9・11）以降のアメリカを分析した「プレカリティ」に関する理論を紹介し、ジェンダーやセックスを考える方法や、それらの性に関する分析をより広範な社会分析に応用する方法を示す。

パフォーマティヴィティ

まずは、「パフォーマティヴィティ（performativity 行為遂行性）」についてだ。わたしたちが何を普通と考えるかということを難しい言葉では「規範」という。わたしたちは規範に則って物事を考え、行動する。社会的な性差（ジェンダー）が構築物であるのに対して、生物学な性差（セックス）は、従来、自然かつ自明のものとして考えられてきた。それに対して、バトラーは、『ジェンダー・トラブル』（1990）をはじめとするいくつかの著作で、ひとは必ず女か男に分けることができるということを自明のものとみなすような認識の背景にある規範がどのように成立しているかについて、「パフォーマティヴィティ」という概念を用いて提示した。バトラーは、『問題＝物質《マター》となる身体』（1993）で、ある主体が女となる過程を次のように説明する。幼児は生まれたときから、自明の生物学的性差（セックス）という規範に則り「女（の子）」あるいは「男（の子）」と呼びかけられ、そこで「女」と呼びかけられた主体は、その先も「女」と呼びかけられ続ける（Butler 1993）。もし、「女」と呼びかけられた主体が「女」という記号の引用を拒んだ場合、その主体には何らかの処罰が与えられる（Butler 1993）。それは、たとえば、「女らしくない」ことに対する中傷や、暴力、コミュニティからの排除などがあげられるかもしれない。したがって、その主体は「女」という名指しを拒絶することがきわめて困難になる。そのようにして主体は女あるいは男になる。すると、必ず女か男に分けることができるという規範は、繰り返されることを通じて強化されるので、あたかも絶対的なものであるかのように見えてくる（Butler 1999）。すなわち、ジェンダーの規範は、一方で規範の引用を強制することを通じて主体をジェンダー化させ、同時に、その繰り返しを通じて、ジェンダーそのものが確固たるものであるかのように見せかけるのだ。『ジェンダー・トラブル』における有名な一節「セックスはつねにすでにジェンダーだ」は、社会的性差としてのジェンダーの構築性に対して自明のものとされてきた生物学的性差としてのセックスもまた、社会的構築物であることを指摘している。

なお、紙幅の都合上詳細を扱うことはできないが、バトラーは異性愛こそが普通だとみなす規範についても、それは異性愛というアイデンティティの強制的な引用・反復の結果として生み出されたものである、と指摘する（Butler 1991）。異性愛に市民権が与えられる社会において、同性愛の欲望は、政治的に禁止されたり、存在しないものとされるか、あるいは異性愛の欲望よりも下位に位置づけられ排除されるため（Butler 1991）、市民権を得た主体となるためには、異性愛の規範を引用・反復することが強いられる。その結果として、強制的な異性愛規範は強化され、まるで自らがオリジナルであり、真実であり、正統であるかのようにふるまうのだ（Butler 1991）。

以上、ジェンダーの規範について見てきたが、これはジェンダーだけでなく、主体一般について当てはまることである。「わたし」とは、他者からの呼びかけと名付けとを通してのみ存在することが可能になるものであり、主体は先行する言説の範囲内においてのみ存在しうる（Butler 1993）。主体はその形成のために、規範の引用を、逸脱に対しては処罰が与えられるという脅し付きで強制される。したがって、パフォーマティヴィティ概念は、強制された規範の引用なしには主体が形成されないといった、主体の生存が主体の意志の外にある規範によって条件づけられていることを、同時に、その引用・反復を通じて規範が強化されることを理解させる。

プレカリティ

つぎに、「プレカリティ（precarity 不安定性）」についてである。9・11以降のアメリカ国内のナショナリズムの高揚と、アメリカ軍の中東侵攻に対する一部の欧米のフェミニストの賛同を背景に、バトラーは『生のあやうさ』（2004）や『戦争の枠組』（2009）で、いかにわたしたちの「情動」が枠づけられているかを論じる。情動とは、悲しみや怒りなどの心の動きのことである（Butler 2009）。

9・11に続く対テロ戦争で、アメリカはアフガニスタンやイラクで無差別に空爆を行い、アラブ系市民を裁判なしでグアンタナモに無期限に拘留する。アメリカに援助を受けたイスラエル軍の攻撃によって殺されたパレスチナ人家族を悼む死亡広告を、アメリカ在住のパレスチナ人が新聞『サンフランシスコ・クロニクル』に出そうとしたところ拒否された（Butler 2004）。対して、『ウォール・ストリート・ジャーナル』のアメリカ人記者ダニエル・パールが殺害されたときには、まるで近しい家族を亡くしたかのような反応がアメリカ国内で起きた（Butler 2004）。なぜ、ダニエル・パールの死に対するような反応をアメリカの標的とされた国の人々の命が失われた際に行うことができないのか（Butler 2004）。

あるひとの生が失われ、傷つけられたとき、わたしたちは誰に対しても同じように反応できるわけではない。規範は、わたしたちが何を価値があるもの、正当なものとみなし、何を価値のないものとみなすかを規定する。失われても悲しまれない命はその最初から価値がないものとされている。ひとの生存には、社会的、経済的な諸条件がそろっていることが必要だが、暴力の標的となるひとにはそうした条件が整っておらず、生があやうい地位へと留め置かれている（Butler 2009）。バトラーは、そうした状況を「プレカリティ」が格差をともなって割り当てられていると分析する（Butler 2009）。では、ひとはどのようなときに不均衡な状況を改善しようとし、あるいは改善しようとしないのか、バトラーはその条件を考える。ひとは、他者が虐げられていることを知ったとしても、必ずしもその他者が置かれている状況を改善しようとするとは限らない（Butler 2009）。改善しようとするためには、その他者が虐げられている状況を問題だと認識することが必要だ（Butler 2009）。言い換えれば、その他者の命が傷つけられたり失われたりしたら悲しい、と捉えることなしには、プレカリティが不均衡に配分された状況の改善に取り組まない。すなわち、その命が失われたら悲しいという認識が、遡及的に生の尊重を生み出すのだ（Butler 2009）。しかし、先述の通り、わたしたちはある生については失われたら悲しいと思い、ある生については失われてもそれを問題とは考えない。

バトラーは、このような状態について、わたしたちの情動が規範によって枠づけられている、と表現する（Butler 2009）。ジョージ・W・ブッシュによる「我々の側か、テロリストの側か」という二つの立場しか選択肢のない提示は両者以外の立場を不可能にする（Butler 2004）。また、対テロ戦争に対する批判的視点を発表した場合はヒステリックな反応とみなされ検閲を招くリスクに晒されるという状況は（Butler 2004）、対テロ戦争への反対を禁止する制裁である。その構造は、あたかも女か男しか性別がなく、名指されたものに振り向かないと処罰を与えられるジェンダーのパフォーマティヴィティの構造と重なるかもしれない。アメリカ社会の言説空間において、承認可能な主体として成立するためには、情動の枠組に疑問を呈することは困難である（Butler 2004）。

規範の変容可能性

では、わたしたちはこうした規範が枠づけることに対して、常に服従することしかできないのだろうか。主体に先行する言説に抵抗する手段は果たしてないのだろうか。ジェンダーのパフォーマティヴィティに戻るが、バトラーは、論文「模倣とジェンダーへの抵抗」（1991）で、引用・反復の強制を通じて強固なものかのようにふるまう規範は、まさにその引用・反復を強制する性質によって不安定なものとなると指摘する。生存を可能にするためにジェンダーの規範が引用されるが、それはオリジナルのない模倣であり、幻影にすぎない自身の理想像の模倣であって、常に模倣は失敗する（Butler 1991）。したがって、引用・反復は決して達成することがなく、そうした場において規範が変容する可能性があるのだ（Butler 1991）。

情動を枠づけるような規範も、同様に確固たるものではない。バトラーは、グアンタナモの捕囚たちが枷をかけられひざまずいている写真が公開され、アブグレイブの捕虜虐待のデジタル画像がインターネット上で流通するとき、人々が強い憤りを感じ、反戦感情を抱いたことを指摘する（Butler 2009）。もちろん、従来無視されてきた存在が情動を動かすからといって、その一回の出来事によって必ずしも体制が変わるとは限らない。しかし、そのグアンタナモの捕囚に対する暴力の写真は、アメリカの国防総省自身が、テロという国家の屈辱に対する名誉回復や征服の達成を証明するために公表したものであること（Butler 2004）、すなわち、規範を強制しようとするまさにその行為であったことを踏まえれば、これらの写真が逆説的にも反発を招いたという出来事からは、枠組が引用・反復される過程で崩れ、問い直される可能性があることを理解できるだろう。規範は主体に先立ち主体を規制するが、それには繰り返しの引用・反復が必要であり、であるからこそ、その過程において規範自体が不安定になるといった意味で、絶対的であるかのように見せかける規範が変容しうるのだ。パフォーマティヴィティ概念は、わたしたちの身体や欲望や情動がままならないものであることを理解させる。しかし、それは規範に対する絶望を意味するのではなく、そうであるからこそ規範が変容しうることを、枠組からはみだしあやういものとされている生が生存可能になる世界を、わたしたちに想像させる。

［参考文献］

Butler, Judith, "Imitation and Gender Insubordination," Diana Fuss ed. *Inside/Out: Lesbian Theories, Gay Theories*. Routledge, 1991.［「模倣とジェンダーへの抵抗」杉浦悦子訳『Imago』第七巻第六号、青土社、一九九六年］

――*Bodies That Matter: On the Discursive Limits of "Sex."* Routledge, 1993.［『問題《マター》＝物質となる身体――「セックス」の言説的境界について』佐藤嘉幸監訳、以文社、二〇二一年］

――*Gender Trouble: Feminism and the Subversion of Identity*. Routledge, 1999.［『ジェンダー・トラブル――フェミニズムとアイデンティティの攪乱』竹村和子訳、青土社、一九九九年］

――*Precarious Life: The Powers of Mourning and Violence*. Verso, 2004.［『生のあやうさ――哀悼と暴力の政治学』本橋哲也訳、以文社、二〇〇七年］

――*Frames of War: When Is Life Grievable?* Verso, 2009.［『戦争の枠組――生はいつ嘆きうるものであるのか』清水晶子訳、筑摩書房、二〇一二年］

［付記］

本稿の「パフォーマティヴィティ」と「プレカリティ」に関する記述の一部は、それぞれ、拙稿「「期待」どおりになれないわたしの可能性――J・バトラーの主体化理論から『アリス・イン・ワンダーランド』を読む」（『Gender and Sexuality』第九号、二〇一四年）及び「「喪失」からはじめる――J・バトラー『生のあやうさ』「暴力、喪、政治」における倫理の端緒」（『女性学』第二四号、二〇一七年）の一部を再構成し加筆修正したものである。

第6章　都市での安全

――インドにおけるゲイ向け観光と世界化のポリティクス

ニシャン・シャハニ（箕輪理美訳）

はじめに

「インド公式の同性愛嫌悪《ホモフォビア》を克服する」と題された新聞論説で、元インド人的資源開発大臣であるシャシ・タルールは、インド人民党政権下の最高裁判所がインド刑法第三七七条の限定解釈を拒否したことを批判した〔インド刑法第三七七条は「自然の秩序に反する」性行為を犯罪としており、インドにおける同性愛の違法性の根拠となってきた。ここでの「限定解釈」とは、第三七七条が禁じる「自然の秩序に反する」性行為のなかに合意の下の同性間の性行為が含まれないように、従来より限定的に解釈することを意味している〕。インド議会内で、彼のように批判をした議員は数少なかった。しかし、タルールは、第三七七条の法的およびイデオロギー的関連性によってプライバシー、自由、および平等に関する憲法上の権利が危険に晒されているという主張に加えて、経済的・財政的必要性を訴えて同性愛に肯定的な主張を繰り広げた。彼は、インドにおける同性愛嫌悪による財政的損失に関して世界銀行が行った調査を根拠に、「インドは同性愛嫌悪のせいで、GDPの〇・一％から一・七％の損失を被っている」と述べ、反同性愛的な法律はインドの経済に悪影響を及ぼすものであると論じた。

タルールの論説は同性愛嫌悪がインド経済に与える悪影響とは具体的にはどのようなものな

のかについては述べていないが、彼の主張は、人権を独特な形で実利的なイメージ戦略に用いており、これは新しいインドの二一世紀的な政治を特徴づけるものである。これは、人権は経済的繁栄を後押しするために重要であるという、革新的とされている見解である。つまり、女性の権利や性的少数者の市民権は近代のプロジェクトにとって望ましいものとなるのだが、実際には社会正義やフェミニズム、クィア・ポリティクスに関心があるというよりも、一種のグローバルなイメージ戦略としての民主主義の価値に関心があるような国民国家にとってこれらの権利が特に魅力的に映るのである。最高裁判決を批判した人々のなかには、デリーに拠点を置き、インドを訪れるＬＧＢＴの観光客を顧客とする旅行代理店ピンク・ヴィブジョーが含まれていた。『エコノミック・タイムズ』に掲載されたある記事では、この旅行代理店のマネージャーであるラジャト・シングラが、二〇一三年に同性愛が再び犯罪化されたことにより、キャンセルが相次いだことを嘆いた。性的指向のせいで犯罪者の烙印を押されるため「人々は今インドに来ることを恐れている」という彼の危惧が際立たせているのは、安全で近代的な地帯《ゾーン》ではなく、リスクのある場所としてのインドのイメージである。そこでは、ゲイの観光客によるインドへの旅行は危険と差別に満ちたものとされる。

こうしたリスク回避の語りは、インドにおける成長産業であるＬＧＢＴ向けの観光にとって経済発展の障壁として作用するように見えるものの、安全な地理空間と暴力の管理の間のより複雑な関係を露呈している。ＬＧＢＴの安全への懸念は、観光業の成長を一見すると妨げているように思えるが、実際にはリスクの経済に依存している。言い換えれば、二〇一三年の刑法第三七七条の是認は、逆説的に、過去五〇年間におけるいくつかのニッチなゲイ向け観光会社の登場とその継続的な成功に活気を与えるイデオロギー的背景となっていたのである。ピンク・ヴィブジョーに加えて、インジャピンク（図1参照）やミスター・アンド・アートハウス、ピンク・エスケープス、プラネット・ローサ・エスケープスのようなクィア向け観光会社はみな、インドの新興ＬＧＢＴ市場に参入してきた。彼らはインドを訪れるＬＧＢＴの観光客に対して、「驚くべきインド（Incredible India）」[1]での贅沢な体験を提供するだけでなく、ピンク・エスケープスのウェブサイトが保証しているように、国立記念碑や史跡、避暑地を「差別に遭うことなく」巡る機会を提供しており、「インド亜大陸の旅行を検討する際の懸念」を和らげることを約束している。皮肉なことに、これらのグループの経済的成功は、同性愛嫌悪（もしくは少なくとも同性愛嫌悪と思われるもの）の存在に依拠している。同性愛嫌悪は、インドでのゲイ向け観光業の拡大と、そしておそらくは皮肉なことにその成功にすら寄与する道具となっているのである。

図１　インジャピンク
出所：https://indjapink.co.in/

　本稿では、インドでのＬＧＢＴ向け観光がこうしたクィアで安全な地理空間の創出にどのように関与しているのかについて検証したい。こうした地理空間の創出は、インドの首都であり、過去一〇年間のＬＧＢＴ向け観光の出現の中心地でもあるニューデリーを形成している、近代の変革の実践（これは、アイファ・オングが「世界化（worlding）」と呼んだものである［Ong 2011］）を通じて行われている。私は、クィア向け観光が、ＬＧＢＴのインド人が経験する政治的・法的・社会的な差別といかにして（不安定ながらも）共存できているのかというパラドックスに興味を持っている。オングにとって「世界化」とは、国民国家がグローバルでコスモポリタンな近代への参加を強調するための実践である。したがって、私はニューデリーのようなインドの中心市街地付近での「世界化」のポリティクスや、ＬＧＢＴ向け観光の実践がいかにインドの世界化の戦術として機能しているのかに着目していく。

二一世紀におけるアジアの大都市圏を特徴づける「世界化」の試みを理論化するなかで、ロイとオングはこれらの都市における近代の実践の特色は「グローカルであるための技術」であると述べている。しかし、このグローバリズムの技術はローカルなものと強く結びついており、それらにより形作られている。ロイとオングが提唱するのは、アジアの諸都市における世界化の実践を「西洋的アーバニズムの劣化版」として分析するのではなく、西洋的プロトタイプの単なるコピーではない非西洋的な形式の資本主義を認識するような枠組みである。都市の世界化は、「世界で一流」を目指すグローバルな野心によって必然的に形作られる。しかし、それらの具体的な形式は、その土地の国内規範に関係しており、また、統治の実践と経済政策・法制度・宗教的慣習との間の折衝とも同様に関係している。そのためロイは、デリーのような大都市の世界化の実践について考える際に、スラムの除去や郊外化、視覚的美化、土地区画法、および公有地の民営化などの実践を通じて都市の地理空間や美的外観の矛盾するロジックをたどることができる、「地元独特の」形態に注目するよう呼びかけている（Roy 2011）。

一方、ＬＧＢＴ向け観光は、国家権力やその異性愛規範性《ヘテロノーマティヴィティ》のロジックへのオルタナティブかのように見える。しかし、私が論じたいのは、インドのＬＧＢＴ向け観光が関与している場所や空間にまつわるある種の市民的理想のせいで、国家的な同性愛嫌悪を拒否することと、それと同時並行で国民的な近代化プロジェクトへ参加することが切り離せなくなっているということである。同性愛嫌悪的な国民国家からLGBTの安全を保障する一方、全国規模の観光向けの地理空間を利用するというこれらの矛盾は、都市の世界化の実践において展開され、折衝されている。したがって、本稿での概念的な焦点はインドの首都であるデリー市に当てられているる反面、私が考察する地域はインド全域に及ぶものである。国民国家はグローバリゼーションの後に姿を消すことはない。実際には、国民国家は新たな重要性を帯びるのである。したがって、私はインドのゲイ向け観光という文脈において、国民国家の果たす役割が強化されることが何を含意するのかについて検証したい。

インドでのゲイ向け観光を世界化する野望が安全な地理空間や都市の空間的な世界化のプロジェクトとどのように結びついているかを検討する上で、この可視化がインドで起こった歴史的な瞬間を捉えることは非常に重要である。過去一五年間において（つまり二〇〇五年以降に）デリーでゲイ向け観光が出現したことは、特にインドの女性が公共都市空間で経験する性暴力の問題や安全の欠如に関して、デリー（およびインド全般）がグローバルな注目を集めたことと時を同じくしている。もちろん、そのような暴力はインドの都市部だけに関係するわけではない。しかし、この時期に最もグローバルな注目を集めた事件は、デリーで二〇一二年に二三歳の学生ジョティ・パンディがバスの中で強姦され、亡くなった事件だった。この事件後、大規模な抗議が全国規模で展開され、世界的に報道された。すでに多くの議論がされてきたこの事件を私がLGBT向け観光の文脈で取り上げるのは、単に時間（二〇一〇年以降）および空間（デリー）の点で重なりがあるからだけではない。そうではなく、インドにおける文化現象としてのゲイ向け観光が、女性への性暴力の可視性の高まりといかに逆説的に（そして居心地悪く）共存しているかを私は理解したいのである。特に、ゲイ向け観光を形成している安全な地理空間は、女性への性暴力を取り巻く危険からの保護という言説に依存していることを論じたい。また、私が主張するのは、より広い視点から見れば、グローバルな想像のなかではインドの文化はフェミニズム以前であると認識されているまさにその瞬間において、ゲイ向け観光はこの国の近代化への野心を仄めかすものとして機能しているという点である。

1　国の首都の「浄化」

インドの首都デリーにおけるゲイ向け観光業の具体的な世界化の実践を分析する前に、この都市を特徴づけてきた空間についての言説や論争の一部をたどってみたい。これは、現代のクィア・マーケティングがいかにこれらの都市形成の歴史の上に成り立っているかを理解するためである。デリーの空間の歴史が映し出しているのは、地理的な変容や都市計画上の変化が、インドが世界化（つまり「グローバルであるための技術」）へ参加する際のより広範な転換を指し示しているということである。地球規模《プラネタリー》の資本主義へのオングの批判に従えば、デリーの世界化への野心は単なる西洋モデルの複製ではなく、都市部の地理を書き換えるための地域的および国家的な試みを明らかにしている。一九九〇年代初頭のインド経済の自由化以降二〇年の間に、美化と都市景観に対するインド政府の関心が単に強まっただけではなく、その関心は様々な国家的アクターや民間機関へと波及していったが、彼らは「よりクリーンで環境に配慮したインド」を実現するために国家命令を利用した（図2参照）。

たとえば、一九九〇年代以降、スラム除去政策を支持する判決を下したデリー高等裁判所の諸命令は、環境保護や汚染産業の排除に向けた国家の取り組みという語りの下で擁護されてきた。有害産業廃棄物の危険性を引き合いに出した一九九六年の最高裁命令により、一〇〇を超える工場が閉鎖され、いくつかの工場がデリーの外れに移動された。しかし、よりきれいな空気と汚染に対する関心は、スラムで発生する排泄物やごみについての懸念から、貧しい人々を都市中心部から排除したり強制退去させたりすることを正当化する根拠となっている。こうした貧しい人々の大部分は、都市中心部での職を求めている。貧しいスラム居住者の排除を「健康」や「生活の質」という枠組みを通じてコード化することにより、裁判所は、ポスト工業社会の地理と権力の再配置に関与するだけでなく、アミタ・バビスカルが「ブルジョワ環境主義」と呼んだものをデリーの非国家的アクターの間で助長している。これは、市民やいわゆる「活動家」が環境主義と健康の名の下に、国家の支配の技術を複製する方法である。バビスカルが述べているところによると、ブルジョア環境主義は「デリーにおいて組織化された勢力として出現し、美観・余暇・安全・健康についての上流階級的な関心が都市空間の配置に著しく影響を与えるようになってきてい

図2 「私のインドを浄化せよ」
出　所：Swachh Bharat　https://www.facebook.com/Cleanbharath/

る」(Baviskar 2003)。よりクリーンで環境に配慮したインドという語りのなかで、スラム居住者は中産階級の市民納税者の財政的および環境的負担となる「土地収奪者」であると国によりレッテルを張られた。もちろん、スラム居住者を「土地収奪者」とみなすことは、政府自体が公有地を私有地へと変換してきたという歴史を隠蔽している。特に一九九〇年代以降、スラム街の排除と空閑地は不動産市場の繁栄の基礎となり、モールや国際的な小売店、コーヒーショップ、ビジネスオフィス、富裕層の居住区などが急増した。

たとえば、二〇一〇年、コモンウェルス・ゲームズ[2]を主催したことによってデリーは「世界で一流」であるという評判を高めたが、この大会の主催は、世界レベルのスタジアムを建設し、デリーのインディラ・ガンディー国際空港の大規模な改修を行う機会となった。空港は世界中からのアスリートやグローバルな代表派遣団が最初に街の印象を受ける場所であることから、国際基準を満たすように大規模なリノベーションが行われた。改修は特に第三ターミナルを中心に行われたが、この新ターミナルは、新しく建設された八車線からなるデリー・グルガオン高速道路に接続している。この空港改修にかかった費用一二七〇億ルピー(約三〇億ドル)は、当初の予算の倍以上だった。近年では、空港警備を担当するCISF(中央産業治安部隊)職員が、ターミナルゲートでより「プロフェッショナル」に見えるように、張りのある青いブレザーと赤いシルクのネクタイでイメージチェンジをした。

空間の美学への注目は、単なる外観への表面的な関心ではない。むしろ、中産階級の市民にこの都市の世界化に参加するよう呼びかけるものである。そこでは、清潔な空間の要求や安全性への懸念は、スラム街の再定住や貧困層の立ち退きの問題から切り離された、進歩へ向かう非政治的な関心として中和化される。近代的で洗練された大都市としてのデリーの創造において、国家的アクターと非国家アクターの違いが曖昧になることは、D・アッシャー・ガートナーが言うところの「美学による支配」と法的言説の間の境界が解消されることによって助長される。すなわち、土地の視角性や美的外観の重視が、法の論理によって作動しているのである。ガートナーは、法律と美学（場所や空間の外観）の間の重要な関係を示唆している。彼が述べているところによると、「空間は、その外的な特徴に基づいて、違法か合法か、欠陥があるか正常かが理解される。あるショッピングモールは、たとえ計画法に違反していても、合法に見えるため合法である。あるスラムは、たとえ住民たちがその場所に正式に居住しているとしても、不快に見えるため違法なのである」。ショッピングモールはこうして、ガートナーが言うところの「地図製作上の可読性」を獲得する。そこでは、外観が最も重要な評価カテゴリーとなり、その使用価値の情報と混同される。ガートナーによると、統治の形式として美学を特権化することにより、都市計画のプロセスにおいて、国家が「人口密度、土地利用の指定、区域、居住の歴史」などのより複雑な基準を考慮する必要がなくなる（Ghertner 2011）。したがって、美学に頼ることはこれらの評価基準を単に軽視するだけでなく、実際にはそれらに取って代わってしまっているのである。

2　都市での安全

美学は都市における空間の合法性を判断する際に大きな役割を果たしているが、安全な地理空間を定義する上でも重要な役割を果たしている。美学が、つまり、都市の見え方が、その都市の雰囲気に重要な役割を果たしているのである。都市の見た目は、たとえまだ安全が実現されていなくても、安全の幻想を生み出すことができる。二〇〇九年、『タイムズ・オブ・インディア』紙は、不特定の「警察情報」に基づいて、南デリーにあるグレーター・カイラッシュ地区とチッタランジャン・パークがデリー市内で最も安全な居住区であると報じた。犯罪の増加に伴い、記事は「どこが比較的安全な地域なのかを知るのは重要かもしれない」と述べ、読者を安心させた。この警察の報告書は二〇〇九年に報告された殺人事件の数をもとにその「統計」を出しており、当然のことながら、中心部に位置する「デリーの高級エリアはうまくいっている」一方、「市の外れ」や「隣接する市との境界付近の地域は、最も犯罪が発生する傾向がある」と結論づけている。このように、都市中心部の富裕層居住区と安全性とを結びつけることは、一見すると経験的ではあるが実際には恣意的な警察の報告書に基づいて自然化されている。しかしこれは、南デリーの都市開発への国家的投資の長い歴史と、都市の外れへの強制的な労働者の移動を覆い隠している。こうした背景により、ブティックホテル、高級衣料品店、トリップアドバイザー推奨のレストランなどがグレーター・カイラッシュに増加し、この地区が流行の最先端であるという評判につながったのである。したがって、近隣の安全性に関する警察の報告書は、デリーがどのように見えるべきかについての理想化された規範や高級志向の美学とより密接な関係がある。そのため、ある地域の「見た目」は、そこが「安全」かもしくは「危険」かを示すために動員される基準の中心となるのである。

たとえば、デリーを拠点とするブティックホテルであるミスター・アンド・アートハウスのイメージ戦略においては、美学と安全性の両方が重要な役割を果たしている。「インド初の男性専用のゲイのブティック・ゲストハウス兼アートギャラリー」を自称するミスター・アンド・アートハウスはグレーター・カイラッシュ地区に位置しており、市内でも高級で安全なエリアにあると見込み客に保証している。もし美学と安全性の論理が連動しているとすると、このゲストハウスが視覚的および芸術的な完璧さの重視を前面に押し出していることは注目に値するだろう。ブティックの口コミは、この施設が豪華なサービスによりインドで最も有名なゲイの観光地の一つであり、朝食付き宿泊施設として機能する数少ない場所の一つでもあると言っている。ある口コミは、「このホテルは市内でもとても静かで安全な地区にあります」と太鼓判を押す。別の口コミは、「唯一無二のピンク色の体験」に驚嘆し、「とても清潔で衛生的で、本当に魅力的です！」と述べる。ミスター・アンド・アートハウスでの滞在は、客に「外の世界の乱雑さを避け」つつも、ある客が指摘するように、「クレイジーなパーティーから穏やかな寺院まで、活気ある文化を楽しむ」機会を約束する。ゲイ・フレンドリーなドライバーやツアーガイド付きの市内（もしくは市外も含む）観光など客向けの個別サービスに加えて、このゲイ向け高級ホテルはある種のアートギャラリーとしても機能しており、その「厳選された」、「先鋭的な美学」を前面に押し出している。そこには、ホモエロティックな北インドの「ゲイ」の細密画、穏やかな気持ちにさせてくれるという実物大の仏像、そしてラージャスターンのミラーワークが華やかにちりばめられた裸のマハラジャの焼き石膏などが並んでいる。このゲストハウスでは、インド美術において同性愛が持つ古代からの土着のルーツを際立たせながらも、オーナーたちはそれでも自分たちの態度を「大胆かつ近代的」であると表現している。彼らは、「私たちは、自分の美的感覚を非常に大胆な方法で証明することをためらいません。たとえそれが伝統的な考えの人々によく思われないかもしれないとしても」と述べている。たとえば、展示されている美術品（ゲストハウスに宿泊する客向けに販売もされている）のなかには「クリシュナと彼のサハス」という絵画があるが（図3参照）、これはヒンドゥー教の神が友達と戯れる様子を描いたもので、実はインドの伝統の中心にあるが宗教的イデオロギーの教義によって消し去られてきたクィアな論理を強調している。

この文脈において、グローバルであることの「技術／芸術（art）」がまさに文字通り動員されている。ゲストハウスでの高級芸術の重視は、ガートナーの言う「美学による支配」の一形態である。「美学による支配」においては、空間が空間的に正当かまたは疑わしいかを示すために視覚的記号が動員される。ガートナーの主張はスラムの「汚さ」が自動的にスラムを法的に疑わしいものにすることに関して述べられていたが、ミスター・アンド・アートハウスの場合は、豪華な雰囲気がゲストハウスの「地図製作上の可読性」を確立している。しかし、世界で一流というデリーの評判を定着させるための国家ぐるみの都市計画と関連して実施されるスラムの解体もしくは強制移動を正当化するために使用される審美的な議論とは異なり、インドのLGBT向け観光は国家による公式支援の媒介なしにその文化的可読性を確立しなければならない。

もちろん、ミスター・アンド・アートハウスの「見た目」は、そのオーナーや訪問者に法的権利を与えるものではない。しかし、この場合、美的なものと法的なものの関係はより象徴的である。実際、この文脈における優雅さの視覚的記号の強調は、代償性があるものである。つまり、もしクィア性が犯罪として認識されているとしても、クィア性の正当性は、世界で一流

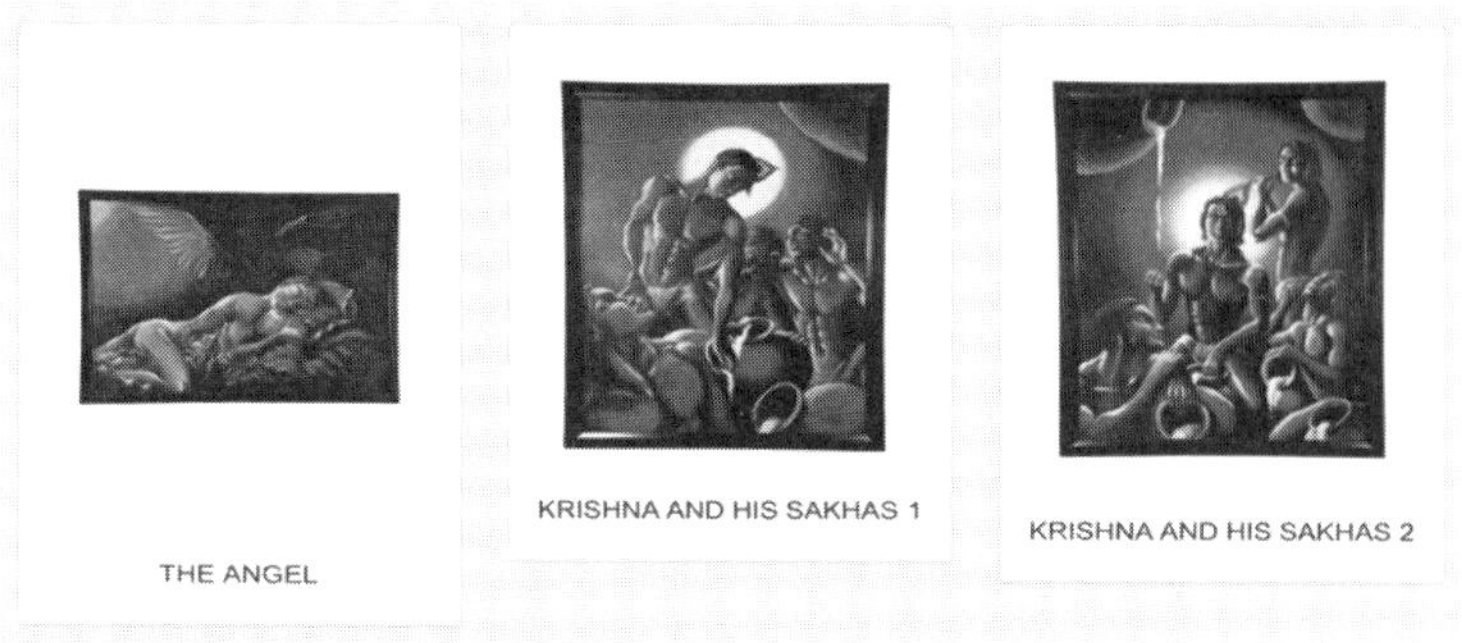

図3　ミスター・アンド・アートハウスの絵画

の美学を通じて一部回復される。こうした美学は、正当性と合法性のオーラもしくは雰囲気を（その物質的な現実性がないとしても）つくり出すのである。

ミスター・アンド・アートハウスのような組織を、同性愛嫌悪的なインドに対抗する反体制的もしくはラディカルな役割を果たしていると単純に特徴づけることは、より清潔で安全な「新しい」インドの創出においてこうした組織が国家の規制力を継続させ、共謀している事実を無視することになる。国家に対するオルタナティブであるかのように装っているにもかかわらず、ゲイ向け観光は、国家の非一貫性、つまり、新自由主義的に国家が手を引く反面、国家がセクシュアリティと道徳を取り締まる際の規制範囲が広げられるという非一貫性を解消することによって、国家を強化するのである。

したがって、国家によるセクシュアリティの規制とLGBT向け観光の関係は、対立ではなく近接の関係なのである。福祉の縮減と自由市場の称揚に特徴づけられる国家の退却はセクシュアリティの規制における国家の役割の強化を伴う一方、国による民営化の受容はLGBTの可視化を可能にする。ただし、それはLGBTの可視性が公共圏から安全に除外されているときのみ許されるのである。たとえば、「インドでの贅沢でエキゾチックなゲイ旅行」を提供する観光機関であるインジャピンクは、「自家用車、専用ホスト、専属の専門ガイド」や「高級なゲイパーティー」への参加を約束する、カスタマイズされたゲイ向け観光の体験をつくり出す。インジャピンクが手配するものには、ゲイの運転手、ゲイもしくはゲイ・フレンドリーな男性ガイドによるプライベートなガイド付きツアー、厳選された「非常にスタイリッシュ」でゲイ・フレンドリーなホテルが含まれる。この例におけるゲイ体験のプライバシーと高級さの約束は、国家の異性愛規範を脅かすものではない。それはむしろ国の世界化と近代主義におけるアリバイとして機能している。禁止と監視の慣行のなかでもゲイ向け観光は許可されるが、それはゲイ向け観光のための安全な地理空間を求めることが、ジョティ・プリがインド国家の「民営化への容赦ない欲動」(Puri 2016)と呼んだものと継ぎ目なく連動するからである。つまり、ゲイ向け観光の安全な空間は常に、すでに私的な空間なのである。これは、国家による規制のための投資に非常に都合がいいだけでなく、最終的には国全体にとって生産的でもある。

3 クィア観光——近代的だが「最高にエキゾチック」

デリーでのゲイ向けの観光を形作っているポストコロニアルなアーバニズムは、世界化の形成の中心地として大都市を利用するが、それは同時に、地域の特殊性を国土全体と結びつける空間的規模の異なる配置にも関係している。世界化への野心は、そもそもの定義からして、コスモポリタンな都市に固定されている場合でさえ、より広範に及ぶものである。したがって、たとえば、デリーに拠点を置くインジャピンクは市内の遺跡のツアーを毎日提供しているが、全国のパッケージ旅行（「神の国」への旅行として宣伝されている）もまた専門に扱っている。こうした旅行プランには、ジャイプルのすぐ近くのアンベール城での象のタクシー、コーチでの南インド式の結婚式や香辛料プランテーションのガイド付きツアー、また、ケララでの水郷クルーズや象のサファリ、バナナの葉のランチなどが含まれる。インジャピンクは、ゲイの観光客に「コネクションを持つインサイダー」として自らを売り込み、「本物の生き方とインド文化の魂へのより深い洞察への扉を開く」ことができるように、インドという国の代弁者となることを約束している。

エキゾチックなインドの「魂」への知識を持つインサイダーとしてインジャピンクを売り込むことが暗に想定しているのは、そのサービスを主に提供されるのが非インド人のオーディエンスであるということである。たとえば、インジャピンクのウェブサイト上では、オーストラリア、ニュージーランド、ノルウェー、カナダ、アメリカ、ドイツ、スウェーデン、スペインからの訪問者の声が掲載されており、インド国内ではムンバイからの口コミが一件のみである。ターゲット層が外国人観光客であることは、グローバル市場としての同性婚を意識していることによって、さらに明確になる。インジャピンクは世界の顧客に、「王族にふさわしい」結婚式や新婚旅行の手配をしている。たとえば、インジャピンクはクィアなカップルの結婚式のサービスに関して、インドについてのオリエンタリスト的なお決まりの表現を組み合わせ、次のように描写している。

「至福と永遠の愛のなかで誓いを交わし、宮殿を背景にして王子のように着飾った最愛の人と誓いを交わす愛の色合いを経験しましょう。エレガントに装飾された明るい宮殿が盛大に歓迎します。象やラクダとともに行進する地元の民俗芸能のパフォーマーやダンサー、ミュージシャン、蛇使い、人形劇……がまさにおとぎ話のような結婚式体験を提供します」

別のデリー拠点の組織であるピンク・ヴィブジョーも同様に、エキゾチックな場面を背景にした同性同士の結婚式を約束する。

「エキゾチックな忘れがたい場所で結婚式をあげたいですか？　それなら、ピンク・ヴィブジョーが、あなたの希望をすべて実現します。壮大なマハラジャの宮殿であれ、堂々とした歴史的な城砦であれ、花でいっぱいの庭園であれ、もしくはヤシの木で飾られたビーチであれ、雪に覆われた山の上であれ、すべてが可能です」

インドにおける性的市民権が前提としている異性愛規範的な排除を考慮すれば、上記の文章で祝われているのは、インドでの同性婚制度ではあり得ない。そうではなく、それは「例外的で特別なインドらしさ」の過剰な記号を背景にして行われる結婚式体験なのである。たとえインドのLGBTの人々が結婚制度から除外されていることが（結婚式と結婚制度の両方を盲目的に崇拝する国において）ある種の社会的な死を意味するとしても、ピンク・ヴィブジョーとインジャピンクは真正なインドらしさの文化的体験を通じて、結婚の中心性を回復させる。

「新しい」インドでクィアであることの可能性を目撃しようというインジャピンクの誘いのなかには、同時に、古き良き伝統の美学を獲得し、自己をオリエンタル化する論理への依拠がある。このインドらしさとクィア性の生産はグローバルなイメージ戦略において連動しているが、そこでは前者が「伝統」、後者が「近代」としてコード化される。

たとえば、伝統と近代性の並列は、インジャピンクのマーケティング・キャンペーンのなかでさらに明確に遂行されている。インジャピンクのソーシャルメディア上のディワリの挨拶[3]では、容姿端麗で鍛えられた上腕二頭筋を持つ筋肉質な上半身裸の男性の画像が掲載されている。魅力的な微笑をたたえたこの画像の魅力は、インドが「活気を帯びる」のを見ようという誘いを、ホモエロティックな視線を通して擬人化し、性的なものにしている。しかし、この自己像におけるミレニアム世代の新しい男らしさは、男性モデルがディヤを手に[4]していたり、伝統的でカラフルなランゴーリーのデザインを背景にしたりと、伝統的なディワリの図像に囲まれている。ランゴーリーの模様は筋肉質な胴部を取り囲み、まるでそれが体自体の延長であるかのように見えるが、それはゲイプライドの山車に乗る人々のカラフルな虹の羽を連想させる。ディワリ中の伝統であり、従来は女性によって行われていたランゴーリーのアートは、家族に幸運をもたらす縁起の良い儀礼と考えられている。ランゴーリーは宗教的な行事やディワリのような祭りに密接に関連している一方で、ランゴーリーのデザインが五つ星ホテルのロビーにおいて使われたり、インドを訪れる観光客のための歓迎の印として使われたりするのを見るのはめずらしいことではない。ミスター・アンド・アートハウスが強調している慣習と共存する「大胆さ」のように、このディワリの画像は「伝統」を見限ることを拒否する一方で、「新しい」インドの性的大胆さを捉えている。マッチョなディワリの挨拶画像は、単に伝統に甘んじたり、順応したりしているわけではない。むしろ、ゲイのセクシュアリティとインドの伝統の間にあると想定されている対比で戯れ、その明らかな矛盾を利用し、一方では、その二つが互いに継ぎ目なく調和して存在する可能性を秘めた近代的な空間を提示している。

このようなインドの伝統の「クィア化」(一枚岩的に定義されているとしても)は、一見すると、LGBTのインド人が社会的に排除されていることを「本物でない」、または「反国民的」であると詰問しているように思えるかもしれない。ヒンドゥー・ナショナリズムのプロジェクトは、国が後押ししているものか否かにかかわらず、「インドらしさ」のイデオロギー的条件を定義づける最前線に立ってきた。そこでの「インドらしさ」とは、カースト主義的・宗教的・ジェンダー的および異性愛規範的な排除をもとにした狭義のものだった。しかし、インジャピンクの提示するクィア・ナショナリズムは、ヒンドゥー・ナショナリズムによる伝統と近代性の具象化の対比としては機能していない。実際、クィア・ナショナリズムはヒンドゥー・ナショナリズムと隣り合って存在し、シャンパ・ビスワスが言うところの「『インド的な』方法で近代化する」(Biswas 2004)欲望を呼び起こすようなイデオロギー的枠組みを通じて、ヒンドゥー・ナショナリズムの世界化プロジェクトを複製している。

4 「安全性」とレイプの首都のポリティクス

インドの「本質」を特徴づける、「普遍的なオリエンタリズム」とグローバルで近代的なコスモポリタニズムというユニークな組み合わせは、二〇一七年の『デカン・ヘラルド』紙の「ホーリー祭の色紛が外国人観光客をインドに引き寄せる」という記事でも明らかである。ピンク・ヴィブジョーの運営者であるラジャト・シングラは、記事で引用されている「業界の専門家」の一人だが、そこで彼は、ホーリー祭は観光客に「文化的なつながり」を提供する機会であると話す。アメリカやヨーロッパ諸国からインドを訪れる観光客にとってのホーリー祭の魅力に言及して、シングラは、「彼らは祭りにぜひ参加したいと思っているので、私たちは彼らに白いクルタとハーブの色粉も提供しています」と述べている。しかし、この多文化的な相互関係は、文化交流の包摂的なイメージの裏側にある、暴力のありのままの現実をもまた露呈している。この記事は、「デリーの集団レイプのような事件のために、どちらかと言えばマイナスな筋書きがあったにもかかわらず」インドの観光産業は繁栄し続けている、という話から始まっているのである。

この記事が言及しているのは、言うまでもなく、二〇一二年一二月一六日にデリーで起こった悪名高い事件についてである。この事件により、インドの女性に対するレイプと性暴力の問題は国内外の報道で注目を浴びた。その日、二三歳のジョティ・パンディは、南デリーで友人のアウィンドラ・パンディと夕方に外出した後、バスに乗車した。二人が家に戻る際、三輪タクシーや公共交通機関を見つけられなかったが、デリー南西部の地区にあるドワルカに送ってくれるというドライバーがいたため、彼の無許可バスに乗り込んだ。バスに乗ると、バスの運転手と他の五人の友人が意識を失うまでアウィンドラをめった打ちにし、その後、バスの後方でジョティをレイプし、身体的暴行を加えた。凶悪な襲撃の後、二人はバスから放り出され、翌朝、意識不明の状態で発見された。以後数ヶ月にわたり、インドの新聞では暴行の生々しい詳細が事実に基づくことなく、そしてセンセーショナルに報道された。暴行は非常に悪質で、重傷を負ったジョティは数週間後に、治療を受けていたシンガポールの病院で亡くなった。この事件は、国中で大規模な抗議を引き起こした。抗議運動の参加者は、性暴力やレイプの被害者のための正義に関して警察や政府が無関心であることに憤り、シーラ・ディクシット州首相の家へデモ行進を行い、警察によって殴打を受けた。その後、インド門とインド議会の周辺でも抗議が起こった。最終的に、加害者のうち四人が死刑判決を受けた。五人目の加害者は未成年だったため、三年間の矯正施設収容の判決を受けた。この国民的な事件はすぐに、『ニューヨークタイムズ』紙や『ガーディアン』紙での記事により世界的なものとなった。事件についてレスリー・ウドウィン監督により制作された『インドの娘』というBBCのドキュメンタリー番組は、女性に対する暴力を扇動するかもしれないという理由でインド国内での放映禁止令を受けたが、その後、様々な国際的な映画祭を巡回して上演された。

女性に対する暴力とゲイ向け観光は、インドの正反対のスペクトルを表している。つまり、前者は暴行と残忍なレイプという恐ろしい行動を指しており、後者は国民国家内部におけるクィアで安全な空間を容認する、性に肯定的な態度を示している。しかし、この最後の節では、一見すると異なっているように見える両者の間に存在する、レトリックの類似性が暗に意味するものを明らかにすることによって結論を述べたい。私の目標は、両者の因果関係を確立することではなく、デリー市（ひいては、それはインドという国の縮図となる）が「レイプの首都」という世界的な評判を得ているイデオロギー的瞬間において、ゲイ向けの観光の世界化という側面がいかにさらに大きな優位性と緊急性を帯びるかということを理解することである。インドの女性に対する性暴力についてのグローバルなメディア上の可視性が増している文脈において、ゲイ向け観光による安全な地理空間の生産は、単にゲイの観光客を保護するための聖域として機能するだけではない。むしろそれは、未開で前近代的とみなされた国が、クィアなコスモポリタニズムという近代化のレンズを通して名誉を挽回し、そして立ち直ることができるような、世界化の補償的な仕組みとしても作動しているのである。言い換えると、私が示唆しているのは、ゲイ向け観光は、「レイプの首都」としてのデリーの恥ずべきイメージを動員しながらも同時に相殺することができるという点において、この国にとって価値があり生産性のあるものになったということである。だとすると、ゲイ向け観光は、国が世界的な注視を受けている真っ只中において、マイノリティの国民主体の保護への取り組みを支持することにより、国の進歩的なブランドを回復するための代替システムとして機能しているのだと主張したい。

しかし、「レイプの首都（rape capital）」という概念には、この文脈で機能している別の意味がある。より広義には、レイプの「資本／首都（capital）」はまた、暴行事件を例外化することを利用する方法として、性暴力に関して引き出される経済的・文化的・政治的な有用性を意味している。ジャスビル・プアは、米国の性的例外主義の分析において、「例外的」の二重の意味を指摘している。つまり、この語は、「優位性と同時に（相違のある、似ていない）区別を示すもの」なのである（Puar 2007）。言い換えれば、デリーの暴行事件が例外である、つまり、それがなければ新しく、輝いているはずのインドでの唯一で稀な出来事であるという枠組みができれば、国は名誉を挽回し、優位な地位を築くことができる。そして、民主主義的な市民消費者が重要な政治的・イデオロギー的な通貨を保持するグローバルな文化経済に、引き続き参加することができるのである。

インドの政治家、宗教指導者、さらには左派の一部からも聞かれた、デリーのレイプ事件に対する女性嫌悪的《ミソジニスティック》な反応は、いかにこの事件が孤立した例外的なものではなく、インドのレイプ文化の構造に深く根差しているかということを明らかにしている。このレイプ文化とは、女性に対する体系的な構造的暴力の結果もたらされたものであり、事件の報道でしばしば強調されたような、労働者階級や、下層カースト、移民の男性だけのせいにすることはできない。たとえば、ヒンドゥー教の右派団体である「民族義勇団（RSS）」の指導者モハン・バグワットは、「レイプはバーラト〔ヒンディー語でのインドの名称〕ではなくインドで起こっている」と主張したことで議論を呼んだ。つまり、バグワットが示唆しているのは、デリーのような都市中心部で起きる性的暴行は、自由化によって引き起こされた「西洋化」の結果だということである。

上記のような「インドの伝統」のスポークスパーソンを自称する人々が性暴力の原因を「西洋の」影響を受けた退廃的な不道徳へと転嫁する一方、いわゆる「新しい」インドの代表者たちはこの事件を「近代的な」国家にそぐわないものとみなしている。たとえば、「インドの夢はデリーの集団レイプ被害者とともに亡くなった」というタイトルの記事においてS・ミトラ・カリタは、ジョティ・パンディの死はより大きな損失を象徴しており、つまり「現代のインドを定義づける上昇移動」の損失を指していると述べた。そのため、この例で言うと、デリーのレイプ事件はインドの「流星のような繁栄」や「驚異的な」経済成長と象徴的に矛盾しているのである。だとすると、デリー事件に関するいくつかの説明において、中産階級への社会的上昇の夢が阻まれた悲劇という視点でジョティ・パンディが語られていることは驚くべきことではない。「ニューデリー集団レイプの被害者の人物像が浮かび上がる」というタイトルの『ニューヨークタイムズ』紙の記事は、パンディが「学問に励み、野心的で、じきに結婚する予定」で、「理学療法を学んで」おり、「医学の道を強く志す勤勉な学生」だったことを読者に伝えている。中流階級の共感を呼ぶこうした語りの枠組みは、この事件についての国内およびグローバルな超可視性を可能にした。これは特に、カシミールにおいてインド軍にレイプされた女性たちや、暴動中に警察官によって暴行を受けたイスラム教徒の女性たちに関して怒りの声があまり聞かれないのとは対照的である。

パンディと加害者は同じような階級的背景を持っていたにもかかわらず、パンディが中産階級的な繁栄というレンズを通して語られた一方で、加害者たちの表象のされ方は、犯罪性を貧しさや下層階級男性の獣のような性質と密接に結びつけるような、よく知られた語りを固定する働きをした。暴行の加害者男性六人のうち四人はデリー南部のスラムであるラヴィ・ダス居住区に住んでいた。デリー市は、建設労働者、野菜売り、メイド、三輪タクシーのドライバーなどの多大な労働供給をこの地区に依存している。この暴力事件を文脈化し理解しようとするメディアの報道は、加害者の追跡調査を行い、例によって、北インドの農村からインドの首都中心部への移住という地理的状況を描き出している。ヒンドゥー教右派からの反応が、田舎の（そして真にインド的な）空間の神聖さを保つためにレイプの脅威を「西洋化された」都市部インドへと移動させた一方で、これらのメディアの説明においては、性暴力の起源は、すでに近代性を達成した現在の状況ではもはや存在できないような、時間的に未開なインドへと位置づけられる。したがって、暴力を過去へと追放することに加えて、都市の世界化は暴行を別の空間へと移動させることを必要とする。その空間とは、デリーのような世界的な大都市の中心部ではなく、国の周縁にある田舎の外れなのである。

パンディの暴行犯を特定する近代の空間についての筋書きは、後れた田舎の村から不潔な都市のスラムへの移動を示唆した。（映画館のあるショッピングモールという保護された聖域から、暴力が起こったバス内での予期せぬ危険へという）その夜の彼女自身の空間の移動は、より古く、より偏狭な国家による脅威を思い起こさせる不幸な出来事となってしまった。こうした脅威は、中産階級的な余暇と都会性というコスモポリタンな風景に暴力的な痕跡を残している。この状況のなかでは、パンディと友人が事件前に訪れていた、都市の中心地としてのシネマコンプレックスは安全と近代の区域として暗黙にコード化され、パンディが志していた人生（それは突如、非常に暴力的に遮られてしまったが）を象徴する小宇宙としての役割を果たしている。パンディの身元がメディア上で特定される前に、一部の報道で彼女が一時的に「アマナット（amanat 宝物や価値の高い物を意味する）」と呼ばれていたことは重要な点である。「レイプの首都」の経済のなかで、大切な財産としてのパンディ像を構築することは、彼女の死を盲目的に崇拝し、その死を国有財産へと変える。たとえ、同時に彼女の死の原因である暴力に対するいかなる説明責任から逃れようとしているとしても。

おわりに

このように、レイプの首都はリスクと安全性に関連した空間経済に参加しているが、この現象は、私がすでに示唆したように、ゲイ向け観光が「グローバルであることの技術」に投資していることと構造的に違いはない。どちらも、形式や内容の面でいまだに地域特有である（つまり、「インド流」に近代的である）都市の世界化におけるグローバルな実験のために、古いものと新しいもの、伝統と近代の構築の間で折衝し、両者を動員する。インジャピンクやピンク・ビブジョールのような組織によってつくり出された安全な聖域のように、レイプ事件の直後に起こった女性の安全と保護を求める声は、理想化された都市再開発区域や美的で高級志向な地形を暴力から空間的に分離する方法を模索している。

「新しい、驚くべきインド」における安全と安心と思われている、これらの体制の妥当性を問うのであれば、マイノリティのアイデンティティがナショナリズム的で新自由主義的な包摂によって支持されていることに惑わされてはいけない。ポストコロニアルな、国境を越えた想像力におけるジェンダー・人種・セクシュアリティの不平等への注目は、覇権的ナショナリズムへの奉仕に利用されてはならない。そうではなく、私たちは国家的虚構と虚構の国家の両方に抵抗しようと努めなくてはならないのである。

［註］

1　インド政府がインドの観光促進を目的として二〇〇二年から実施している、国際的キャンペーンの名称。

2　かつての大英帝国の支配地域であったイギリス連邦に属する国や地域が参加し、四年ごとに開催されるスポーツの大会。

3　ヒンドゥー暦の新年を祝う祭り。

4　ディワリのお祝いや儀式の際に使用されるオイルランプ。

[参考文献]

Baviskar, Amita, "Between Violence and Desire: Space, Power, and Identity in the Making of Metropolitan Delhi," *International Social Science Journal*, 55 (175), 2003: 89-98.

Biswas, Shampa, "To be Modern, but in the 'Indian' Way: Hindu Nationalism," Mary Ann Tétreault and Robert A. Denemark eds., *Gods, Guns and Globalization: Religious Radicalism and International Political Economy*. Boulder and London: Lynne Rienner Publishers, 2004: 107-134.

Ghertner, D. Asher, "Rule by Aesthetics: World-Class City Making in Delhi," Aihwa Ong and Ananya Roy. eds., *Worlding Cities: Asian Experiments and the Art of Being Global*. Oxford: Wiley-Blackwell, 2011: 279-306.

Ong, Aihwa, "Introduction: Worlding Cities, or the Art of Being Global," Aihwa Ong and Ananya Roy. eds., *Worlding Cities: Asian Experiments and the Art of Being Global*. Oxford: Wiley-Blackwell, 2011: 1-26.

Puar, Jasbir K., *Terrorist Assemblages: Homonationalism in Queer Times*. Durham and London: Duke University Press, 2007.

Puri, Jyoti, *Sexual States: Governance and the Struggle over the Antisodomy Law in India*. Durham and London: Duke University Press, 2016.

Roy, Ananya, "Conclusion: Postcolonial Urbanism: Speed, Hysteria, Mass Dreams," Aihwa Ong and Ananya Roy. eds., *Worlding Cities: Asian Experiments and the Art of Being Global*. Oxford: Wiley-Blackwell, 2011: 307-336.

[付記]

本稿は、Nishant Shahani, "Featured Lecture: Safe in the City: Gay Tourism in India and the Politics of Worlding," *Theorizing Gender and Race in Historical Contexts: Invisibilities, Transbroundary Imagination, and Post-Colonial Futures beyond "the Veil,"* AISRD, 2020: 14-27 を訳したものである。なお論考は次の書籍に一部収録されている。

Pink Revolutions: Globalization, Hindutva, and Queer Triangles in Contemporary India

第7章　ＦＧＭ廃絶をめぐる歴史プロセスと新たなアプローチの可能性

――『母たちの村』とナイース・レンゲテによる「男制」への着目

荒木和華子
土屋　匠平

はじめに

パンデミックとFGM実施数の急増

二〇二〇年四月、ＣＯＶＩＤ－19のパンデミックの弊害として、「陰のパンデミック（the shadow pandemic）」が世界規模で生じていると国連女性機関が指摘した。[1] 陰のパンデミックとして警鐘が鳴らされているのは、女児・女性への暴力の急増のことである。この種の暴力は、プライベートな領域とされる家庭内でおこなわれるがゆえに可視化されにくいため、「陰の」パンデミックと呼ばれている。陰のパンデミックには、児童婚やＤＶ被害に加え、本章で検討する女性性器切除（英語では Female Genital Mutilation　以下、ＦＧＭ）の実施も含まれる。コロナ禍における外出制限によって家庭に幽閉される女児の数が上昇し、ＦＧＭの実施数が増加している。[2] また、コロナ禍のＦＧＭ急増の背景としてはほかに、国際機関やＮＧＯ等による支援や教育が個人に行き届きにくくなり、収入が減少した施術者が各家庭を訪問し施術によって収入を得ようとしており、さらに親が子どもの自宅待機期間をＦＧＭ実施後の施術箇所の回復の時間として良いタイミングと認識しているとの報告もある。[3] また、二〇二〇年に国連人口基金（ＵＮＦＰＡ）は大学研究機関との合同調査から、パンデミックによって今後一〇年間で救えたはずの二〇〇万人もの少女たちがＦＧＭの被害を受ける見通しであると発表している。[4]

一方で、同年に、新たな廃絶に向けた大きな動きが一大ニュースとなった。スーダンでＦＧＭが法的に廃止されたのである。後述するように、国際比較ではスーダンはＦＧＭ実施率がきわめて高く、ＦＧＭの違法化は歴史的転換であると言える。しかしグローバルな状況から見れば、スーダンの動きは例外的であろう。紆余曲折を経て、二〇一五年九月の国連持続可能な開発サミットにおいて、一九三ヶ国が満場一致で二〇三〇年までにＦＧＭ根絶を目標とする合意に達したものの、二〇二〇年からのパンデミックの煽りを受け、ＦＧＭ廃止の道のりはますます前途多難になったというのが実情に近い。本章では、ＦＧＭ廃絶運動への反発や批判も含めた歴史的プロセスを概観した上で、映画『母たちの村』と活動家ナイース・レンゲテによる「男制」への着目をヒントに、現状打破のための新たなアプローチの可能性を考察する。

「男制」概念と問題の所在

本論の「男制」という用語は、精神科医・医療人類学者の宮地尚子が、「既存のジェンダー規範に従う存在を示す場合には、女性・男性ではなく、その社会構築性を明確に示す「女制」「男制」という表記を用いる」と提唱した用法に依拠する。[5] 宮地は、男性性と暴力性のつながりを分析する際に、この二つの「結びつきを解きほどいていく」ための基本作業として、この用語の使用を提案した。「男制」とあえて表記することによって、男性の置かれている状況や立場の多様性や、男性もまた歴史や文化によって複雑に絡み合って制度化された社会構造に組み込まれて生きざるを得ない存在であることを認識しやすくなる。

つまり、イシュー化されるべきは属性としての「性」そのものではない。ジェンダー史研究の第一人者であるジョーン・W・スコットが、ジェンダーを「肉体的差異に意味を付与する知」であると定義したように、性を特定の社会・歴史的文脈のヒエラルキーに配置することを正当化する「制《システム》」のあり方を問わなければならない。よって、本論で述べるところのフェミニズム（女性の社会的立場・状況の改善を求める活動）の対象となるのは、特定の個人や「性別」ではなく特定の社会制度であり、ここでは男性中心主義を対象とするため、「男制」という表現を用いる[6]。

本稿で見ていくように、ＦＧＭは女児・女性の身体をダイレクトに傷つけ、女性の「性」と「生」のあり方に支配的、暴力的に介入する行為でありながら、歴史的プロセスのなかで「伝統」や「文化」として位置づけられたり、植民地主義への抵抗のシンボルとして意味づけられたりすることもあり、当事者はもとより非当事者も（こそ）問題として取り上げることのきわめて困難なタブーとなっている。だからこそ、ＦＧＭ廃絶の方途を模索する際に、個人や集団、役割、属性を非難する方法はおそらく効果的ではない。ＦＧＭを推進し、支え続けている構造の土台を検証した上で、まずは制《システム》を瓦解させるためのきっかけとなるものを探る必要があろう。

1　FGM概説

FGMとは（実施地域、施術内容、慣習）

そもそもFGMという言葉自体、初めて聞いたという読者もいるかもしれない。ここではまずFGMの実施地域や方法を概観しよう。FGMは、アフリカ諸国、アラブ諸国、東南アジアや南米の一部地域、そしてこれらの地域出身の移民の移住先の国々（欧米、カナダ、オーストラリア）など三〇ヶ国以上で実施されている。現在、世界中で少なくとも二億人の女性が施術を過去に受けており、毎年三〇〇万人の女児が受ける見込みであると言われている。二〇〇四～一五年に一五～四九歳の女性でFGMを受けた割合が高い地域は上位から、ソマリア九八％、ギニア九七％、ジブチ九三％、シエラレオネ九〇％、マリ八九％、そしてエジプトとスーダンが八七％と続く。[7]

FGMとは医療目的外で女性外性器の一部あるいは全部の切除、あるいは切除後に外性器を縫合する行為であり、多くの地域において女児が成人女性となるための「通過儀礼」と認識されている。WHO、そして日本においてFGM廃絶に取り組んできたパイオニア組織であるFGM廃絶を支援する女たちの会（Women's Action Against FGM, Japan　以下、WAAF）によると、施術は四つのタイプ（①クリトリスの一部、または全部を切除、②クリトリスの切除と小陰唇を切除、③②に加え、大陰唇も切除し、尿と月経血の排泄口を残して縫合、④針刺し、伸長、焼灼などクリトリスの切除を伴わない女性性器の変質）に分類される。[8]

FGMは、医学上のメリットがまったくないことが明らかになっているが、通過儀礼、祝い事として、地域全体をあげて執り行われる重要な伝統行事、慣習、文化実践の一端であるとみなされることが多い。このような文脈ではFGMではなくFGC（Female Genital Cutting）、または「女子割礼」という表現が用いられる。施術前後には特別な料理がふるまわれたり、華やかな民族衣装を纏って歌・踊りなどのパフォーマンスが行われたりする。娘や家族に贈り物が関係者から与えられる他、施術者には金銭に限らない様々な形での報酬が娘の家族等から施される。その様相は、文化人類学者らが明らかにしてきたように地域によって多様である。[9]

FGMによる健康被害と人権侵害

それでは、現在、FGMが女児・女性に対する暴力の一形態であり、人権侵害であるため廃絶すべきという趨勢が、実施されている地域だけでなく国連機関をはじめとする国際社会においても高まっているのはなぜなのだろうか。具体的な健康被害や指摘されている人権侵害を見ていこう。

まず、施術の際にはたいていの場合、麻酔薬が使用されず、医師ではなく女性長老である施術師や助産師、理容師によって、はさみやカミソリ（時にガラスの破片）を用いて実施されることが多く、尋常ではない身体への痛みが伴うことが報告されている。[10]激痛によるショックや大量出血による致死のリスクも低くなく、FGMによって娘、姉妹、友人を突然失ったという証言も少なくない。また、中・長期的な心身への損傷についても懸念されている。施術で使用される器具の消毒不十分により、HIVなどの感染リスクが懸念される場合もある。後遺症も非常に深刻であり、たとえば尿道の損傷、慢性の感染症、月経困難症、失禁、難産、性交時の激痛、性行為への恐怖、うつ症状など、生涯にわたって女性の身体と生活に大きなダメージを与えるとの指摘もあり、女性たちが心身ともに健康に生きる権利が危ぶまれている。[11]

また、施術の対象となるのは大多数が一五歳以下の女児であることから、人権侵害が憂慮されている。二〇一六年のユニセフの報告によると、施術を受けた約二億人の女児・女性のうち、約四四〇〇万人が一五歳以下である。[12] 乳幼児や妊婦、出産直後の女性に施術が行われることもあり、女児自身がFGMによる様々なリスクを十分に理解した上で、実施に同意しているかは疑わしい。また、施術を受けさせようとする地域共同体や親の意向に子どもたちが反することの困難さも指摘されており、施術におけるインフォームド・コンセントや自己決定権が保障されていないことへの批判も存在する。

リスクを伴うFGM実施の背景

それでは、このように深刻な負の側面が存在するにもかかわらず、なぜFGMは多くの地域において今なお、執り行われているのだろうか。先述したように、FGMの様相は地域によって多様であり、個別性を考慮しなければならない。しかし共通点として指摘できるのは、FGMが実践されている多くのコミュニティにおいて、FGMを受けなければ女性は結婚することができない状況が存在するという点である。この点が、FGM廃絶を困難にしている要因の一つであると言われている。FGM実施によって、処女性、女性の純潔、貞節、清潔さ（たとえば後述する映画ではFGMを受けている女性は「クリーン」であると表現されている）の証明となり、男性の「妻」となるにふさわしい女性として晴れて地域共同体から認められるのである。ここで読者は、それではなぜ身体を損傷させるＦＧＭを行ってまで結婚する必要があるのかと疑問に思うかもしれない。

この疑問に答えるためには、ＦＧＭが実践されている社会の構造や歴史を理解する必要があるだろう。当該社会において結婚しない／できないことの意味は、現代日本社会の文脈とは異なるかもしれない。結婚によって経済的な保障を得られるだけでなく、地域のメンバーとして社会的に承認・認定されることの重要性は、逆にＦＧＭを拒否した場合に結婚できなくなるだけでなく、地域共同体の秩序を乱す者として村八分にされる様子からも浮かび上がってくる。ＦＧＭ反対の声が国際会議等の場であがっても、なかなか廃絶に向けた歩みが加速しない。それは地域社会の文脈では家父長を頂点とする「男制」社会において、ＦＧＭはタブー視されており、また女性やその家族にとって死活問題であり、さらに植民地主義への抵抗手段として地域の「伝統・文化」であるＦＧＭを死守する、という政治性も相まって、センシティブにならざるを得ない状況が存在し、一筋縄ではいかないためである。

様々な呼称が存在する理由

ここまで本稿では、女性性器切除をＦＧＭと呼んできたが、この表現は、一九七六年に米国出身のフェミニスト、ジャーナリストであるフラン・ホスケンがアフリカ各国でのＦＧＭの実態調査と文献研究に基づいてＦＧＭを女性に対する抑圧の象徴として廃絶を訴える際に、切除・不可逆的損傷・機能不全化（mutilation）という強いニュアンスを含意するＦＧＭという言葉を用いたことが始めとされている。[13] 当時はまだ、国際社会によるＦＧＭへの関心は高くはなく、文化・伝統の一部と捉える「女子割礼」を意味するＦＣ（Female Circumcision）が使用されていた。

その後、一九九〇年にアフリカ諸国出身の女性たちによって構成されるＩＡＣ（Inter-African Commitee）の第三回総会において、ＦＣに代わってＦＧＭの使用が正式に決定された[14]。これを踏まえて、一九九一年にはＷＨＯもＦＧＭを採択するよう国連諸機関に提言し、たとえば一九九三年に発行されたＷＨＯの報告書でのＦＧＭの使用が確認できる[15]。しかしながら、一九九〇年代終わりになるとＦＧＭという言葉への抵抗を懸念し、この行為・慣習をやめさせるための戦略として、むしろＦＣ、ＦＧＣ、ＦＧＳ（Female Genital Surgery）等の呼称の方が効果的であるという考え方も現れるようになる。たとえばユニセフは、この慣習に文化的価値があるという立場に配慮して、ＦＧＭとＦＧＣの両方を併記している。

しかし、これらの様々な呼称に対して、二〇〇五年にＩＡＣは、ＦＧＭという用語を使用する必要性を宣言した。ＦＧＭ廃絶運動を批判する研究ではあまり取り上げられないのだが、この宣言は、ＦＧＭが実践されている当該社会の女性たちの声として重要な資料であると考えられるので、抜粋しよう。

ＦＧＣという言葉はすべてのタイプのＦＧＭが引き起こす害と損傷の程度を厳密に反映してはいない。（中略）こういった用語の変更はＦＧＭ＝女性性器切除の本質を見えにくくさせ、アフリカの女性・少女の苦しみを矮小化するものであると私たちは強く主張したい。しかも、これらの変更はアフリカ女性になんらの相談もなく行われた。このことは、廃絶キャンペーンの最前線にあるアフリカ女性たちが到達した総意を無視し、沈黙のうちに苦しんでいる数百万のアフリカの少女と女性の声を踏みにじるものである。／世界中の人々に知ってもらいたいのは、運動の先頭に立つアフリカの女性たち自身が一九九〇年エチオピアのアディスアベバにおけるＩＡＣの総会でＦＧＭという用語を採用したということである。[16]

本稿は、このような当事者であるアフリカ人女性たちの声を尊重する立場からＦＧＭという表現を用いる。現在、国際社会では一部を除き、ＦＧＭの使用が主流となっている。しかし、特に研究者間では、いまだに用語やＦＧＭの論じ方そのものについて合意に至っているわけではない（そもそもなぜ英語表現の頭文字で統一しなければならないのかという、言語の文化帝国主義への批判も存在しようが、ここでは省略する）。次節からは、ＦＧＭ廃絶運動の歴史を、この運動への反発やアカデミックな批判についても取り上げながら見ていこう。

2　廃絶活動の歴史と現在地

ＦＧＭ廃絶運動の歴史的プロセス

二〇世紀初頭にエジプトの医者とケニアの宣教師がＦＧＭ廃絶を公式に表明したのが廃絶運動の初期のものと言われている。[17] 一九〇〇年以降、文化人類学者による研究対象として、「女子割礼」の実態を解明することが目的とされてきた。[18] しかし先述したホスケンによるＦＧＭ批判をきっかけにＦＧＭが国際的注目を集めるようになり、一九七五年の「国連女性の一〇年」の発足により、女性の人権や健康保護の気運が国際社会で高まりを見せたことに後押しされ、一九七九年にはＦＧＭに関するＷＨＯセミナーが開催され、ＦＧＭが初めて国際的なアジェンダとなった。[19]しかしホスケンらの主張は当初からＦＧＭ実施社会の文脈を軽視している点が西洋中心主義・植民地主義による介入であるとして鋭く批判されてきた。

同様に、アフリカ系アメリカ人の文学者であり活動家のアリス・ウォーカーは、小説『喜びの秘密』やドキュメンタリー映画『戦士の刻印』等の作品を通してＦＧＭの残酷さを告発したが、西洋出身のフェミニストによる価値観の押しつけであり、作中のアフリカ人女性やＦＧＭの表象がアフリカ地域の偏見を助長するものであるとして、文化人類学者やポストコロニアル研究者らから厳しく非難されてきた。しかしここで指摘しなければならないのは、これらの西洋出身のいわゆる第二波フェミニストの多くは、性器切除されている少女・女性たちに対して、同じ女性としての当事者意識、連帯感を保持していたという点である。殊にウォーカーは、自身を「ウーマニスト」と称することにも表れているように、ヨーロッパ系の白人中心主義のフェミニストとは一線を画すアイデンティティを自認していることが、彼女の数々の作品からも明らかである。

ウォーカーの作品で描かれているのは、アフリカ系アメリカ人女性独自の世界観やストーリーであって、白人女性中心に展開されてきたフェミニズムの主張や立場と重なりはあろうとも同一視され得ない。ウォーカーの語りによれば、彼女がＦＧＭ廃絶運動に取り組むことを決意した背景には、家族内の「男制」により、幼少期に兄から受けた怪我を兄をかばう母からも放置された結果として失明することになったという心身の傷の存在がある。ウォーカーは自身の傷の根源と向き合うことによって、アフリカ女性たちがＦＧＭによって受ける傷への理解を深め、地域を横断するシスターフッドによる連帯の重要性を認識したと述べている。[20] 宮地尚子はウォーカーのこの試みを「投企的同一化」と呼び、声を持たない被害者を支援する共同体を形成するために、呼応によって起こすことができるコミュニケーション、「つながり」の可能性を肯定的に捉えるよう促している。[21]

日本におけるＦＧＭ廃絶活動

ウォーカーの立場に共通した見解を述べるのは、彼女の翻訳者であり、日本でリプロ・ヘルス・ライツ運動に早くから取り組んできたヤンソン柳沢由実子である。リプロ・ヘルス・ライツとは性と生殖に関わる女性の権利のことであり、ヤンソン柳沢は女性が自らの身体・生命・生活を左右される性と生殖に関わる選択において、自己決定権が尊重されるべきであると認識し、一九九〇年代から活動を展開してきた。ウォーカーの作品によるＦＧＭは伝統の名を借りた悪習であるという訴えや、「文化ではなく拷問」であるという主張を受けとめたヤンソン柳沢は、「女性の健康という視点から考えても、人権、人間の尊厳、また子どもの虐待や女性に対する暴力という点から考えても、女性性器切除の問題は、他の国の文化や伝統、慣習のことだから口出ししてはいけないという問題ではないように思う。人権に国境はない」と考えるようになった。[22] 彼女はＮＧＯ使節団のメンバーとして、ＦＧＭが様々に議論された（一九九五年の北京女性会議をはじめとする）数々の重要な国際会議に出席した経験を持ち、同じ女性として、ＦＧＭは他人事ではなく、自らの問題でもあり、ＦＧＭ実施地域の女性たちの廃止の訴えに日本からも応える必要があるという思いを強くしたのであった。

一九九六年一月に、ヤンソン柳沢は、伊藤充子ら、日本で女性への暴力に対する抗議活動やリプロ・ライツに関する活動をおこなってきた女性グループのメンバーとともに、ＷＡＡＦを設立した。ＷＡＡＦは前述したＩＡＣ総会にも参加しており、現在に至るまでＦＧＭ廃止のための様々な活動に取り組んできた。また、数多くの講演会の開催、主要な資料の翻訳、ニューズレターの定期的発行、そしてＦＧＭ実施地域のＮＧＯや学校と連携した活動など、廃絶支援のための取り組みを継続している。

FGM廃止に向けた国際的な流れと各国による取り組み

一九九〇年代のフェミニストたちの活動もあって、一九九七年にはＷＨＯ、ユニセフ、国連人口基金の三つの国連機関によって「女性性器切除に関する共同声明文」が発行され、ＦＧＭの健康被害と人権侵害の側面が説明され、廃絶支援を国際的に実施していくことが宣言された。[23] 二〇〇八年には七機関が新たに加わり、「女性性器切除の廃絶を求める国連十機関共同声明」が発行された。さらに、二〇一五年九月に開催された国連持続可能な開発サミットでは、一九三ヶ国が満場一致で、二〇三〇年までに女性性器切除を根絶する目標に合意した。[24] このように現在、国連機関はＦＧＭ廃絶を目標に掲げ、課題として取り組んでいる。

次にカナダ、アメリカ、イギリスによるＦＧＭ廃絶の先駆的な取り組みを見ていこう。

移民国家カナダには多数のディアスポラ・コミュニティが存在しており、ＦＧＭ実施地域からの移民のうち、数千人の少女がカナダ国内でＦＧＭ実施のリスクに晒されているのではないかと見積もられている。[25] カナダは一九九三年に刑法を改正し、国内でのＦＧＭ実施を禁止しており、ＦＧＭを理由とする難民申請を受け入れた最初の国でもある。一九九四年にソマリア出身の女性が、帰国した場合に娘がＦＧＭを受ける恐れがあり、子どもへの迫害となるとして難民申請をしたのが、ＦＧＭを理由とする難民認定の初事例となった。[26] 一九九七年にはＦＧＭを禁止する刑法が制定され、ＦＧＭを実施、援助、扇動した人は最大一四年の懲役及び／または罰金が科せられ、国外での実施でも同様の適応となった。[27] トルドー首相が二〇二一年二月六日「ゼロ・トレランス・デー（世界女性器切除根絶の日）」に、廃絶に向けて今後も政府予算を拠出する声明を発表しているだけではなく、公共図書館などの一般市民が身近でアクセス可能な場においてＦＧＭに関する講演が開催されるなど、ＦＧＭ廃絶に向けた活動が積極的に展開されている。[28]

同じく多くの移民を抱えるアメリカ合衆国は、一九九三年に連邦法によってＦＧＭを禁止している。これによって、新たな移民に対してＦＧＭを実施した場合には最長五年の懲役が科されることを説明する義務が連邦当局に生じただけでなく、世界銀行等の国際金融機関に対して、ＦＧＭ廃止のための教育プログラムを設置していない政府には支援しないよう米国が働きかけることになった。さらに、二〇一五年七月にケニアを訪問したオバマ元大統領は、現地でＦＧＭ反対を明言した。妻のミシェル・オバマとともに、ＮＰＯのオバマ基金は二〇一八年一〇月に教育プロジェクトをスタートし、ドキュメンタリー動画を作成し、基金のＨＰ上で公開した。[29] この動画では女児の教育を受ける機会がＦＧＭによって妨げられる点が強調されている。しかし、その後トランプ政権下ではＦＧＭ禁止に関する連邦法は憲法違反とされ、「アメリカの後退」が憂慮された。[30] さらに、オバマの方針を受け継ぐバイデン政権誕生によって、二〇二一年以降、再びＦＧＭ廃絶に向けた取り組みが政府レベルで着手されるようになっている。バイデンは公式のウェブサイトで、「女性に対する暴力を廃止するためのバイデンの計画」と題して、ジェンダーによる暴力の一形態であるＦＧＭの廃絶支援を含めた声明を発している。[31]

植民地でＦＧＭをやめさせようとしてきた宗主国であるイギリスでは、廃絶の取り組みが加速している。一九八五年に女子割礼禁止法が制定され、二〇〇三年にはＦＧＭ［禁止］法（The Female Genital Mutilation Act）が制定された。[32] この二つの法案の主な違いは、後者では切除行為が国内外問わず禁止された点である。その後二〇一四年にＦＧＭ廃絶のためのセーフティガード指針が施行され、さらに二〇二〇年までに中等教育機関でのＦＧＭの危険性を伝える授業の実施が義務づけられた。[33]

ＦＧＭ廃絶政策の行き過ぎによる問題

このように、カナダ、アメリカ、イギリスでは廃絶に向けた政府レベルでの具体的な取り組みが順調に進んでいるかのようである。しかし、廃絶を徹底させようとする過剰な政策によって問題点が指摘されている例もある。イギリスにおいて、ＦＧＭセーフガード・ポリシーによって救われるべき少女たちが、逆にこれによって生きづらさを感じる実態が発生しているという報告がある。イギリス在住のアフリカ出身女性によって運営されているＮＧＯ団体ＦＯＲＷＡＲＤらによるブリストルでの実施調査は、このポリシーによって、アフリカ出身者の多くが学校や医療現場、海外旅行において頻繁にＦＧＭ実施の嫌疑がかけられ、警察による個人や家族、コミュニティに対する監視や検問が日常的に行われていることを明らかにした。これは「アフリカ系ディアスポラ・コミュニティではFGMが行われている」という一方的な決めつけによるスティグマ化であり、レイシャル・プロファイリングの一形態であると指摘されている。証拠がなくともアフリカ出身者に対して、命令（FGM Protection Orders）が発せられたり、日常生活や休暇中の旅行が制限されたりすることによって、メンタル疾患をきたす例が少なくないことが懸念されている。[34]

3　廃絶運動へのアカデミックな批判の位相と課題

廃絶の主張・言説への批判

ここまで具体的な廃絶運動や国際社会の世論、各国の取り組みについて見てきたが、次にこの運動に関する研究者間の異なる立場や見解について見ていこう。FGM廃止を求める主張に対するアカデミックな議論のうち、主なものとしては文化人類学者によるものとポストコロニアル研究者によるものがある。前述したように、文化人類学者の多くはFGMを特定社会の文化的実践であるとし、その伝統や価値を尊重することの重要性を主張してきた。文化人類学の主張の根拠となる文化の多様性を尊重する文化相対主義的視点は、人類の共存や平和に向けた相互理解のために非常に重要である。しかし、文化相対主義的立場には、他者を傷つけるような暴力性を帯びる社会の特定の要素が「文化」であると主張・説明されるとき、その批判が難しくなるという問題点がある。

実際の議論からこの課題について考えてみよう。スーザン・オーキンは、著書『多文化主義は女性にとって悪しきものか？（*Is Multiculturalism Bad for Women?*）』のなかで、北米における移民文化の受容の問題をジェンダーの視点から論じている。文化の多様性を認め、かつ自由主義的理念を社会の原則としている現代の多くの国家において、FGMを特有の「文化」として尊重すべきか、女児・女性の心身への暴力行為・人権侵害として廃絶すべきかについては、すでに様々な立場から激しく火花の散る論争が巻き起こっている。オーキンは、近年、多文化主義を実践する自由主義社会の司法の場で、出身国の文化的価値観であると主張される男性中心主義によって、女性の被害が矮小化される複数の判決例を取り上げて問題視している。換言すれば、エスニック集団の文化の保持・尊重の名の下で、女児・女性の人権が剝奪されるという矛盾に自由主義を標榜する移民受け入れ社会が直面しているのである（もちろん、国連憲章で謳われているように、自由主義を社会の原則としているか否かにかかわらず、そもそも全世界の人々の人権が保障されるべきであることは言うまでもないのだが）。オーキンはこの問題の解決策として一つの案を提示している。「高齢の女性たちはしばしばジェンダー不平等の再強化において接収されている」可能性が高いため、若い女性たちの声こそ社会が聴くべきだというものである。[35] この主張には賛否が予想されるが、オーキンの主張をサポートすると思われる例として本章の最後にナイース・レンゲテを紹介する。

文化人類学者に加えて、ポストコロニアル研究者も西洋のフェミニストによるFGM廃絶の主張を批判してきた。欧米のフェミニスト理論家間の激しい論争を背景に、日本では岡真理を筆頭とするアラブ・アフリカ地域研究者らが、FGM廃絶の主張を行う西洋・第一世界のフェミニスト批判を繰り広げた。[36] ポストコロニアル研究は、植民地主義に加担してきた西洋中心の言説を批判的に分析し、特権階級に所属するエリートである研究者の発話の位置や立場に関する批判的な省察を促し、研究成果が新たな知に基づく権力関係を生み出す作用のあるものとして研究者の自覚や責任を問うという問題提起を行ってきた。特に、FGM批判者によるFGMの残酷な表象やそれを「野蛮」とする言説が強調されることによってネガティヴなアラブ・アフリカ像が西洋社会で再生産されるとして、FGM廃絶運動の主張や言説を（後述するウェイドによれば「強く憤って」）断罪した。同時に、（世界の南北問題における）「北」のフェミニストが「南」の女性たちの声を一枚岩であるかのように代弁することの問題をも追及した。つまり、ポストコロニアル研究者は、FGMのみを切り取って問題化するのではなく、第三世界が第一世界に社会・経済的に依存するよう仕組まれてきたコロニアルな歴史や構造にこそ目を向けるべきであり、第一世界の第三世界に対する植民地主義における搾取においてフェミニストも共犯者であることを自覚するよう訴えたのである。

反植民地主義におけるFGMの政治化

ここで、反植民地主義においてFGMが利用された例を具体的に見ていこう。『性の植民地』を著したキャスリン・バリーは、反植民地闘争と性差別（バリーの言葉を用いれば「性的奴隷制」）の関係性を端的に次のように述べている。

アフリカ諸国は、ナショナリズムの精神と運動――みずからの民族、社会、文化、価値、伝統、儀式への誇り——を発展させることで、ヨーロッパの植民地化のくびきから自らを解放した。このさいの女性にとっての問題点は、民族文化の貴重な伝統の大半が、「男の名誉」に見られるような男性的な価値に由来するものであり、女性に対しては抑圧的なものであることである。したがって、ベールを被ることや性器手術のような慣行は、植民地化された男性文化の社会的価値の中に存在するのである。それがやがて、外国の植民者に対する闘いの中で、植民地化された側の文化的プライドの基盤となる。[37]

たとえばケニアでは、植民地の官吏や宣教師がＦＧＭを非難したため、ＦＧＭの「伝統」を擁護することが民族固有の「文化」を尊重することとして、反植民地主義と結びついた。指導者のケニヤッタは著書でＦＧＭの意義を強調しており、植民地政策への対抗手段としてＦＧＭは民族の結束シンボルとなったのである。[38]

同様の内容を、アリス・ウォーカーが『喜びの秘密』の主人公タシに主張させている。ウォーカーは彼女のＦＧＭ廃絶の主張が西洋中心主義の押しつけであるとして、文化人類学者やポストコロニアル研究者らから酷評されたのだが、しかし、ウォーカーの作品自体は反植民地主義的であり、第一世界による第三世界への「介入」批判が含まれており、アフリカ、ヨーロッパ、アフリカ系アメリカ人それぞれの登場人物間の微妙な関係性、複雑性についても表現されていることが見落とされていると言えよう。[39]

ウェイド、千田、宮地による分析と洞察

過去三〇年間（二〇一二年時点）のFGMに関するアカデミックな言説を分析したリサ・ウェイドは、ポストコロニアル研究者らは反FGM言説を第一世界、または「西洋の」主張であると批判するが、実際にそのような批判を展開するポストコロニアル研究者の多くもまた第一世界に立脚する「西洋の」主張者である点を指摘している。つまり、FGM廃絶言説が「西洋の」構築物であるという間違った前提に基づいていると言うのである。この点は先に見たように、FGM廃絶に向けた訴えが当該諸国の現地の女性たちによって行われた歴史的プロセスからも明らかである。さらに、ウェイドによると、これらのポストコロニアル研究者たちの多くが、反FGM言説を批判する際に、「個人的には私もFGMの実践に反対なのだけれども」という枕詞を述べるのだが、FGMに反対すること自体は「文化的植民地主義者」のアプローチではないと暗に主張する矛盾を抱えている[40]。

たしかにホスケンなど初期の廃絶の主張の言語のなかにFGMが「野蛮」であるとし、当該社会を西洋と対置して劣位に置くような表現が散見されたことは否めないだろう。そのような差別的な眼差しが存在したことについて、ウェイドが描写したように、批判された研究者らは深く反省して受けとめ、その後FGMへの公的な発言を避ける傾向（つまり、沈黙）が顕著になった。性差別に対してあげる声が「西洋的価値観の押しつけ」「文化の帝国主義的支配」「人種差別的」であると批判されるとき、（種類にかかわらず）差別や抑圧に抵抗しようとする者は隘路に陥ることになる。

ウェイドが反FGMにおける「ポストコロニアル的転回」（the postcolonial turn）と呼ぶこのアカ

デミックな現象について、千田有紀はその影響を憂いている。FGM廃絶運動家らが西洋の価値観を非西洋に押しつける文化的植民地主義者であると一刀両断されることによって、当該地域の当事者ではない特に第一世界の研究者や運動家たちが、FGMについて発言することが非常に困難になった。しかし千田は深い洞察と分析に基づいて、植民地主義の政治に女性差別が利用される複雑な現状を見事に図式化しながら、「本当は、沈黙してはいけないのだ」、「女性差別と植民地主義が結びつく言説のあり方、それ自体を問題として、植民地主義を批判しながら女性の問題を主題化するような言葉を、わたしたちはつくり出していかなくてはならない」と訴える。[41]

フェミニストのポストコロニアル研究者が、いわゆる第二波フェミニストによるFGMを含む「男制」批判を酷評することによりメリットがあるのは誰なのか。おそらく男制によって利益を得ていると考える人々であり、（FGMに関する考察も含まれている宮地尚子の環状島モデルに依拠すれば、）批判を耳障りと感じるはずの「暴力」の加害者と無関心な傍観者たちであろう。ポストフェミニストらが批判したように、第二波フェミニズムは世界における一部の特権的人種・階級の女性によって展開されたことが問題化されるが、しかし特権を保持しているがゆえに、声を出さない／出せない当事者の証言を「代弁」できるとも言える。宮地は述べる。

声を出さない当事者はどこにいるかわからない。見えないもの、知らないことに想像を働かせるとき、そこには補助線が必要になる。さもなければ想像自体が、見えないものに対する暴力となりうる。［被害者が溺れている］〈内海〉を想像するためには、声の出せる人や、その証言から補助線をひくことができる。そういう意味では、すべての証言は代弁で（も）ある。つまり、証言は証言そのものとして尊重され深く受けとめられるべきであるとともに、より内側にいる犠牲者の代弁としても理解され深く受けとめられるべきである。声をあげつづける人たちへの敬意と、声をあげられない人たちへの想像は両立するはずである。[42]

4　新たなアプローチの地平線

『母たちの村』に描かれる「男制」とそれへの対峙

再び、ＦＧＭ廃絶における「男制」概念の重要性について検討しよう。ここでは、映画『母たちの村』（MooLaadé 2004）を取り上げる。この映画の監督であるセネガル出身のウスマン・センベーヌは、ＦＧＭを扱った初の男性監督となり脚光を浴びたが、彼はアフリカのコミュニティの「日常」を活写しようと努めたと述べている。作中ではＦＧＭ廃止派と推進派の女性集団間の対立が描かれているが、同時に廃止派の女性の夫やコミュニティ内外の男性たちの様々な立場や心の揺れ動きについても活き活きと描き出されているのが特徴的である。ＦＧＭ廃止派のリーダー格の女性の夫は、村の長老によって罰として妻を広場で鞭打つよう命じられるが、妻を愛する夫は鞭打ちを行いながら苦しむ。元兵士で行商人の男性がその場に居合わせ、鞭打ちをやめさせたのであるが、その咎（村の秩序を乱したという）によって、村人（男性）たちに殺されるのである。映画はフィクションであり、鞭打たれたＦＧＭ反対派の女性の夫は、最後のシーンで反対を支援するために立ち上がるのであるが（そして彼に続く男性もでてくる）、この映画が表現しているのは、ＦＧＭによって傷を負うのは女性だけではなく、男性もまた被害者になりうるということである。

フェミニズムは女性のためのものであると多くの読者は想定するかもしれないが、男性にとってもメリットのある方法論として提唱されるのは、まさにこの点に基づいている。実のところ、男性もまた、（本論では男制と表記してきた）家父長主義や男性中心主義によって男らしくあらねばならないことに縛られており、女性の抑圧・犠牲の連鎖を止めさせることにより、その中心にいる男性たちをも解放することができるという主張が展開されている。[43]

再び『母たちの村』に戻ると、ＦＧＭの被害者である母親が自分と同じ苦しみを娘には経験させられないと決心したことから、ＦＧＭ反対運動がスタートしている。自分や娘の身体の所有者は自分や娘であり、自己決定権を保障されるべきであるという母親の意識が運動の起点となり、その強い思いがパートナーはじめ周囲の男性たちを動かすことになった。地域の共同体に深く根付いた男制による慣習の廃止に向けて、男性という主体《エイジェンシー》による協力が不可欠であることをこの映画は示唆している。この点にいち早く気づいて、現在、実際に活動を展開している例を次に見ていこう。

図１　地域の男性と対話を行うレンゲテ
出所：「彼女は切除を逃れ、数千人もの女児が切除から逃れられるよう助けた」Amref Health Africa, “She Ran From the Cut, and Helped Thousands of Other Girls Escape, Too,” https://amref.org/news/ran-cut-helped-thousands-girls-escape/#gsc.tab=0（図２も同様）

ナイース・レンゲテ（AHA）によるアプローチ

ナイース・レンゲテ（Nice Nalantei Leng'ete）はケニア出身のマサイ族の女性であり、国際NGOのアムレフ・ヘルス・アフリカ（Amref Health Africa、以下AHA）のスタッフとしてマサイ共同体においてFGMの慣習を廃止させる活動を展開し、一万五千人以上の女子をFGMから救済したことが注目され、二〇一八年に「世界で最も影響力のある一〇〇人」に選出された。レンゲテのアプローチは、FGM廃止運動における男制の役割を重視するものである。共同体における長老、または男性高齢者たちの主導権を認識している彼女は、FGM廃止の最初のステップとして、共同体の中心にいる男性たちとの対話から始めている。また、文化的慣習や伝統を継承することを重んじる姿勢から、実際に女性性器を切除する行為以外の実践（特別な化粧・装束を纏っての歌、ダンスなどのパフォーマンスや儀礼など）については推奨している。

図2　FGMの有害性を伝える教育活動を行うレンゲテ（頭のはちまきには、No FGC と書かれている）

レンゲテが所属するAHAは一九五七年にアフリカ人の健康・医療を保障するために設立され、FGM廃絶を目標の一つに掲げている。ケニアを拠点とし、アフリカベースの国際NGOとしては最大規模で、世界三五ヶ国に組織展開している。たとえば、コロナ禍でもオンラインを活用して現地ケニアの活動家や医療従事者が現状を伝え、アフリカの人々の医療アクセスのための理解と支援を呼びかけている。AHAは

図３　AHAカナダ支部が発行している活動報告書の表紙（頭のはちまきには、No FGMと書かれている）
出　所：Amref Health Africa Canada, "Health and Education for 2,400 girls in Tanzania A Positive Alternative to Female Genital Mutilation/Cutting," 2020.

代替的通過儀礼（alternative rites of passage）プロジェクトを導入するにあたり、住民との対話を尊重している。最初に行うのが、村の長老たちとのディスカッションである。彼らにＦＧＭの危険性を伝え、プロジェクトを村で実施する許可を得る。長老の許可を得た上で、村の若い男性たちと、性器切除をしていない女性との結婚が受容されるよう話し合う。また少女たちの父母と対話したり、施術者には少女が女性になるための儀礼での切除ではない代替任務を依頼したりするなど、コミュニティの理解を得ることを重視している。[44]

筆者（土屋）は、二〇一九年にトロントの公共図書館で開催されたＡＨＡ主催のレンゲテによる講演会に参加し、終了後に個別に質問をして回答を得た。レンゲテの個人史と具体的なＦＧＭ廃絶活動の経験に基づくアプローチは貴重な視座を提供していると思われるので、もう少し紹介しよう。

レンゲテの活動の背景には姉の存在がある。ＦＧＭ廃絶に関する講演やインタビューにおいて、彼女は必ずといってよいほど二歳年上の姉を語る。八歳のとき、ＦＧＭ実施直前に、彼女と姉は家から逃げて、（朝四時が実施時間なのでその時間に見つからないよう）一晩木々の中に隠れた。それまでＦＧＭによる親戚や友人の死や、知人の少女たちがＦＧＭ実施直後に学校を退学したり、年齢の離れた男性との早期婚を強いられたりするケースを目の当たりにしてきたため、ＦＧＭから必死で逃れようとした。逃げた二人はまもなく叔父たちに見つけられ、殴られ、次回は必ず施術すると宣言された。その一年後、二度目のＦＧＭの儀式が準備されたときに、姉はもし二人とも再び逃げたら、今回は殴られるだけでは済まないかもしれないと考え、年上である自分がＦＧＭを受けることで妹のレンゲテを救おうと自身を犠牲にした。姉はＦＧＭによって「女性」（すなわち結婚可能）となったため、退学して年上の男性と結婚させられ、二人の子どもを出産したが、レンゲテは姉のおかげで教育を続ける夢を叶えることができたという。[45]

レンゲテの活動において、長老である祖父の役割も大きい。七歳のときに両親を亡くし、親代わりとなった祖父に、彼女は教育を受け続ける意思を伝え、ＦＧＭ免除の許可を請うた。祖父は長老なので、彼を説得できればコミュニティ全体もその決定を受け入れざるを得なくなり、ＦＧＭを免除されるだろうと考えたからだ。約二年かけて繰り返し祖父を説得した結果、ＦＧＭを免れることができたレンゲテは村の女性で初の高校進学者となった。さらに彼女が教育を受けている間に、祖父が他の長老たちを説得した結果、村全体でＦＧＭは廃止されることになった。

彼女は次なる取り組みとして他地域のＦＧＭをやめさせるために、約四年かけて男性たちとの対話を行った。最初は若い男性数人としか話すことを許されなかったが、辛抱強い対話を通して最後には長老を説得し、その後も数多くの地域での廃絶を達成してきた。[46] 現在でも彼女は、各地域の長老を巻き込んでＦＧＭにまつわるリプロダクティブ・ヘルスや女子教育の重要性について人々と対話を続けている。[47] さらに具体的な活動内容を産婦人科医などの専門家や一般の人々が集まる国際的な場において紹介し、FGM廃絶、女子への教育機会の提供、児童婚の廃止の三つの連関性を精力的に訴えている。

FGMを研究する文化人類学者同様、レンゲテはFGM実践の形態や目的（理由）の多様性を強調する。レンゲテの出身であるマサイ共同体においては、FGMは八歳程度から少女たちの「女性」への通過儀礼として行われているが、ケニアの他の地域では乳児を対象としていたり、あるいは一〇代より年上の女性に行われたりする場合がある。よって、それぞれのコミュニティの文脈において機能する解決方法を見出す必要があるため、彼女はFGMの慣習をやめさせるための試みは、コミュニティ内部から起こり、主導されなければならないと訴える。

このようにFGMが実践されていたコミュニティで生まれ育ったレンゲテのFGM廃絶への戦略は示唆的である。まとめると、レンゲテのアプローチは次の三点に集約できよう。

- FGMはコミュニティ内部に深く根差している問題であるため、変化をもたらすには忍耐強く長い時間をかけて取り組む必要がある。
- 変化はコミュニティの内側から起こる必要があり、当該社会の主要な構成員である男性のポジションを軽視することはできず、男性への働きかけは不可欠である。
- FGMの慣習において、性器切除は痛みを伴い、少女の「夢」を奪い、有害であるので廃止するべきであるが、それ以外の儀礼における実践（祈り、民族衣装を着飾ること、踊りなど）は美しい文化的側面であり通過儀礼として継承するべきである。[48]

ここまで読み進めて、このアプローチはフェミニスト的視点から見ると、結局は男性主導を容認する働きかけであり、男性中心主義の社会構造を強化しないまでも維持させている点はあいかわらず問題であると感じる読者がいるかもしれない。男制による弊害はＦＧＭに限らないのであるから、男制を補強・継続させる方法論への批判は妥当であろう。

しかし他方で、効果的に目的を達成するための現実的な運動論としては、やはり反動勢力を最低限に抑えられる方が、多重な抑圧を受けやすい立場の人々に「繊細な注意を払う」ことにつながるのではないか。声をあげにくい立場の人々がようやく声を発することができたときに、その声を受けとめることができるような環境づくりこそ、今求められているのではないだろうか。なぜなら、たとえ社会に存在する構造が不当なものに見えようとも、当該社会のなかで生きている人々の多くはその構造のなかで生きてゆかざるを得ない。だとすれば、構造を直ちに変革することを目的とするのではなく、構造にまずは歩み寄って、痛みを伴う有害な部分を取り除いた上で、徐々に内側から制度や構造を改善していくような取り組みこそ中長期的にみれば実は根本的《ラディカル》な変革につながるかもしれないのである。ケニアのＡＨＡスタッフであるミリセント・オディンゴ（Millicent Odingo）も、「特定の社会に関ろうとするとき、そこにはすでに構造が存在しているのだから、私たちはそれを変えることを目的としていません。それらの構造とともに活動するのです。今、ここで私たちがコミュニティに多大な影響力を持っている文化的な長老を見つけようとしているように」と述べている。[49]

国際社会が認めるレンゲテの功績は、これまで多くの少女たちをＦＧＭから救ったというその数に焦点が当てられてきたが、過去に廃絶運動において主体とはみなされてこなかった男性を運動に巻き込んだという廃絶運動の質的な変容をもたらした点にこそあるのかもしれない。ＦＧＭコミュニティの当事者であり、現実的で有効な運動戦略を展開しているレンゲテやＡＨＡのアプローチから、私たちが学ぶべきことは多いのではないだろうか。

ＦＧＭ廃絶運動と教育の機会の連関性

最後に、レンゲテが指摘していたＦＧＭ廃絶と女子教育の関係を見てみよう。ＦＧＭ廃絶の議論や運動において、教育活動（特にＦＧＭや身体に関する知識を教える）を通してＦＧＭ廃絶を目指す主張が多くみられる。ＦＧＭ廃絶活動家として現在、国際的な認知度がおそらく最も高いソマリア出身の元モデルであるワリス・ディリー（国連特使）も廃絶運動の一環としてエンパワーメント教育を実践している。[50] だが、一般的には、そもそもＦＧＭによって結果的に女子の教育機会が奪われている実態はそれほど注目されていないようである。ＦＧＭが問題化され、国際社会に伝えられるとき、多くは切除による死や健康被害が中心になる。もちろんこれは最優先の問題であるが、レンゲテの村でそうであったように、少女たちはＦＧＭを受けることにより、児童婚を強いられ、子を産み、再生産活動の担い手とされる。このプロセスにおいて、本人の意志にかかわらず「女性」となった少女たちには教育は不必要とされる。レンゲテ自身が村で初めての女性高校進学者であるように、児童婚とＦＧＭそして教育機会の三つは相互に連関している。児童婚と教育の相互関係を指摘し、児童婚をなくすためには少女たちの中等教育の機会がきわめて重要であるという報告もある。[51] ＦＧＭ廃絶運動が少女・女性たちのエンパワーメントの推進活動の文脈で語られるのは、このような背景が存在するからである。レンゲテが支援者に「少女たちの夢の実現のために」ＦＧＭ廃絶を訴えるとき、彼女が念頭に置いているのは少女たちの教育機会の確保という課題なのである。

おわりに

コンゴの男性医師のデニ・ムクウェゲは、様々な性暴力によって心身に傷を負った女性たちを治療する病院を運営してきた貢献が認められて、二〇一八年にノーベル平和賞を受賞した。彼は二〇一九年に来日した際の立命館大学での講演とその後のインタビューにおいて、性暴力が蔓延する原因は「沈黙」と「タブー視」であると述べ、非加害者も沈黙によって「共犯者」になりうると述べた。講演後の男子学生からの質問への回答に、男性が女性に対する性暴力の問題について考えていることを歓迎し、「すべての男性が同じように考えてくれたら、世界は変えられると思う（中略）。［男性が］男性の力を弱めるのではなく、闘いに加わる力になってほしい。闘いというのは不平等との闘いである」と訴えた。さらに、闘いとは「有害な男らしさ」との闘いであり、それは「有益な男らしさ」を伸ばすことにつながると続けた。[52]

ムクウェゲはまさに、男性も「男制」による様々な暴力を止めさせるために行動する主体となるよう訴えている。傍観者は決して、「無色透明の」中立な立場には置かれてはいないのである。[53] 二〇〇五年に来日しＷＡＡＦで講演した際にウォーカーも、聴衆からのＦＧＭよりＦＧＣの方が「中立的な」用語であるのでＦＧＣを使った方がよいのではという意見に対して、その実践に反対して即廃止すべきと考えているときに「中立である」ことに意味があるのか、と異を唱えた。[54]

再び宮地によれば、当事者やその支援者が声を発しているとき、聞こえないふりをすることにより、無関心の層が厚くなれば、〈内海〉の生存者たちはますます声をあげにくくなる。「被害者が声をあげやすく、責められたり疑われたりせず耳を傾けてもらえる、きちんと受けとめてもらったり支援してもらえる」ような状況は、「社会のエトス、周りの人たちの感受能力、応答能力」にかかっているのである。[55] 陰のパンデミックをこれ以上蔓延させないためにも、私たちがそれぞれの場所、立場でできることは何であるのかを問い続けたい。

［註］

1 Phumzile Mlambo-Ngcuka, "Violence against Women and Girls: the Shadow Pandemic," UN Women, April 6, 2020. https://www.unwomen.org/en/news/stories/2020/4/statement-ed-phumzile-violence-against-women-during-pandemic

2 プラン・インターナショナル「二月六日は『女性性器切除（ＦＧＭ）の根絶のための国際デー』（国際ＮＧＯプラン・インターナショナル）が、コロナ禍で急増している女性性器切除に警鐘　女の子と女性の人権侵害、差別を助長する有害な慣習の根絶に向けた行動が急務」（二〇二一年二月五日、プレスリリース）https://www.plan-international.jp/press/release/2021/0205.html

3 安藤光里「コロナ禍のアフリカ諸国で、子どもの「女性器切除」が増える理由」（大手小町）、読売新聞（二〇二〇年一〇月九日）https://otekomachi.yomiuri.co.jp/news/20201009-OKT8T242030/

4 UNFPA, *State of World Population 2020*, 2020.（国連人口基金東京『世界人口白書２０２０』阿藤誠監修）

5 宮地尚子「男制の暴力とオルタナティブな親密性」『情況』第三期第六巻第五号、二〇〇五年六月、一六二～一七二頁。

6　同様に、二〇二〇年に世界を席巻したＢＬＭ運動の抗議の対象となったのは、「人種」による差別を行う主体としての（ヨーロッパ系）白人（または、ＷＡＰＳと呼ばれるアメリカ社会のマジョリティ）であるというよりは、黒人差別を内包する社会制度や歴史的プロセスのなかで制度化された人種主義によって繰り返される警察による暴力や不正義に対してであった。コロナ渦において経済・医療格差が顕著になり、エッセンシャル・ワーカーとして働かざるを得ない社会のマイノリティ集団が生存をめぐって非常に深刻な状況に置かれたからこそ、この運動がアメリカ黒人に限らず、グローバル・コミュニティの連帯を喚起するものとなったと言える。つまり、ＢＬＭ運動の抗議の対象が特定の個人や集団ではなく、制度化されている人種主義であることは再確認するに値するであろう。貴堂嘉之「アメリカ社会とコロナ渦――人種マイノリティ差別とブラック・ライヴズ・マター運動」『コロナの時代の歴史学』歴史学研究会編、績文堂出版、二〇二〇年、一〇九～一一七頁。

7　UNICEF, *Female Genital Mutilation/Cutting: A Global Concern*, 2016. https://data.unicef.org/resources/female-genital-mutilationcutting-global-concern/

8　より詳細な施術方法やＦＧＭの実態については、ＷＡＡＦのホームページ及びニューズレター等を参照されたい。ＦＧＭ廃絶を支援する女たちの会（ＷＡＡＦ）「ＦＧＭとは？――タイプ」ＷＡＡＦホームページ http://www.jca.apc.org/~waaf/page/cat/3-1.html

9　大塚和夫『いまを生きる人類学――グローバル化の逆説とイスラーム世界』（中央公論新社、二〇〇二年）、大塚和夫「女子割礼および／または女性性器切除（ＦＧＭ）――一人類学者の所感」『性・暴力・ネーション』（勁草書房、一九九八年）、縄田浩志「香がたすける性のいとなみ――施術された性器と向き合うスーダン女性」『くらしの文化人類学４　性の文脈』（松園万亀雄編、雄山閣、二〇〇三年）他。

10　UNICEF, *Female Genital Mutilation/Cutting: a Statistical Report*, 2005. https://www.unicef.org/reports

11　ＷＡＡＦ「ＦＧＭとは？――ＦＧＭの影響・後遺症」http://www.jca.apc.org/~waaf/page/cat/3-2.html

12　二〇一〇～一五年に〇～一四歳の女児でＦＧＭを受けた割合が高い地域は、上位からガンビアが五六％、モーリタニアが五四％、インドネシアが四九％、ギニアが四六％である（UNICEF 2016）。

13 Lisa Wade, "Learning from 'Female Genital Mutilation:' Lessons from 30 Years of Academic Discourse," *Ethnicities* 12 (1), 2012: 26-49. フラン・P・ホスケン『女子割礼――因習に呪縛される女性の性と人権』鳥居千代香訳、明石書店、一九九三年（原題は、*The Hosken Report: Genital and Sexual Mutilation of Females*）。

14 ＷＨＯ、伊藤充子ほか訳『女性性器切除の廃絶を求める国連10機関共同声明 OHCHR UNAIDS UNDP UNECA UNESCO UNFPA UNHCR UNICEF UNIFEM WHO』ＷＡＡＦ、二〇一〇年。

15 WHO, "Women, Health and Development" (Regional Committee for Africa, Forty-third session, sixth resolution), 1993. https://apps.who.int/iris/handle/10665/100034

16 Inter-African Committee, "Declaration: On the Terminology FGM; 6th IAC General Assembly, 4-7 April 2005, Bamako/Mali," 2005. https://www.28toomany.org/blog/2014/jul/10/28-too-many-joins-the-inter-african-committee-on-traditional-practices-iac/; ＷＡＡＦ「ＦＧＭとは?」(http://www.jca.apc.org/~waaf/page/cat/3-3.html#01) より引用。

17 Elizabeth Heger Boyle, *Female Genital Cutting: Cultural Conflict in the Global Community*, Johns Hopkins University Press, 2002.

18 富永智津子「「女子割礼」をめぐる研究動向――英語文献と日本語文献を中心に」『地域研究』第六巻第一号、二〇〇四年、一六九～一九七頁。

19 WHO, "Seminar on Traditional Practices Affecting the Health of Women and Children, Khartoum," 10-15 February 1979. https://apps.who.int/iris/handle/10665/254379

20 アリス・ウォーカー『メリディアン』（高橋茅香子訳、ちくま文庫、一九八九年）、アリス・ウォーカー『母の庭をさがして』（荒このみ訳、東京書籍、一九九二年）。

21 宮地尚子『環状島＝トラウマの地政学』みすず書房、二〇一八年、一四七～一五〇頁。

22 ヤンソン柳沢由実子『リプロダクティブ・ヘルス／ライツ――からだと性、わたしを生きる』国土社、一九九七年、一六二頁。

23 ＷＡＡＦ『女性性器切除（ＦＧＭ）の廃絶に向けてＷＨＯ・ＵＮＩＣＥＦ・ＵＮＦＰＡ共同声明文』一

九九八年。

24　Babatunde Osotimehin, Anthony Lake, "Eliminate Female Genital Mutilation by 2030, say UNFPA and UNICEF," 2016. https://www.unicef.org/media/media_90034.html

25　Equality Now, "FGM in the Americas." https://www.equalitynow.org/fgmc_in_the_americas

26　長島美紀、博士論文「ＦＧＭ（女性性器損傷）とジェンダーに基づく迫害概念をめぐる諸課題――フェミニズム国際法の視点からの一考察」早稲田大学、二〇一〇年、八六～八七頁。

27　Ontario Human Rights Commission, "FGM in Canada." http://www.ohrc.on.ca/en/policy-female-genital-mutilation-fgm/4-fgm-canada

28　トルドー首相は、「二〇一九年から二〇二三年まで毎年平均一四億ドルを世界中の女性、子ども、成人の健康のための基金として拠出しており、うち毎年七億ドルは、性または生殖に関わる健康や権利のために予算が確保されており、この項目には性またはジェンダーによる暴力も含まれていること、加えてエチオピアにおけるＦＧＭの実施数を削減するために四年間にわたって一〇〇〇万ドルを拠出する」と発表している。Government of Canada, "Statement by the Prime Minister on International Day of Zero Tolerance for Female Genital Mutilation." https://pm.gc.ca/en/news/statements/2021/02/06/statement-prime-minister-international-day-zero-tolerance-female-genital

29　Obama Foundation, "Girls Opportunity Alliance: Rebecca's Story," (YouTube) July 25, 2019. https://www.youtube.com/watch?v=UcVXEVxmfew

30　"US is Moving Backwards': Female Genital Mutilation Ruling a Blow to Girls at Risk," *The Guardian*, November 22, 2018, https://www.theguardian.com/society/2018/nov/22/us-is-moving-backwards-female-genital-mutilation-ruling-a-blow-to-girls-at-risk

31　バイデン大統領は就任直後にＵＮＦＰＡへの米国からの資金提供を再開させ、地球規模で行われているジェンダーによる暴力を防止させる取り組み――このなかには女性性器切除（ＦＧＭ／Ｃ）や早期・強制婚、そして女性や女児の健康を阻害するその他の実践・慣習が含まれる――を支援することを表明した。Joe Biden, "The Biden Plan to End Violence Against Women," 2021. https://joebiden.com/vawa/

32 Ministry of Justice/Home Office (UK), "Serious Crime Act 2015 Factsheet – female genital mutilation," 2015.

33 CNN, "Dangers of FGM to be Taught in UK Schools." https://edition.cnn.com/2019/02/25/uk/fgm-uk-education-damian-hinds-gbr-intl/index.html

34 Amy Abdelshahid et al., *"Do No Harm:" Lived Experiences and Impacts of the UK's FGM Safeguarding Policies and Procedures, Bristol Study*, FORWARD (Foundation of Women's Health Research and Development), 2021.

35 Susan Moller Okin, *Is Multiculturalism Bad for Women?* Princeton University Press, 1999: 24.

36 もっとも、岡真理のＦＧＭ批判の問題点を指摘した千田は、岡が問題視するこういった第一世界対第三世界という枠組みこそ、岡自身が恣意的につくり出したものではないかと述べている。千田有紀「フェミニズムと植民地主義――岡真理による女性性器切除批判を手がかりとして」『大航海――歴史・文学・思想』第四三号、二〇〇二年、一三四～一三五頁。

37 キャスリン・バリー『性の植民地――女の性は奪われている』田中和子訳、時事通信社、一九八四年、二〇三～二〇四頁。

38 Richard A. Shweder, "What about 'Female Genital Mutilation'? And Why Understanding Culture Matters in the First Place," *Daedalus*, 129 (4), 2000: 214; 額田康子、博士論文「Female Circumcision (FC) / Female Genital Mutilation (FGM) 論争再考」大阪府立大学、二〇一一年、三七～六七頁。

39 筆者はウォーカーの作品の丁寧な読み直しが必要だと考えている。ウォーカーについては、代表的な研究として、河地和子『わたしたちのアリス・ウォーカー――地球上のすべての女たちのために』（御茶の水書房、一九九〇年）、光森幸子『「弱きもの」から抵抗者への変容――アリス・ウォーカーの長編小説を読み解く』（溪水社、二〇一九年）を参照されたい。また岡のウォーカー批判への反論としては、註36の千田論文が正鵠を射ている。

40 Wade 2012: 36-37. あるいはこの「個人的な」視点について自分たちが批判するような「文化的植民地主義者」のアプローチの兆候がないかについて、単に無自覚であるのかもしれない。

41 千田「フェミニズムと植民地主義」二〇〇二年、一二八〜一四五頁、「三 コメント①千田有紀「文化相対主義を超えて」」「〈二〇〇四年度アフリカ学会大会「女性フォーラム」報告〉 女子割礼／FGM再考 Part II」『アフリカ研究』第六六号、二〇〇五年、六三〜六八頁。

42 宮地『環状島』二一四頁。

43 「男性のためのフェミニズム」を提唱しているロバート・ジェンセンの文献として次を参照。Robert Jensen, "Men's Lives and Feminist Theory," *Race, Gender & Class*, 2 (2), Winter, 1995: 111-125; Robert Jensen, *The End of Patriarchy: Radical Feminism for Men*, Spinifex Press, 2017.

44 Amref Health Africa, "Health and Education for 2,400 Girls in Tanzania A Positive Alternative to Female Genital Mutilation/Cutting," Amref Health Africa Canada, 2020.

45 Lucy Anna Gray, "Forgotten Women: How one Kenyan Woman Escaped FGM and Saved Thousands more Girls from the Cut," *The Independent*, 2019. https://www.independent.co.uk/news/long_reads/fgm-kenya-nice-nailantei-lengete-forgotten-women-maasai-a8733726.html

46 Jina Moore, "She Ran from the Cut, and Helped Thousands of Other Girls Escape, Too," *The New York Times*, 2018. https://www.nytimes.com/2018/01/13/world/africa/female-genital-mutilation-kenya.html

47 Amref Health Africa UK, "Who is Award-winning Activist Nice Nailantei Leng'ete?" 2019. https://amrefuk.org/what-we-do/latest-news/who-is-awardwinning-activist-nice-nailantei-lengete/

48 Toronto Public Library, "Nice Nailantei Leng'ete: Alternative Rites of Passage," Toronto Reference Library, Nov. 26th, 2019.

49 Amref Health Africa in Canada, "Alternative Rites of Passage to Womanhood: Celebrating Girls without 'the Cut.'" November 23, 2019. https://www.youtube.com/watch?v=ojOYouFM8w8

50 ワリス・ディリー『砂漠の女ディリー』（武者圭子訳、草思社、二〇一一年）、シェリー・ホーマン監督『映画 デザート・フラワー』（ポニーキャニオン、二〇一一年）、ワリス・デリィ『ディリー、砂漠に帰る』（武者圭子訳、草思社、二〇〇三年）。

51 Save the Children, "Working Together to End Child Marriage," The Save the Children Fund, 2018.
52 ムクウェゲによると「有益な男らしさ」とは、男性が女性と同等の存在であると捉えて、男女平等に向けて男性たちが社会に働きかけ、そのための協力者となることである。ＮＨＫ教育テレビ「沈黙は共犯――闘う医師」『こころの時代――宗教・人生』（二〇一九年一二月二二日）、ティエリー・ミシェル監督『女を修理する男』（ビデオメーカー、二〇一八年）。
53 酒井直樹『死産される日本語・日本人――「日本」の歴史-地政的配置』新曜社、一九九六年。
54 ＷＡＡＦ「ＦＧＭ廃絶の現場から――国境を越えた連帯」『二〇〇五年第三回国際シンポジウム報告書』二〇〇五年一一月。
55 宮地『環状島』三二頁。

［付記］
本稿は、Wakako Araki & Shohei Tsuchiya, "Questioning the Cultural Context of FGM: Considering Gender Education from Feminist Points of View," *Theorizing Gender and Race in Historical Contexts: Invisibilities, Transboundary Imagination, and Post-Colonial Futures beyond "the Veil,"* AISRD, 2020: 38-48 をもとに、大幅に加筆したものである。

III
東アジアにおける 帝国とポストコロニアリズム

第8章　東アジアにおける「帝国」の構造とサバルタン・ステイト
——韓国と台湾を中心に

陳柏宇

はじめに

世界中で猛威を振るっているコロナ感染症が続くなか、東アジアの国際政治および経済発展は大きな変化に直面している。米中の対立はますます激しくなり、経済と軍事的安全保障の両面において、中国の拡大する影響力に対抗するために、前トランプ政権は東アジアに次々と爆弾のような衝撃を与えた。経済面では、米中貿易戦争を続け、軍事安全保障の面では、アメリカを中心とした「自由で開かれたインド太平洋」を掲げ、日本、インド、オーストラリアとの間に軍事協力を強化しようとした。アメリカは対台湾（中華民国）政策においても、あえて中国に逆らって、一九七九年の中華民国との国交断絶以来初となる高級官僚の相互訪問を促進した。一方、アメリカの同盟国である日本と韓国間でも軋轢は深まり、冷え込んだ関係がなかなか回復されない。

国際情勢の変動が大きいとはいえ、かつての東アジアにおける自由民主主義と共産主義両陣営が互いに対抗し合った図式は今でも変わらない。冷戦期のイデオロギーはポスト冷戦期に生き残っていると言えよう。パックス・アメリカーナ（アメリカの支配の下の平和）は戦後の東アジアの政治、経済、社会制度だけでなく、知識の生産および東アジア諸国の自己認識にも影響を与えている。第二次世界大戦後、アメリカのインフォーマルな帝国システムは、植民地支配を志向せず、自由主義的価値体系を背景とした合意と条約に基づいて帝国を形成してきた。それは、他の主権国家内に設置した軍事基地を拠点とした「基地の帝国」である（山本二〇〇六）。しかし条約の形をとっているとはいえ、そこに強制が働いていないとは言えない。冷戦構造に置かれた東アジア諸国の多くは、戦前は植民地主義に支配されており、植民地問題の清算が終わらないまま、新しい帝国システムの一部になり、自由主義陣営の「反共の砦」とされ、「戦場国家」や「基地国家」である「サバルタン・ステイト」になっているからである。

「サバルタン」という用語は、植民地化または他の形態の経済的、社会的、人種的、言語的または文化的支配によってもたらされる従属の状態を指す（Beverley 1999）。ポストコロニアル国家は、国際システムにおける不平等と絶えず闘い、しかも外部から自国への介入に対して脆弱であるため、ずっとサバルタン・ステイトであったと言える。たとえば、国の境界線をしばしば外部の力によって変動されるため、戦後の国家建設にあたっても自律的に動くことができなかった（Ayoob 2002）。サバルタン・ステイトは、内外の脅威に直面しているため、国家の存続を確保するために国民の自由と人権を抑圧する権威主義体制をとりながら、国際社会で平等な地位を得ようと闘ってきたのである。

戦後の韓国と台湾（中華民国）は東アジアのサバルタン・ステイトの代表例だと言えよう。注目すべきは、韓国と台湾が直面している国内外の情勢とそれに応じた政策には共通点が多い点である。中華民国（台湾）と大韓民国は、ともに分断国家となり、その後アメリカに追随する最前線の反共主義国家となったが、共産党陣営の中華人民共和国と朝鮮民主主義人民共和国と対立し、いずれも政権の正統性を主張している。また、韓国と台湾はどちらも民主化されていない状態で対日講和を行った（川島 二〇二〇）。さらに、内政面においては、両国とも民主化する前に、国民は権威主義的な近代化体制によって支配され、強硬な反共イデオロギーと党政機関によって統制された。またそのような国による人権侵害と労働権（労働の機会を求める権利）の抑圧および反対運動の弾圧があったため、民主化以降、両国とも社会のトラウマを克服し、和解を達成するためのメカニズムである「移行期正義」の課題に直面している。移行期正義とは、権威主義体制から民主主義体制への移行過程において、過去の抑圧的政治体制の下における虐殺や人権侵害などの事態に対して、被害者への補償をはじめ、適切な対応を行い、紛争後の社会を再建するものを指す。

本稿では、サバルタン・ステイト状態に置かれた韓国と台湾から、従来のアメリカを中心とした東アジアの国際関係に関わる言説を考え直し、そのなかの隠された帝国構造を明らかにしたい。そのために若林正丈氏（二〇二〇）の「方法的帝国主義論」を援用したい。方法的帝国主義論とは、台湾を支配した諸帝国を中心とした世界史のコンテクストから、「台湾の来歴」の外部過程を明らかにし、他方、そのような諸帝国の再編成がどのように台湾の国家・社会そして複雑なエスニック集団に影響を与えたのかを検証するものである。帝国の再編成のなかで、台湾では、新政権による「国家接収」、「社会制圧」という過程が繰り返されている。

韓国と台湾は、いずれも欧米列強の圧力を受けた清帝国、日本帝国、二一世紀に入ってからは非公式帝国であるアメリカの影響を受けている。サバルタン・ステイトとしての韓国と台湾は、冷戦期に、国家建設のために反共主義を錦の御旗に、かつての帝国である日本と新しい帝国であるアメリカに協力し、脱植民地化を放置してきた。東アジアで問題視された「日韓関係」と「中台関係」は、アメリカが主導する「朝鮮戦争体制」という冷戦期のイデオロギーにより安全保障化され、当事者としての韓国と台湾はアメリカに代弁され、発言権を奪われた状態になっているのである。

本稿では、方法的帝国主義論を借り、東アジアのサバルタン・ステイトである韓国と台湾の「来歴」を理解し、現在対立が起こる「日韓関係」と「中台関係」の言説に隠された帝国の構造を掘り出し、対立の根源を見極めることを試みたい。

1　何が問題か――帝国が語る「日韓関係」と「中台関係」

冷戦はアジア太平洋地域ではまだ終わっていない。特に東アジアの安全保障を論じる言説では、冷戦の概念に依存する傾向が顕著である（Ling, Hwang and Chen 2010）。そのような「知的慣性」は、アメリカのヘゲモニーの下で続いている。「朝鮮戦争体制」はアジア太平洋地域の安全保障秩序にとって不可欠であるとみなされ、「自由主義陣営」である日本、韓国と台湾、いわゆる東アジアの民主主義国家は、米国が指導する安全保障の言説に基づき、国内外の知的コミュニティと連携し、こうした言説を自国で内部化し、アメリカに追随する安全保障政策をとっている。こうした安全保障の言説の下では、脅威である中国や北朝鮮に対抗するためには、自由民主主義のアメリカからの保護が必要とされ、東アジア国際秩序における自国の自律性と能動性が否定されてしまうのである。そのような傾向は特に「日韓関係」と「中台関係」に関わる言説でよく見られる。

アメリカが調停人となる「日韓関係」

近年の日韓関係は、外交正常化以降、最大の破綻の危機に直面していると言われている。二〇一八年一〇月と一一月、韓国の最高裁判所は新日本製鉄と三菱重工業に戦時中の労働を強いられた徴用工一人ひとりに九〇〇〇万円の補償金を支払うよう要請した。支払いが拒否された後には、裁判所はさらに韓国における日本企業の資産の差し押さえを命じた。二〇一八年一二月二〇日のレーダー照射事件は、二国間の緊張関係をさらに強め、一ヶ月以上にわたって激しい非難の応酬が繰り広げられた。韓国の駆逐艦が日本海上空で数分間火器管制レーダーを日本の哨戒機にロックしたと報道されると、韓国当局は日本海軍に対する敵意を否定しつつ、日本側が「低空脅威飛行」を犯したと非難した。日韓両方とも米国の同盟国であることから、なかなか想像がつかない紛争だった。その後、日韓間の対立は貿易分野にまで波紋を広げた。韓国裁判所の判決に対する報復措置として、二〇一九年七月に日本政府は韓国のハイテク産業に不可欠な化学物質に輸出管理措置を課し、八月下旬には輸出手続きに関する優遇対象国から韓国を削除した。そしてこのような動きは安全保障面にも暗い影を落とした。同年七月、北朝鮮核開発やミサイル問題など安全保障面に関わる日韓秘密軍事情報保護協定の更新では、韓国側が破棄を決定したが、後にアメリカの要請により継続することになった。

従来、日韓両国は日本の植民地支配に起源を持つ徴用工問題と慰安婦問題で揉めているが、これらはこれまでになく深刻な事態へと発展した。日韓間の紛争を踏まえ、日本とアメリカの論者は東アジアの地政学的変動が起こるのではないかと、日本の安全保障に対し警鐘を鳴らした。日韓間の軋轢で韓国が中国に接近することにより、「韓国のフィンランド化」が生じ、アメリカを中心とした同盟システムは崩壊するのではないかという懸念が高まった（小倉・小針二〇一四、木村二〇一九）。日米両国の論者は、米韓同盟の潜在的な変化について大きな懸念を抱き、日韓関係を修復するため調停者としての役割を果たすよう米国政府に要請している。

台湾では、朝鮮戦争の際、アメリカが台湾に軍事援助を行い、中国から台湾を救ったのだという論調（Lin 1992）がある。これと呼応するかのように、日本では、アメリカと同盟国が結束して、共産主義国家と戦う朝鮮戦争体制こそが日本を含む東アジアの安全を保障するのだとする考えが、多くの政府関係者や学者により強調されている。この論調によると、日本が今最も懸念すべきことは、「朝鮮戦争の終結」のような時期尚早な宣言であり、それは韓国における米軍の存在の論理的根拠、そして最終的には米国と同盟国の抑止力に対して、深刻かつ不可逆的な影響を与えることになる（Miyake 2018）。

国際関係論の分野でも日米韓のリアリズムの立場をとる学者は、日本と韓国の間の対立を抑制するために、米国の存在が必要であると言う。彼らは、米国が日韓に対して距離をとると、日韓間の軍事拡張競争が始まると考える。つまり、日米同盟における米国のコミットメントが弱くなると、日韓は安全保障協力を弱め、それぞれが軍事力の増強を追求し、逆に米国の関与が高くなると、日韓はより協力し合う傾向があると論じられる（Hwang 2003）。

アメリカが保護者となる「中台関係」

米台断交後、アメリカの国会は、一九七九年四月に「台湾関係法」を国内法として立法し、行政府に対して台湾が必要とする防衛用の兵器供与を義務づけている。兵器供与とはいえ、アメリカは台湾の独立した国際地位を認めるわけではない。アメリカは従来から「一つの中国」政策にこだわり、対台湾政策についてはあくまでも中台関係の「現状維持」を目的に「戦略的曖昧さ」を保ってきた。「戦略的曖昧さ」の狙いは、中国の台湾侵攻への対応を明確にしないことにより、台湾が米国の支援を当てにして「独立」を企てることと、中国が武力行使によって統一を企てることの両方を抑止することである。

台湾の安全保障に関わる言説においては、アメリカが不可欠の救世主のように語られ、中台関係を含む外交関係はアメリカに完全に依存しなければならない、アメリカを無視する余裕はないと語られている。台湾では、「朝鮮戦争」により台湾は救われたという主張がほぼ定説になっている。中国は普遍的な敵国とみなされ、アメリカの支持が必要だという蔣介石時代の見方は、民主化以降も変わらない。また、この言説においては、台湾は権威主義国家を民主化させるアメリカの「変革外交」の先頭に立たされ、中国を民主化させるために、アメリカとの「共通の価値観と利益」が強調されている。台湾はアメリカの下請けに組み込まれながら、その外交政策に積極的に加担することになっている。米台共通の価値観を強調してきた言説と表裏一体なのは、アメリカに捨てられる恐怖だと言えよう。というのも、米国と中国が台湾を「共同管理」することになれば、それによって台湾の重要な利益が大きく損害を受けるからである。アメリカが台湾を守ることを徹底せず、戦略的曖昧性を維持し続けるならば、中国は台湾を容易に手に入れることができるだろうと、台湾の論者たちは米台関係を改善するようアメリカに促している。

アメリカは自由民主主義陣営の指導者のように見られているが、台湾における独立志向の論者は、アメリカが同じ自由民主主義国家である中華民国台湾の国連等の国際機関への加盟を支持しなかったことを批判している。二〇〇四年と二〇〇八年に民進党の陳水扁政権が行った国民投票では、前者は台湾を防衛するための武器購入の是非、後者は国連加盟の是非について国民に問うことになったが、いずれも当時のアメリカのブッシュ政権により反対された。ブッシュ大統領は共同記者会見で「台湾の指導者が「両岸」関係（中台関係）の現状変更をもたらすような言動に反対する」と述べ、ライス国務長官も「国連加盟国民投票は挑発的政策である」と批判した。これについて、ブッシュ政権の台湾に対する政策は自己矛盾であると、台湾における独立志向の論者は非難している。というのも、アメリカは台湾を他国の民主主義のモデルとして歓迎するが、民主主義に基づく国際承認を求める動きは思いとどまらせているからである。

「日韓関係」にせよ、「中台関係」にせよ、アメリカが主導する「朝鮮戦争体制」がサバルタン・ステイトを代弁し、東アジア諸国間の真の和解よりも現状の維持を重要視しているため、諸帝国に囲まれた台湾と韓国では、今でも植民主義支配が続いていると言えよう。国家安全保障と恐怖の概念に固執する結果、「中台間」と「日韓間」の和解の可能性や柔軟な対策は見落とされがちである。こうした言説によって台湾と韓国は能動性が奪われ、サバルタンの状況に置かれてしまうのである。

2　サバルタン・ステイト——冷戦と脱植民地化の失敗

日韓間と中台間の紛争には、それぞれ原因が異なるものの、いつくか共通点が見られる。冷戦期の韓国と台湾には反共主義というナショナル・アイデンティティが押しつけられ、両国は国家建設と国際地位の向上のために、前帝国である日本とともに、アメリカが率いた新しい帝国システムに協力した。植民地被害問題が清算されないまま、植民地から自由主義陣営の国に変身させられたわけである。内政面は、韓国と台湾はいずれも権威主義国家になり、社会抑圧が行われ、冷戦構造が内政化された。台湾はさらに外来政権により「遷占者国家」（若林 二〇〇八）になった。遷占者国家とは、移住者集団が土着集団に対して優越的地位を持ち、移住者集団が出身母国から事実上独立していることを指す。蔣介石が率いた中華民国政府は、当時の台湾人にとって、中国本土からの移住者集団だった。このような韓国と台湾における帝国の構造が、現在の日韓関係と中台関係の軋轢につながっている。

韓国の国家建設と日韓協力

戦後日本において帝国時代の統治階層が引き続き政権を握ったことと同様に、韓国独立後の政治エリートたちも、ほとんどが日本の植民地統治下の特権階層であった。一九四五年に米軍が韓国に入った後の数年間、韓国は混乱した状況にあり、共産主義勢力と親米勢力の間の内戦は数千人の死傷者を出した。当時、アメリカは韓国の分断化された政治環境が共産主義の温床となることを恐れていた。一九四七年から一九五四年までの済州島の蜂起に対して、韓国は後の歴史のなかで最も残酷な弾圧を行った（Green 2001）。北朝鮮と統一した自主独立国家の樹立を訴えた国民が約三万人殺された。この大量殺戮は、最初は韓国駐屯の米軍政府により行われ、後に李承晩政府が引き継いだ。

国家建設と国際社会における平等な地位の獲得を求めるなか、戦後の韓国は上述のように国内の混乱と外部からの介入という困難に直面していた。外圧に対して脆弱である一方で、サバルタン・ステイトは通常、内政においては、反体制派を抑圧することにより権威主義体制を強化する手段をとる。外圧と国内の混乱の両方に対して脆弱であった戦後の韓国は、植民地時代の過去を消し去り、自律性を守ろうとした一方で、冷戦構造の下での経済発展を優先し、統一された自由主義陣営の一員であるために、元植民者である日本に協力しなければならない状況に置かれた。当時の韓国は、深刻な経済状況から景気回復を必要としており、アメリカと日本による経済援助を切望していた。

一九六五年の日韓基本条約を締結する推進力が冷戦構造と米国からの外圧であったという事実を見逃すことはできないであろう。いくつかの先行研究（Cha 1996; Le 2019）は、条約を締結するプロセスの欠陥を指摘している。戦後韓国はサンフランシスコ講和条約に署名しようと考えたが、日本から強く反対された。その後、外交の正常化や賠償に関するその他の問題は、後の日韓交渉に委ねられた。一九六五年の日韓条約は、実に一四年間の交渉の末に調印された。日韓協議を妨げた最大の要因は、植民地支配の認識に関する意見の不一致であった。日韓会談の交渉担当者は、この不一致という障害を棚上げすることにより、障害を「取り除く」ことを目指した。言い換えれば、日本と韓国は植民地問題に関して相互理解に達することができないまま、条約を締結することになった。

日韓交渉は、両国の歴史観が相反するため、円滑に進まなかった。米国は日韓関係の正常化を目指して、障害を取り除くための交渉に積極的に取り組んだ。一九五三年に波紋が広がった「久保田発言」はその一例である。当時日本の代表団のメンバーだった久保田貫一郎は、日本が支配していなかったら韓国は中国やロシアに占領されていただろうと主張し、日本の韓国占領を正当化した。さらに、損害賠償に関する韓国の主張を否定し、日本が韓国へ注いだ投資が韓国の経済成長をもたらし、それは日本の植民地支配による被害を相殺するはずだと強調した（Berger 2012）。久保田発言は韓国社会を激怒させ、交渉中断に至った。当時、アメリカは直ちに韓国と日本の両方の協力を要請し、交渉を再開させた。当時の状況は、韓国における日本の植民地支配に対する賠償の問題に関して、韓国に日本との交渉の余地を与えなかった（南二〇一二、吉澤二〇一五）。その結果、慰安婦や徴用工への賠償を含め、「植民地支配に対する日本の反省」について条約には一言の記述もなかった。日本側は、現在も、日韓間の請求権問題は一九六五年の日韓基本条約で「完全かつ最終的に解決済み」との立場をとっている。

この日韓条約の調印に対し、韓国の人々はそれを韓国の「屈辱的な外交」の結果とみなして抗議した。しかし当時の韓国政府は国民の声を抑える一方であった。一九六〇年代から一九七〇年代にかけて学生の抗議も頻発したが、国は、不満を抱いた学生に対して、「韓国の不安定を引き起こす、北朝鮮のような敵であり、国の経済的優先事項に対する認識が欠如している」と非難した。そして彼らを厳罰に処することを正当化した（Han and Ling 1998）。当時の冷戦構造は韓国の反日感情を抑制したと言えよう。日本の植民地支配から生じた反日感情に対応することは、政権の正当性を維持するには重要だと考えられたが、当時の韓国の指導者たちは、反日ナショナリズムと元植民者との協力関係の間に挟まれた。日韓関係の正常化に向けた動きは、ポストコロニアル朝鮮の「自立」と「独立」をさらに困難にしたと言えよう。

資本主義が発達した国家である韓国は、日本の植民地支配とアメリカの覇権支配という二つの重要な段階で資本主義の世界経済に統合された。どちらの段階でも、国家、社会階級、資本主義世界システムの相互作用は、経済を急速に発展させ、それゆえに、政権は自らの正当性を取得できた。権威主義的指導者たちは、米国、日本と連携し、人権を犠牲にして韓国の軍事力と経済力を発展させてきたのである。

遷占者国家になる台湾

一九四五年八月一五日に蔣介石が行った演説には、対日関係の清算に関し、「以徳報怨」という言葉があり、この方針の下で戦後の日華関係が新しく出発した。一九五二年に日華平和条約が調印されたときも、条約は台湾における植民地統治や戦争動員による被害について触れなかった。日華間で歴史問題が争点とならなかった理由は、共産党政権と内戦状態にある中華民国にとって、アジアの大国である日本との関係が重要であり、一定の対日配慮が必要とされたからである。中華民国の経済にとっての対日貿易の重要性も議論されていた。さらに、国連代表権問題を含め、中華民国が国際的地位を保持していく上で、日本の支援が重要であるとも認識されていた。

敗戦後、日本が台湾から引き揚げた後、台湾における脱植民地化のプロセスを主導したのは、当時の台湾住民ではなく、中国大陸から移転してきた中華民国だった。中華民国による脱植民地化を若林正丈氏は「代行脱植民地化」と呼んでいる。蔣介石政権にとっての脱植民地化とは台湾の「再中国化」を目指すものであり、当時の国民党政権はすでに日本帝国に奴隷化された台湾人は、敵国民（日本人）に同化しており、奴隷化から解放するには、「祖国化（中国化）」が必要だと考えていた。蔣介石政権は、台湾の脱植民地化を目指していたものの、植民地主義の被害者である、日本政府に徴兵された元台湾兵や慰安婦などの補償問題は不問に付した。

当時、国民党兵とともに移転してきた中国人と台湾住民との間には支配と被支配の関係が生まれ、これが厳然と維持された。当時の台湾の住民の構成を見ると、日本植民地支配以前から台湾に住む原住民族や中国の南から移住してきた客家人、福佬人などを多数とする「本省人」、さらには蔣介石が率いた国民党軍とともに移住してきた「外省人」や日本人と台湾住民との混血など、数々のエスニック集団が混在しており、外省人が優位に立つ政治社会となっていた。若林の言葉を借りれば、台湾は外来政権による「遷占者国家」となった。というのも、もともと台湾で暮らしていた住民である土着集団に対し、遷占者である移住者集団の優越性が保持されたからである。反共主義を掲げ、反国民党運動、台湾独立運動を容赦なく鎮圧する「外省人」が優位に立つ権威主義国家が台湾で建てられた。当時の台湾人は「犬（日本人）去りて豚（中国人）来たる」と嘆いた。

蔣介石政権の正当性は「反共復国」と銘打った国策にあり、全中国範囲での中華民国統治の復活を果たそうとしていた。中国人アイデンティティを国民に押しつけるために、「国語」運動が行われ、校則では方言を話すことが禁止された。台湾に移転した中華民国の正統性を強調し、台湾が中国大陸から切り離されることは許されないため、中国を中心とした国民教育を行った。そのため、公文書と教科書に掲載されている中華民国の地図は実際には共産党支配になっている地域に及ぶものとなり、これは民主化以降もすぐには修正されず、二〇〇五年以後、地図は実効支配の地域に限られているものとなった。

世界最長の戒厳令（一九四九～一九八七）が解除された後、九〇年代後半からは「本土化（台湾化）」が進むとともに、長期間不在だった台湾史が歴史叙述の主要な位置を占めることになり、中国を中心とした史観との間で歴史認識問題が生じた。長い間不在とされていた台湾の複雑なエスニック集団の姿も、ようやく見えるようになった。また、過去の人権侵害に対する清算として「移行期正義」が行われ、国民党による人権侵害の被害者が対象とされたが、日本統治時代の被害者は対象にならなかった。

すでに、蔣介石の「反共復国」は過去のものとなった。しかし、台湾を祖国の一部として取り戻そうと考えている中国共産党が、武力行使により統一を成し遂げることを諦めない限り、台湾国民は戒厳令時代の白色テロを想起し、反感をつのらせるであろう。台湾は中国に侵攻されないようにと、アメリカの帝国システムに依存しており、これが続く限り、中台関係は悪循環に陥るしかない。

前述したように、「日韓関係」と「中台関係」に関わる紛争を理解するには、隠された帝国の構造を解明する必要がある。韓国と台湾は植民地問題が未解決のままに政権が冷戦体制による権威主義に移行し、脱植民地化どころか、さらに新しい帝国システムの一部になり、それが後日の紛争の種となったのである。

3　サバルタン・ステイトの能動性と脱植民地化の試み

　韓国と台湾には、旧日本帝国の負の遺産が残されている。さらに非公式のアメリカ帝国、中華帝国に囲まれ、今後果たして脱植民地化は可能なのだろうか。脱植民地化は元植民者と対立することではない。それは、自立を成し遂げるだけでなく、元植民者との間の対立関係を解消し、相互理解を深め、和解を目指していくものである。「日韓関係」と「中台関係」において、国レベルでは行き詰まり、対立したままであるのに対し、市民社会は和解へ向かう能動性を秘めており、韓国と台湾における市民社会は「諸帝国の周縁を生き抜く」智恵としたたかさを示している。

　二〇一九年九月、日韓の困難な関係が両国の市民社会間の文化交流を妨げたりはしないことを証明するかのような前向きな場面が見られた。両国間の緊張が高まっているなか、毎年恒例の日韓文化交流祭がソウルと東京の両方で開催され、多くの人が参加した。この文化祭は二〇〇五年に開始され、両国間の最大の草の根交流活動として知られている。参加者は主に若い世代で、日韓間の関係が不安定なときこそ文化交流の重要性を強調すべきだ、と彼らは主張した。

　一九八〇年代以降、日韓間の交流は劇的に成長し、特に地方自治体レベルの交流から、教育や研究の交流、社会運動や大衆文化の交流まで、市民社会間のネットワークはますます日常生活の一部になっている。二〇〇〇年代に韓国ドラマやK-POPを含む韓流が日本を席巻したことは今でも鮮明に覚えられているであろう。二〇〇四年にヒットとなった韓流ドラマ「冬のソナタ」をきっかけに、日本では「冬のソナタ症候群」と「ヨン様症候群」（主演俳優の愛称にちなんで名付けられた流行語）が女性の間で起こった。文化の力で韓国に対する日本人の見方も変えられ、日本人による韓国への観光を後押しした。また、両国の地方自治体が交流を持つことで、自治体と市民間で新たな交わりが生まれ、日韓関係を豊かにするための重要な基盤を築いてきた。主に市民社会によって構築された日韓関係の多様なネットワークは、両国間の緊張を和らげ、両国間の外交関係を安定させるのに役立つ可能性があると言えよう。

「中台関係」においてはどうであろうか。主権問題による緊張感が高まる政府間関係とは対照的に、中台間の民間交流は活発化している。中台間の交流は、経済面の貿易や観光から社会面の大衆文化や家族の絆や宗教的ネットワークにまで及んでいる。経済面から見ると、中国は台湾の最大の貿易相手国であり、台湾の国際貿易局の統計によると、二〇二〇年一〇月末までに、台湾の中国（香港を含む）への輸出は一二二二・七億米ドルに達し、台湾の総貿易輸出に占める割合は四〇％を上回っており、前年と比べて一三・七％伸びた。例年台湾を訪れる中国大陸からの観光客は、訪台旅行が始まった二〇〇八年の九万人台から二〇一五年の四〇〇万人にまで伸びた。しかし、その後、中国政府が民進党の蔡英文政権に対抗するために団体旅行客の渡航を制限したため、訪台の観光客は減少の一途をたどった。

社会面においては、二〇二〇年の統計によると、三六万人を超える中国人が台湾人と結婚しており、台湾における外国人配偶者全体の六五％を占めている。また中国で働いている台湾人は四〇万人に及んでいる。文化面においては、台湾の大衆文化、特に流行音楽は中国の音楽市場に一時期ほぼ独占されており、台湾の歌手と音楽家も中国において人気が高まっている。音楽だけでなく、台湾の仏教も中国に広がっており、影響力は中国の指導者にまで及んでいる。

仏教学者の江燦騰（二〇一二）は、両岸（中台）の仏教発展モデルを「逆中心型発展」とし、本来は中国の法脈を受け入れていた辺境にある台湾仏教が、台湾の土壌によって形を変えて成長し、多様性を持ち、全世界に事業を広めて、中国にフィードバックしていると指摘している。たとえば「慈済」という仏教組織は、中国でのボランティアネットワークを江蘇、浙江、四川、福建、広東、湖北および雲南の各地に展開している。また、台湾の「仏光山」の国際事業は、中国仏教組織の発展における模範となっている。北京龍泉寺と仏光山は密接な交流があり、仏教の現代化および若年化に力を注いでいる。龍泉寺は仏光山モデルに従って海外拠点を開拓し、オランダ、ドイツ、アメリカ、イタリア及びフランスで海外の道場を設立した。

こうした人、物、資本、アイデア、文化の交流が増加するにつれて、両国は相互理解をさらに深めることができる。前述したような帝国の構造において、行き詰まった日韓関係と中台関係は、相互理解を通して、アメリカ依存症から脱却し、緊張と対立を和らげられるであろう。

おわりに

本稿では韓国と台湾を事例とし、方法的帝国主義論を用い、東アジアにおける「日韓関係」と「中台関係」に関わる安全保障化された言説を検討し、そのなかに隠れた帝国の構造を解明することを通して、諸帝国の周縁を生き抜くサバルタン・ステイトに焦点を合わせ、対立の根源を探った。

韓国と台湾は、今、どちらもコロニアルな状態から脱していない自国の主体性を問いただし、模索していると言えよう。今後、米中間覇権の争いにより世界が対立しブロック化に進む可能性は否定できず、板挟みになる東アジア諸国の動きに注目する必要がある。覇権国家に代弁され、主体性が失われた状態からどう脱却するか、韓国と台湾にとって大きな挑戦だと思われるが、日韓間や中台間では、自国の能動性を発揮し、東アジア諸国間の相互理解を増進していけば、パックス・アメリカーナへの依存状態を解消できるだろう。

［参考文献］

小倉紀蔵・小針進編著『日韓関係の争点』藤原書店、二〇一四年
川島真「東アジアの歴史認識問題の共通性と多様性——日中・日台関係からの考察」『アジア研究』第六六巻第四号、二〇二〇年、六〇～六七頁
木村幹「もしも韓国が仮想敵国だったら？」『ニューズウィーク』二〇一九年一月二九日
南基正「戦後日韓関係の展開——冷戦、ナショナリズム、リーダーシップの相互作用」『GEMC Journal』七、二〇一二年、六二～七三頁
山本吉宣『「帝国」の国際政治学——冷戦後の国際システムとアメリカ』東信堂、二〇〇六年
吉澤文寿『日韓会談一九六五』高文研、二〇一五年
若林正丈「「台湾という来歴」を求めて——方法的「帝国」主義試論」若林正丈・家永真幸編『台湾研究入門』東京大学出版会、二〇二〇年
若林正丈『台湾の政治——中華民国台湾化の戦後史』東京大学出版会、二〇〇八年

・中国語文献
江燦騰『認識臺灣本土佛教——解嚴以來的轉型與多元新貌』臺北：臺灣商務印書館、二〇一二年

・英語文献

Ayoob, Mohanmmed, "Inequality and Theorizing in International Relations: The Case for Subaltern Realism," *International Studies Review*, 4 (3), 2002: 27-48.

Berger, Thomas U. *War, Guilt, and World Politics after World War II*. Cambridge University Press, 2012.

Beverley, John, *Subalternity and Representation*. Duke University Press, 1999.

Cha, Victor D., "Bridging the Gap: The Strategic Context of the 1965 Korea-Japan Normalization Treaty," *Korean Studies* 20, 1996: 1, 123–160.

Green, Michael, *Japan's Reluctant Realism: Foreign Policy Challenges in an Era of Uncertain Power*. Springer, 2001.

Han, Jongwoo, and L. H. M. Ling, "Authoritarianism in the Hypermasculinized State: Hybridity, Patriarchy, and Capitalism in Korea," *International Studies Quarterly*, 42(1), 1998: 53–78.

Hwang, Jihwan, "Rethinking the East Asian Balance of Power: Historical Antagonism, Internal Balancing, and the Korean-Japanese Security Relationship," *World Affairs*, 166(2), Fall, 2003, 95–108.

Le, Tom Phuong, "Negotiating in Good Faith: Overcoming Legitimacy Problems in the Japan-South Korea Reconciliation Process," *Journal of Asian Studies*, 78(3), 2019.

Lin, Cheng-yi, "The Legacy of the Korean War: Impact on U. S. -Taiwan Relations," *Journal of Northeast Asian Studies*, 11, 1992: 40-57.

Ling, L. H. M., Ching-Chane Hwang, and Boyu Chen, "Subaltern Straits: 'Exit,' 'Voice,' and 'Loyalty' in US-China-Taiwan Relations," *International Relations of the Asia-Pacific*, 10(1), 2010: 33–59.

Miyake, Kuni, "Northeast Asia as Seen from Okinawa," *Japan Times*, October 9, 2018.

Column 4

ポストコロニアル研究の可能性
――歴史学からの解説

渡辺賢一郎

「ブリュッセルやパリ、ワシントンあるいは国連で教わる歴史ではない。これは、植民地主義とその手先から解放された国々で教えられる歴史である。アフリカは独自の歴史を書くだろう……」

一九六〇年は、西欧諸国の植民地であったアフリカの諸地域が独立をした、いわゆるアフリカの年である。ベルギーの植民地であったコンゴも独立を果たし、首相となったルムンバ（一九二五～一九六一）は独立式典で植民地支配や抑圧は去ったと宣言した。しかし銅などの天然資源利権を手放したくない西欧米はこれを危険視し、独立からわずか十日後に軍事介入し、その協力者たちによってルムンバは殺害された。冒頭の引用はこのルムンバが死の直前に妻に送った手紙の一節である。ヨーロッパの視点から描かれる歴史ではない歴史を切望したこの言葉は、「独立」は果たし得てもなお西欧による植民地支配の構造は変わらないことへの無念と、真の独立と解放を果たし自ら歴史を語る未来への希望が込められている。

「歴史は誰のものなのか」という問いは、「歴史とは何か」という問いほどには問われていない。しかし歴史家ホワイト（一九二八～二〇一八）が言うように、歴史とは過去が語られたもの、すなわち物語である以上、語り手がいてプロットがある。哲学者ヘーゲル（一七七〇～一八三一）は、世界史がギリシア・ローマ世界から始まり近代のゲルマン世界で頂点を迎えると考えた。それは彼自身が属した西欧を中心に据えた物語であり、アフリカは歴史から排除された。歴史家ランケ（一七九五～一八八六）はアジアの歴史は古代史が頂点であり、あとは衰退するという物語を描いた。つまり西欧中心の裏返しである。それは一九世紀に西欧諸国が国民国家を形成し、さらにアジア・アフリカ地域を植民地化していくなかで、世界を自己流で寿ぎ、また正当化する物語だった。

このヨーロッパ中心の物語を知や認識のあり方から問い直したのが文学批評家サイード（一九三五～二〇〇三）である。サイードが明らかにしたのは、ヨーロッパによる非ヨーロッパ世界をめぐる語りや表現されたもの（文学作品や美術など）が、ヨーロッパにとってあるべき姿をしたイメージであるということだった。図1のように、ヨーロッパの思考の土台には西洋に対して東洋を、文明に対して野蛮を対置する二項対立の構図がある。さらに図2のように、図1の左側の群れを互いに結びづけ、これらの属性を「自己（私／私たち）」が持っているとする認識の形をつくり、反対に図1の右側の群れを関連づけ自己とは異なる「他者（私／私たちではないもの）」として考える様式をつくり上げた。ヨーロッパ（自己）は非ヨーロッパ世界（他者）を語り表現すること自体を通して、ますますヨーロッパになり、反対に他者とされた非ヨーロッパ世界はヨーロッパにとってあるべき姿として想像され続けた。そしてそれは帝国主義政策を正当化し（なにしろ教師と生徒の関係である）、植民地政策のあらゆることの基礎となった。そしてこの図式の頑強さは、他者とされた非ヨーロッパ世界の人々が、植民地支配を通じてこのような考えの様式に影響を与えられ、それがあたかも自ら引き受けてきたかのように、巧みに覆い隠されているということにある。

この覆いを取り払おうというのがポストコロニアルという視座である。ポストコロニアルという視座によってこれまでの歴史学を批判的に再考することは、果たして歴史は誰のものであり、誰によって語られ、誰のためにあるのか、根底から問い直すことをもたらす。そしてその問いは、西洋の近代そのものを批判的に問い直すポストモダンという視座とも連関してくる。

たとえば病気の歴史。一九世紀半ばに登場した細菌学説は政治的な課題を負っていた。列強がアジアやアフリカを植民地化していくなか、植民地の開発に労働力を必要としたが、感染症の発生源は必ずそのアジアやアフリカでなければならないとも考えた（つまりヨーロッパは常に感染症の被害者でなければならなかった）。そして病気の原因は特定の細菌であると科学の名の下に断定すれば、またそれさえ除去すれば、労働力を確保し支配を安定させられる。つまり、細菌学説とは帝国主義の要請に応えようとして登場した病気をめぐる新し

図１　二項対立の構図

西洋	──	東洋
ヨーロッパ	──	アジア・アフリカ
文明	──	野蛮
進歩・進化	──	停滞・未開
理性的	──	感情的
能動的	──	受動的
正常	──	異常
白人	──	非白人
男性	──	女性
大人	──	子供・老人
医師	──	患者
教師	──	生徒

図２　構図の自他への振り分け

自己	他者
西洋	東洋
ヨーロッパ	アジア・アフリカ
文明	野蛮
進歩・進化	停滞・未開
理性的	感情的
能動的	受動的
正常	異常
白人	非白人
男性	女性
大人	子供・老人
医師	患者
教師	生徒

い知だった。しかも、特定された病気に対して投薬をすることで治癒が可視化される。植民地の人々は「科学」という福音書を手にして白衣を着た医者に「文明」の恩恵を見出し、これを徹底的に内面化し、近代にからめとられていく。哲学者フーコー（一九二六〜一九八四）が論じた知と権力の関係を探る視座である。

たとえば博覧会の歴史。一九世紀半ば、ロンドン万博を皮切りに、西欧米の諸都市で開催されたそれもまた、政治的な課題を負っていた。博覧会では宗主国の科学が展示される一方、植民地の人々が連れてこられて展示された。民族学展示という科学的装いによって、白人と比較して非白人の特徴を、つまり「人種」を可視化させる。博覧会の順路も野生・野性（動物）を示すエリアから、未開（植民地）を経て、文明（宗主国）エリアへ至る物語を描くことで、来場者にヨーロッパ中心の時空間を内面化させる社会教育の場となる。こうした博覧会をめぐる研究は「帝国史」研究のなかで注目されており、近年は非ヨーロッパ世界がこうした博覧会をどのように見たのか逆照射する立場から問う研究もなされている。

とはいえ、ヨーロッパによって抑圧され主体性を奪われ「政治」の表舞台に現れない人々（前掲の図2で「他者」とされた人々）が、どこまで何を語ることができるのかという深刻な問いは、常に歴史家の前に立ち現れている。これが文学批評家スピヴァク（一九四二〜）のサバルタン（エリートではない虐げられた人々）をめぐる議論である。歴史学は「文字」で書かれたものを第一義とする作法をとっているため、文字史料に現れない貧しい人々、植民地にあって権力の支配下に置かれた人々、女性、民族的マイノリティ、性的マイノリティ、移民、難民の声に耳を傾けることについて、きわめて消極的である。つまり歴史学が語る歴史はエリートのものであることを、ポストコロニアルという視座は歴史家に否応なく突きつけてくる。

近代西洋の産物たる国民国家の語り、ナショナル・ヒストリーについても触れねばならない。ナショナル・ヒストリーは、国民をつくり出すために過去を取捨選択して紡がれた、国家という語り手の存在する物語である。しかし、同心円状に拡大し成立した国民国家は、周縁地域を内なる「植民地」としてきたことに見られるように、またマイノリティを同化ないし排除することに見られるように、内包する暴力性と虚構性によって様々に批判されている。ポストコロニアルから見たナショナル・ヒストリー批判である。

このナショナル・ヒストリーの語りを問い直す視座として、他にもグローバル・ヒストリー（銀や綿などのモノや伝染病の移動、環境に注目する）やビック・ヒストリー（地球史という大きな時間軸のなかで人類史すら相対化する）が大きな物差しを提示している。逆に、主語を小さくしていく試みも注目されている。パブリック・ヒストリーは個人の身の回りに日常的に存在する過去の語りやそれに基づいた「歴史を行う」実践を重視する。また、ある個人の語りに注目する「主体の復権」という視座も提起されている。つまり西洋の知のちからによって担保された従来の歴史学の叙述に対して、様々な視点から攪拌する試みがなされているのである。

とはいえ、攪拌することでかえって西洋近代による権力が覆い隠されてはならない。前述のホワイトは歴史学が叙述してきた物語を「歴史学的過去」とし、これに対して「実用的な過去」に注目した。人々が日常の生活や状況のなかで出会うあらゆる実践的な問題（個人的な問題から大きな政治問題までを含む）を解決するのに必要な、戦略として利用する過去のことである。近代がつくり上げた網の目の上に自分自身があることを自覚し（ときに被害者でありときに加害者でもある）、他人の喜びと痛みに共感し、そして自身をからめとろうとする西洋近代の知に戦略的に抗い続けるとき、こうした歴史の捉え方は手がかりとなるだろう。

ここでルムンバのコンゴに立ち返ろう。一九九〇年代半ばから現在に至るまで、コンゴ民主共和国は戦争と混乱の只中にある。この背後には周辺諸国だけでなく西欧米諸国やグローバル企業体が資源を求めて関与している。コンゴが埋蔵・産出量ともに世界一位だと考えられているコバルト（リチウムイオン電池に用いる）やコルタンが、スマートホンや人気ゲーム機製造に不可欠だからである。二〇一九年末、これらの鉱物採掘で児童労働が行われているとして、誰もが知るIT系グローバル企業五社が訴えられた。この五社が直接現場で児童労働をさせているわけではないが、そうして採掘された鉱物を用いて製造した使用責任を問われている。つまり人々が自らの身体の一部にしつつあるスマホには、コンゴでの戦争や児童労働の問題が覆い隠されているのである。現在までの二〇年間に死者七百万人以上と言われていることすらほとんど世界に知られていない。ルムンバの声はまだ届かない。

ポストコロニアルという視座は、地球のすべての人間が、等しく幸福になる権利をもつという、きわめて常識的な主張の上にある。歴史もまた、西洋の知にからめとられた歴史家の手から解放され、本来、地球上のすべての人間が、等しく自己の歴史を語る権利をもつという、きわめて常識的なものにならねばならない。

第9章　朝鮮人新聞の歴史からたどる日本と朝鮮の「結びつき」

――一九世紀後半から二〇世紀中葉に至るコロニアルな関係、その内実と展開

小林聡明

はじめに

「ソウル三日間二万九八〇〇円」。これは、新聞やネット上でよく見られる旅行商品の広告である。韓国は、地理的にも近く、価格的にもお得感があるだけでなく、波はあるものの二一世紀初頭から続く韓流ブームの後押しも受け、日本人にとって気軽に訪れることができる人気の旅行先となっている。観光以外にもビジネスや留学などの目的で、多くの日本人が韓国を訪問している。「各国・地域別日本人訪問者数」（二〇一八）を見ると、韓国への日本人訪問者の数は、アメリカに次ぐ第二位となっている。また、日本への韓国人訪問者の数も、毎年、中国と一位、二位を争うほどの多さとなっている。今や一年間に約三〇〇万人の日本人と約七五〇万人の韓国人が、日韓間を往来している。活発な人的往来は、いかに日本と韓国が密接に結びついているのかを如実に示している。

日韓間の結びつきは、人的往来だけでなく、あらゆる側面からも見て取ることができる。韓国は、日本の主要貿易相手国であり、輸出先として第三位、輸入先として第四位の位置（二〇

一九）を占めている。また、学術交流や文化交流なども着実に積み重ねられている。歴史問題や領土問題などによって日韓関係がささくれ立ち、互いのナショナリズムがぶつかり合う場面が目撃されようとも、日本と韓国が密接な結びつきを有していることは否定できない。だが、ここまで述べてきた「結びつき」は、あくまで私たちが、今、ここで目撃している、きわめて現在的なものである。あらゆる出来事が歴史性を帯びているように、現在の日韓間に見られる結びつきも、決して過去とは無関係なものでない。むしろ歴史性がまとわりつき、過去と切り離すことができない現在が、そこにある。本章は、日韓の現在的な結びつきにたたみ込まれた歴史性に光をあてるものである。ここでは、朝鮮人が立ち上げたメディアのうち新聞に着目し、その歴史的展開をたどりながら、日韓の結びつきに構造化されたコロニアルな関係を析出させようとする。それは、メディア・レベルから日本と朝鮮の結びつきの内実と、そのダイナミズムを描く試みとして位置づけられる。

本章では、朝鮮王朝末期から大韓帝国期、そして植民地期に至る一九世紀後半から二〇世紀中葉までの期間を分析対象とする。それは、メディア史研究や朝鮮現代史研究に接続するものであり、当該分野の研究蓄積に貢献することになろう。だが、本章の目的は、それにとどまるものではない。朝鮮人新聞の歴史をたどりながら、日本と朝鮮の結びつきについて考えることは、日韓関係や日朝関係の歴史的構造を照らし出すものであり、それは、北東アジアの現在を見つめ、未来を構想するための手がかりになる。こうした手がかりを提供することが、本章の最も大きな目的である。

1　朝鮮半島に生きる朝鮮人のメディア

朝鮮初の近代新聞と日本人の関与

一八八三年一〇月、朝鮮王朝の首都・漢城（現、ソウル）で『漢城旬報』が創刊された。同紙は、朝鮮で初めてとなる近代新聞であった。それと前後する頃、日本では、「小新聞」[2]とよばれる『読売新聞』（一八七四）や『東京絵入新聞』（一八七六）、『朝日新聞（大阪）』（一八七九）、『東京朝日新聞』（一八八八）などが相次いで刊行された。やや日本の方が先行しながらも、一九世紀末の日本列島と朝鮮半島には新聞の時代が到来しようとしていた。こうした同時代的な状況のなかで創刊された『漢城旬報』は、その経緯に着目すると、日本と朝鮮が、いかに結びついていたのかを見て取ることができる。

『漢城旬報』は、修信使（朝鮮から日本に派遣された外交使節）として訪日した朴泳孝《パクヨンヒョ》ら開化派（欧米の近代的な技術や制度を学び、取り入れることで改革を図ろうとする政治勢力）が中心となって創刊した官報のような新聞であった。同紙は、朝鮮政府最初の近代式外務機関である統理交渉通商事務衙門の傘下機関である博文局によって発行された。[3]たしかに『漢城旬報』は、朝鮮人の手によって創刊された。重要なことは、その過程に日本人数名の関わりを看取できることである。

一八八二年、日本を訪れた朴泳孝は、慶應義塾塾長の福沢諭吉と面会し、新聞発行に協力してくれる日本人の推薦を要請した。福沢から『時事新報』記者で、慶應義塾の塾員であった牛場卓造が推薦された。牛場は朝鮮政府から招請を受け、帰国する朴泳孝とともに朝鮮に渡った。さらに同じ慶應義塾塾員であった井上角五郎や高橋正信、活版植字工の真田謙蔵、活字鋳造工の三和六蔵、朴泳孝の軍事教練教師であった松尾三代太郎と原田一も朝鮮に渡った。総勢七人の日本人が朝鮮での新聞発行に協力することになり、彼らのなかで中心的な存在となっていたのが牛場であった。[4] 日本に滞在していた朝鮮人も、新聞発行に協力しようとしていた。当時、慶應義塾の留学生であった兪吉濬《ユキルジュン》らも新聞発行に協力するため、朝鮮に帰国した。[5]『漢城旬報』の創刊準備は、漢城府を中心に漢城判尹（知事）に就任した朴泳孝や兪吉濬、日本人協力者によって進められた。

一九世紀後半、朝鮮政府内では中国に近い守旧派と日本に近い開化派との間で確執が高まっていた。その煽りを受け、『漢城旬報』の創刊準備にあたっていた朴泳孝は、広州留守［市長］に左遷され、兪吉濬は総理衙門主事職を辞任した。井上を除く六人の日本人協力者は、創刊の可能性が遠のいたと考え、日本に帰国した。新聞発行の経験を持たない井上だけが朝鮮に残り、創刊に協力することとなった。[6]

『漢城旬報』創刊の経緯は、朝鮮と日本の重層的な結びつきを照らし出している。第一に、人的な結びつきである。慶應義塾の塾生であった日本人七人が、創刊準備に協力するために、日本から朝鮮に渡った。六人の帰国後、日本人のなかで最年少であった井上だけが朝鮮に留まり、協力を続けた。『漢城旬報』は、慶應義塾を拠点に成立していた日本と朝鮮の人々の結びつきを資源として創刊された。第二に、思想的な結びつきである。福沢は自著『民情一新』（一八七九）のなかで「インフォルメーション」（情報）の意義や可能性に言及し、西洋文明の受容と新聞事業の重要性を説くなど先見的な新聞論を展開した。井上は、福沢の新聞論の忠実な実践者であった。『漢城旬報』の創刊協力を通じて、福沢の新聞論が、朝鮮にも影響を与えた。[7]

開化派の重要人物であり、福沢との親好を重ねていた朴泳孝にとって、福沢が唱える新聞論とは親和性の高いものであった。慶應義塾を拠点とした人的結びつきは、思想的な結びつきを兼ね備えたものとなっていた。第三に、技術的な結びつきである。『漢城旬報』の創刊にあたって、印刷機や活字が日本から輸入された。

『漢城旬報』の創刊には、日本列島と朝鮮半島を架橋する人的、思想的、技術的な結びつきが埋め込まれていた。それをどのように捉えるのかについては、とりわけ創刊の「主導権」が朝鮮人、日本人のどちらにあったのかに焦点が当てられながら、現在も議論は続いている。

韓国の言論史研究者である李鍊《イヨン》によれば、少なくとも一九八〇年代半ばまで明治政府の工作員あるいは侵略者とみなされるあまり、井上に関しては、韓国では十分な研究対象となってこなかった。李鍊は、井上が『漢城旬報』における「実質的な編集者」として翻訳や印刷技術の指導にあたったとみなし、工作員や侵略者ではなかったと指摘する。[8] 一方、『漢城旬報』の創刊における井上の役割は、限定的であったとする議論も見られる。同じく韓国言論史研究者である鄭晋錫は、井上が自身の回顧録で創刊の主役であったのかのように述べているが、自身の役割を強調した主観的な記述にすぎないと指摘する。井上が『漢城旬報』の創刊業務に従事できたのは、七、八ヶ月間に満たず、中心的な役割を果たしていたのは、呂圭亨《ヨギュヒョン》や高永喆《コヨンチョル》であったと見る。[9]

主導権をめぐる議論が続いているように、『漢城旬報』の創刊経緯に見られた結びつきに対する歴史的評価は分かれている。それは、植民地時代の評価をめぐって日本と韓国の間で激しい対立が起きている現在の歴史認識問題の深淵を照らし出している。

在朝日本人新聞と朝鮮人新聞の相克

一八八三年に朝鮮初の近代新聞『漢城旬報』が創刊されたが、実際には、それ以前に朝鮮で暮らす日本人によって、近代的な新聞の発行が始まっていた。日本人が、いつ、どのようにして、朝鮮半島に暮らすようになったのか。まず、この点から見ていきたい。

一八七五年、朝鮮に圧力をかけるために出動していた日本の軍艦が、仁川西方にある江華島近海で朝鮮側から砲撃を受け、それに応戦した「江華島事件」が発生した。明治政府は、朝鮮政府への軍事的圧力を強め、開国を認める条約の締結を迫った。翌一八七六年、日本側に有利な「日朝修好条規」（江華島条約）が締結された。すでに欧米諸国から不平等条約を強いられていた日本は、朝鮮に不平等条約を押しつけた。まもなく釜山が開港され、続く一八八〇年に元山が、さらに一八八三年には仁川の港が開かれた。一九世紀末には、列島から半島への日本人の移住が始まり、釜山や仁川などの港町には、朝鮮半島で暮らす日本人（以下、在朝日本人）のコミュニティが形成され始めていた。

一八八一年一二月、『朝鮮新報』が釜山で創刊された。『漢城旬報』創刊の二年前であった。『朝鮮新報』の発行主体は、日本人商人の利益団体である釜山商法会議所であり、発行の目的は、彼らの商業的利益を維持、拡大することに置かれ、主として経済情報が掲載されていた。同紙は、在朝日本人による日本人のための初の新聞であった。同時に、朝鮮社会で創刊された最初の新聞でもあった。[10]『朝鮮新報』は、『仁川京城隔週商報』（一八九〇年一月）、そして『朝鮮旬報』（一八九一年九月）へと改題されたのち、一八九二年四月に再び『朝鮮新報』に戻された。[11]

この時期、釜山のほか仁川や漢城など朝鮮各地で、日本人による新聞や雑誌の刊行が相次いでいた。一八九五年二月、現在の熊本県出身で、後に政治家となる安達謙蔵によって、『漢城新報』が創刊された。同紙は、在朝日本人が、国漢文（漢字・ハングル混淆文）で朝鮮人向けに発行した初の新聞であった。このほか、ハングルを用いた朝鮮人向けの新聞として、『大韓日報』や『大東新報』が、日露戦争後に朝鮮に渡ってきた日本人らによって創刊された。こうした新聞は、日本外務省からの財政的支援を得て発行され、明治政府による朝鮮侵略を合理化するとともに、日露戦争での勝利を宣伝する代弁機関の役割を担っていた。[12]

　朝鮮人側でも活発なメディア発行の動きが顕在化した。一八九六年四月、開化派の徐載弼《ソジェピル》によって、ハングル三面と英字一面からなる『独立新聞』（週三回発行）が創刊された。それは、『漢城旬報』のような官報的な新聞が発行されていた朝鮮半島に、民間新聞の時代が到来したことを意味していた。一八九七年一月からは、英字面は英字紙 *The Independent* として分離、発行された。『独立新聞』は、たしかに民間新聞であった。とはいえ、一八九七年に朝鮮王朝から国号が改められた大韓帝国政府から創刊のための財政支援や、社屋の提供、輸送料金の割引、取材活動への便宜供与など、あらゆる恩恵を受けていた。大韓帝国政府が『独立新聞』を支援した背景には、開化と国家発展のために新聞の発行が必要であるとの政府自身の認識と、日本人が発行していた『漢城新報』に対抗するという意図が存在していた。[13] 一八九八年に入ると、『協成会会報』や『毎日新聞』、さらに韓末の代表的な民族紙である『太極新聞』と『皇城新聞』が創刊されたほか、『朝鮮基督人会報』や『基督新聞』などの宗教紙が現れるなど、民間新聞が急速に成長した。

こうした背景の一つに開化思想の広まりと社会改革運動の活性化があった。それは、社会における情報欲求の上昇を促し、社会改革の手段として新聞を発行しようという動きを促進させた。二つ目の背景として、新聞が企業として存続可能であるとの自信が、社会指導層のなかに生まれたことがあった。それは、政府の財政支援ではなく、購読料と広告料で新聞を経営していけるとの見通しが、当該社会で示されるようになったことを意味していた[14]。

在朝日本人新聞は、単に朝鮮半島に暮らす日本人同士や、列島と半島のそれぞれの場所に暮らす日本人を結びつけるメディアとしてのみ存在していたわけでなかった。『漢城新報』など、日本人によるいくつかの新聞が、朝鮮人を読者層として発行されていたように、在朝日本人新聞は、朝鮮人とも深く結びついていた。一九世紀末、すでに列島と半島は、在朝日本人新聞を通じて、越境的に結びつけられるようになっていた。

こうした結びつきに対して、朝鮮人側は、激しく抵抗した。その抵抗実践の一つとして行われたのが、『独立新聞』が大韓帝国政府の財政支援によって創刊されたように、対抗言論を立ち上げることであった。また、民間新聞の発行を通じた多元的なメディア環境をつくり出すことで、在朝日本人新聞が有する宣伝の役割を弱化させることも、朝鮮人による抵抗の実践にほかならなかった。

在朝日本人新聞から浮き彫りになる列島と半島の結びつきには、日本人と朝鮮人の厳しい緊張関係がはらまれていた。それは、その後に顕在化する日本と朝鮮のコロニアルな関係を予期させるものであった。

「日本」となった朝鮮の新聞状況

一九〇五年、明治政府と大韓帝国政府の間で、第二次日韓協約が締結され、大韓帝国は日本の「保護国」となった。一九〇六年に韓国統監府が設置され、一九一〇年には韓国併合が行われ、半島は列島の植民地となった。朝鮮は「日本」となり、大日本帝国の版図に含められた。植民地支配の開始とともに、日本と朝鮮の結びつきには、支配と被支配の関係が構造化され、両者間にさらなる緊張関係が生じていった。それは、メディア・レベルでも顕著に見て取ることができる。

一九〇六年、韓国統監府の機関紙として『京城日報』が創刊され、韓国併合後の一九一〇年には朝鮮総督府機関紙となった。一九一〇年五月には朝鮮人が発行していた『大韓毎日申報』が買収され、『京城日報』の姉妹紙として『毎日申報』(毎日新報)が創刊された。同紙の発行者は朝鮮人であったが、事実上、日本人を発行者とする新聞であり、朝鮮総督府の機関紙に準ずるものであった。これらの新聞は、支配する側の論理や正当性を、朝鮮人だけでなく、朝鮮半島の内外に広く宣伝する役割を担っていた。

植民地支配の下で生きる朝鮮人の言論活動は徹底して弾圧された。『帝国新聞』や『皇城新聞』、『大韓民報』などは廃刊に追い込まれ、政治的発言も封殺された。一九一九年に起こった三・一独立運動は、日本による朝鮮植民地支配に大きな動揺をもたらした。同年八月、新たな朝鮮総督に斎藤実が任命された。植民地支配に対する朝鮮人の激しい抵抗を目の当たりにした斎藤は、植民地支配を維持するために、それまでの統治形態を変更せざるを得なかった。いわゆる「武断統治」から「文化政治」への転換である。それは、軍事力を背景に朝鮮人の抵抗を抑えこむ力による支配から、朝鮮人の活動を一定程度認めることで、不満を和らげ、日本人と朝鮮人との対立を減らすことで植民地支配の安定性を確保しようとする統治形態への変更であった。「文化政治」の時代に入ると、言論・出版・集会の自由が一定程度、許容された。朝鮮人によるメディア活動も認められ、一九二〇年には『朝鮮日報』や『東亜日報』が創刊された。だが、あくまで緩和措置がとられたにすぎず、朝鮮総督府による厳しい統制は続いていた。

一九三六年八月、『東亜日報』に、ベルリン五輪のマラソンで優勝した孫基禎《ソンギジョン》選手のゼッケンにあった日章旗を消した写真が掲載された。これに対して、朝鮮総督府は東亜日報社に無期停刊処分を下し、社長ら幹部は辞任した。東亜日報社が停刊処分を受けたのは四回目のことであった。一九三七年六月に停刊処分は解除され、発行が再開された。朝鮮日報社も、植民地期を通じて四回の発行停止処分を受けていた。一九四〇年八月、朝鮮総督府は、両紙を強制廃刊した。これにより、朝鮮人の手による新聞は、一九四五年に植民地支配が終焉を迎えるまで、朝鮮半島からすべて姿を消した。

一九世紀末から二〇世紀半ばまでの朝鮮人メディアの歴史的展開は、暴力を内包した支配と被支配の関係性《コロニアルな》が日本と朝鮮の結びつきに構造化されていく過程を照らし出していた。次節では、こうした結びつきについて、日本列島に暮らす朝鮮人（以下、在日朝鮮人[15]）が立ち上げたメディアの観点から検討してみたい。

2　日本列島に生きる朝鮮人のメディア

列島と半島を移動する朝鮮人

一八世紀半ばにイギリスで起こった産業革命は、欧米諸国に広がっていった。こうした動きは、東アジアにも波及し、なかでも日本が、最も迅速かつ積極的に反応した。明治政府は、近代国家建設を急ぎ、欧米に追いつくために富国強兵を推し進めた。一九世紀後半以降、開発途上地域であった日本では、工業化が進展し、急速な資本蓄積が図られていった。一九一〇年代には、大阪は「東洋のマンチェスター」と呼ばれ、東アジア最大の工業都市となるまでに発展していた。日本は、東アジアで最も工業化が進んだ地域となっていた。

近代国家を目指すための工業化の歩みは、大日本帝国の版図が拡大していく動きを伴うものであった。一九世紀後半、明治政府は、琉球併合を通じて琉球を沖縄として帝国日本に編入した。一九世紀から二〇世紀への世紀転換期前後には、下関条約や韓国併合を経て、台湾や朝鮮が植民地として帝国の版図に組み込まれた。さらに中国大陸や東南アジアへの兵力展開や民間人の移動・定着を通じて、帝国の空間は、南洋群島から北東アジア、東南アジアへと外縁が拡張されていった。だが、膨張した帝国の空間は、決して均質的なものではなかった。帝国の内部には、様々な境界線が設定され、植民地や占領地、租借地といった帝国の中心とは明確に区別されたサブ・カテゴリーとしての空間が存在した。帝国日本の空間構成は、重層的な構造配置をとっていた。

帝国に生きる／生きることを余儀なくされた人々のなかには、サブ・カテゴリーとしての空間に留まり続けることなく、これらの空間をまたぐ越境的な移動を試みる人々がいた。その代表的な事例が、朝鮮人である。ある者は仕事を求め、ある者は学ぶために、そして、ある者は自らの意に反して玄界灘を渡っていった。帝国の周縁から中心が目指されただけではなかった。ある者は、新たな農地を求め、生きるために「王道楽土」の満州を目指して境界を越えていった。帝国の周縁から周縁への移動も行われたのである。[16]もちろん帝国の外部へと移動する者もいた。朝鮮の人々は、生活や学業、独立運動の場を求めて、沿海州、ハワイ、北米などの地に向かっていた。一九四四年には朝鮮の全人口の一一・六％が半島を離れて暮らしていた。「朝鮮民族は世界でも類をみない離散の民となっていた」[17]。帝国の中心である日本列島は、朝鮮人にとって最大の移住目的地となっていた。二〇世紀初頭以降、列島と半島の間を越境的に移動する朝鮮人の数は増加を続け、列島と半島を包摂する広大な空間には、彼ら・彼女らによる「国境をまたぐ生活圏」[18]が立ち現れていた。一九四五年夏の敗戦時には、日本列島内で生活を営んでいた朝鮮人は、二〇〇万人以上にのぼっていた。

帝国の外縁を食い破る在日朝鮮人メディア

一九世紀末に半島に渡った日本人が、そうであったのと同様に、列島で暮らすこととなった朝鮮人も、自らのメディアを立ち上げていた。一八八四年、急進開化派によるクーデターである甲申政変が失敗すると、朝鮮から日本への留学生派遣が中断されたが、日清戦争後に再開され、多くの朝鮮人留学生が日本に派遣された。一九一〇年に韓国併合が行われる前の時点では、日本に暮らす朝鮮人はわずか二七〇〇人程度にすぎなかったものの、メディア活動は活発に行われていた。その担い手となっていたのが、朝鮮人留学生であった。

一八九六年二月、機関誌『親睦会報』が、在日留学生組織である大朝鮮人日本留学生親睦会によって創刊された。同誌は、日本で最初の朝鮮人による朝鮮語雑誌となった。半年以上経った同年一一月、朝鮮で初めてとなる国文雑誌『大朝鮮独立協会報』（一八九六年一一月）の発行が開始された。以後、韓国併合までの間に『太極学報』（一九〇六年八月）や『共修学報』（一九〇七年七月）など数多くの雑誌が、日本で学ぶ朝鮮人留学生によって創刊された。主要な雑誌だけでも一三種類に達していた。植民地統治が開始された後の一九一四年には東京朝鮮留学生学友会の機関誌『学之光』が創刊され、朝鮮半島や米国各地の朝鮮人に配布されていた。

日本でメディア活動を行っていた朝鮮人留学生のなかには、帰国後、『大韓倶楽』を創刊するなど、日本の植民地支配に抗い、朝鮮の独立を目指す「抗日救国言論」の先頭に立つ者も現れた。また、日本留学中に『大韓留学生学報』編集人を務めた崔南善《チェナムソン》は、朝鮮における雑誌の発展に大きく貢献したことが知られている。朝鮮人留学生による列島や半島でのメディア活動は、韓国における近代ジャーナリズムの生成・発展に直接的あるいは間接的に少なくない影響を及ぼしたことが指摘されている[19]。

半島から列島への越境的な移動を果たしていたのは、留学生だけではなかった。先述したように、世紀転換期を前後して世界システム・レベルでの変動が激しく起こるなか、労働力の移動が活発化していた。とりわけ韓国併合後、半島で土地を失い、離農を余儀なくされた朝鮮人が日本の労働市場に流入した。アジア太平洋戦争が勃発すると、総動員体制に伴う労務動員などにより、渡日する朝鮮人の数は飛躍的に増加した。渡日労働者が移住先の土地に新しい社会を形成する過程で、彼らは個人や団体を発行主体とする様々なメディアを立ち上げた。それは「民族としての政治的独立を奪われ、劣悪な労働条件を強いられ、社会的な差別に苦しみ、言語的・文化的抑圧に晒された人々があげた、自由と独立を求める声に形を与える手段」[20]となっていた。一九三〇年代半ばには、厳しい弾圧により労働運動から離脱することを余儀なくされた在日朝鮮人の元運動家らが、『民衆時報』や『朝鮮新聞』、『東京朝鮮民報』など時事報道を目的とする朝鮮語紙を創刊した。これらの新聞には、『朝鮮日報』や『東亜日報』など本国新聞社の支援を受けて発行を継続させたものも少なくなかった。[21]

離散の民となった朝鮮人は、世界各地でメディア活動を展開していた。ハングルを使用した新聞は、朝鮮人を読者対象としながら、満洲や中国、ロシア、アメリカにまで広がる類をみない特別な存在となっていた。[22]列島で生きる朝鮮人が手にしていたメディアは、列島で発行されていたものだけではなかった。帝国の外部からもたらされるメディアは、厳格な統制下に置かれていた。にもかかわらず、世界各地に住む朝鮮人によって、密かに帝国内部に持ち込まれていた。ハワイからは『国民報』や『太平洋時事』、『韓美報』が、上海からは『独立新聞』や『雲壇』が、サンフランシスコからは『新韓民報』が、列島で暮らす朝鮮人の手に届けられていた。[23]

帝国の中心における朝鮮人メディアは、帝国の周縁である植民地空間だけでなく、中国やアメリカ、ロシアなど帝国の外部にも結びつく越境的なネットワークを有していた。それは、列島と半島のコロニアルな結びつきが絡みつく在日朝鮮人メディアのなかに、帝国の外縁を食い破ろうとする力の存在を浮き彫りにするものであった。こうした力の実践は、植民地支配に対する抵抗に〈かたち〉を与えるものであり、メディアは、帝国の内外部で生きる朝鮮人にとって、抵抗の拠点となっていた。

おわりに

本章は、一九世紀後半から二〇世紀半ばにかけて朝鮮人が発行した新聞に着目し、その歴史的展開をたどりながら、列島と半島とのコロニアルな結びつきを照らし出し、そのダイナミズムを描き出すものであった。[24] こうした結びつきは、二〇世紀半ば以降、どのように展開していったのだろうか。

一九四五年八月、日本がアジア・太平洋戦争に破れたことで、三六年に及んだ植民地支配から朝鮮は解放された。だが、それは朝鮮の独立を意味するものではなかった。一九四五年八月から九月にかけて、北緯三八度線を境に半島の北半分にはソ連軍が、南半分には米軍が上陸し、南北分割占領統治が開始された。植民地支配から解放されたはずの朝鮮半島は、再び外国の支配下に置かれることとなった。米軍による南朝鮮占領は、一九四八年八月の大韓民国政府樹立まで行われ、北朝鮮地域では、朝鮮民主主義人民共和国政府が成立する同年九月までソ連軍による占領統治が継続された。朝鮮の脱植民地化は、米ソ占領下で開始され、占領終結後も、冷戦期を通じて、米ソは、韓国・北朝鮮のそれぞれの社会の存在様式を隅々まで規定していった。それは、韓国ではアメリカと、北朝鮮ではソ連とのポストコロニアルな出会いがあったことを意味していた。

アメリカとポストコロニアルな出会いを経験したのは、南朝鮮に暮らす人々だけではなかった。一九四五年九月からGHQ占領の始まった日本で暮らす朝鮮人も、アメリカとポストコロニアルな出会いを経験した。敗戦時、日本にいた二〇〇万人以上にのぼる朝鮮人のうち、約一三〇万人が、一九四五年八月半ばから同年末までの間に南朝鮮に帰還した。帰還したところで、彼ら・彼女らは再びアメリカと出会うことを余儀なくされた。

この頃、南朝鮮では、極度のインフレが進行し、経済が混乱状況に陥っていた。さらに政治的な混乱にも見舞われていた。これに拍車をかけたのが、一九四五年一二月末にモスクワ三国外相会談で決定された朝鮮の信託統治案であった。南朝鮮社会では、信託賛成派と反対派が激しく対立し、政情不安が加速していた。経済的、政治的混乱は、日本に暮らす朝鮮人にも伝えられていた。彼ら・彼女らのなかには、南朝鮮に帰還せず、とりあえず日本に留まり、生活を継続させようとする者が数多く見られるようになった。[25] GHQ占領下の日本で生きる朝鮮人にとっては、南朝鮮に帰還したところで、また、日本に残留したところで、アメリカから逃れることはできなかった。

それは、北朝鮮に生きる人も同様であった。一九五〇年六月に勃発した朝鮮戦争では、アメリカ軍による空爆によって、北朝鮮の国土は徹底的に破壊された。一九五三年七月に停戦協定は成立したが、いまだ終戦（平和）協定は締結されていない。あくまで「打ち方やめ」の状態が続いているだけである。朝鮮戦争は終わっておらず、米朝間の敵対的関係が現在まで維持されている。北朝鮮において、あらゆる事柄がソ連（ロシア）のみならず、アメリカとの関係のなかで規定され、現在も規定され続けている。冷戦期からポスト冷戦期を通じて、一貫して北東アジアに圧倒的な「強者」として君臨するアメリカは、どこまでも朝鮮人を追いかけ、まとわりつき、ふりほどくことが困難な存在となっていた。[26]

最後に二つの問いを提示して、本章を締めくくることとしたい。まず、列島と半島のコロニアルな結びつきは、帝国崩壊後に断ち切られた結果として、日韓間に新たな結びつきが出現したのだろうかという問いである。本来、連合国と締結した「サンフランシスコ講和条約」や韓国と締結した「日韓基本条約」は、コロニアルな結びつきの清算と、新たな結びつきの構築を目的としたものであった。昨今、激しい対立を見せる日韓歴史問題は、何が清算され、何が清算されなかったのかをめぐる論争であり、新たな結びつきが構築されたと、とりあえずは考えられていた日韓関係の構造と展開ついて、植民地支配という観点からの問い直しを迫るものとなっている。それは、植民地支配という過去が、過去にはなっておらず、きわめてアクチュアルな問題として、私たちの眼前に立ち現れていることを意味している。こうした問題にどのように向き合うのか。歴史認識問題を乗り越え、これからの日韓関係を構想するためには、それは避けて通れないものとなっている。

二つ目は、二〇世紀半ばに圧倒的な力を持った存在として出現したアメリカは、日本や韓国と、どのように結びついていたのか。そして、それはいかなる性格を有するものであったのかという問いである。日本や韓国は、政治や経済、安全保障などあらゆる側面で、アメリカと密接に結びついていた。日本―アメリカ、韓国―アメリカという二つの結びつきは、冷戦を通じて結合され、日本―アメリカ―韓国という結びつきへと拡大・発展していった。だが、日韓米の三者関係は、決して対等なものではなかった。韓国社会では、冷戦期、ポスト冷戦期を通じて、こうした対等ではない関係を問い直そうとする動きが見られた。それは、日韓米の結びつきのなかに、コロニアルなものを発見し、問題化していく試みであり、圧倒的な「強者」であるアメリカ、それに続く「強者」である日本に向けられたポストコロニアルな抗いであった。こうした抗いの矛先は、しばしば自国の政権にも向けられ、南北分断体制の克服も視野に入れた民主化運動の一つの〈かたち〉として可視化された。第二の問いについて考えることは、韓国社会におけるポストコロニアルな抗いへの注目を通じて、二〇世紀半ば以降の北東アジア地域に埋め込まれたコロニアルな結びつきの稼働状態を確認し、そのポストコロニアルな展開を浮き彫りにさせることに繋がっている。

こうした二つの問いに向き合い思考することは、私たちがこの地域で、どのような社会を築き、生きていけばよいのかという、未来を構想するための知的営為として位置づけられる。

［註］

1 日本政府観光局（JNTO）「各国・地域別日本人訪問者数（日本から各国・地域への到着者数）（二〇一五年～二〇一九年）」。

2 日本メディア史研究において、「小新聞」は、主として日常の社会的事件や娯楽を扱い、それらに関する記事を口語体で、ふりがなをつけて記された新聞とされている。「大新聞」は、政治評論に重点が置かれ、政論新聞として位置づけられる。

3 車培根ほか『我が新聞一〇〇年』玄岩社、二〇〇一年、一二二頁（韓国語）。

4 鄭晋錫『韓国言論史』羅南出版、一九九〇年、五〇～五一頁（韓国語）。

5 車培根ほか、前掲書、二〇〇一年、一九頁。

6 鄭晋錫、前掲書、一九九〇年、五一頁。
7 土屋礼子「「帝国」日本の新聞学」『岩波講座「帝国」日本の学知――メディアのなかの「帝国」』第四巻、山本武利編、岩波書店、二〇〇六年、三六～三七頁。
8 李錬『朝鮮言論統制史――日本統治下朝鮮の言論統制』信山社、二〇〇二年、一九～四五頁。
9 鄭晋錫、前掲書、一九九〇年、五一～五二頁。
10 蔡白『韓国言論史』二〇一五年、五五頁（韓国語）。
11 金珉煥『韓国言論史』羅南出版、二〇〇二年、一六三頁。
12 車培根ほか、前掲書、二〇〇一年、五八頁。
13 車培根ほか、前掲書、二〇〇一年、三四および三七頁。
14 車培根ほか、前掲書、一九九一年、四一～四三頁。
15 本章では、戦前戦中、あるいは戦後といった時期を問わず、朝鮮半島にルーツを持って、日本で暮らしていた人々を在日朝鮮人と呼ぶ。この呼称は、大韓民国（韓国）あるいは朝鮮民主主義人民共和国（北朝鮮）のいずれを支持するのかといった政治的立場や所属の表明とは無関係である。
16 満州に移住した朝鮮人のうち、中華人民共和国成立後も、同地に留まり続けた人々およびその子孫が、現在、主として中国東北部（遼寧省、吉林省、黒竜江省）に暮らす二〇〇万人の中国朝鮮族と呼ばれる人々である。
17 ブルース・カミングス『朝鮮戦争の起源――解放と南北分断体制の出現 一九四五～一九四七年』第一巻、鄭敬謨・林哲訳、シアレヒム社、一九八九年、九八頁。
18 梶村秀樹「定住外国人としての在日朝鮮人」『思想』第七三四号、岩波書店、一九八五年。
19 車培根『開化期日本学生の言論出版活動研究――一八九四～一八九八』ソウル大学校出版部、一九九九年、二頁（韓国語）。
20 町村敬志「戦前期における在日朝鮮人メディアの形成と展開――内務省警保局資料を中心に」『一橋大学研究年報　社会学研究』第四〇巻、二〇〇二年。

21　町村、前掲論文、二〇〇二年。
22　李相哲「日本統治下東北アジアのジャーナリズム――ハングル新聞を中心に」『龍谷大学国際社会文化研究所紀要』第六号、二〇〇四年。
23　町村、前掲論文、二〇〇二年。
24　GHQ占領期日本における朝鮮人新聞の成立と展開については、小林聡明『在日朝鮮人のメディア空間――GHQ占領期における新聞発行とそのダイナミズム』（風響社、二〇〇七年）を参照のこと。
25　小林聡明「朝鮮人の移動をめぐる政治学――戦後米軍占領下の日本と南朝鮮」『近代アジアの自画像と他者――地域社会と「外国人」問題』貴志俊彦編、京都大学学術出版会、二〇一一年、一一〇〜一一一頁。
26　小林聡明「CIA・米慈善団体・在日支援――一九五〇年代中葉を中心に」『抗路』第七号、クレイン、二〇二〇年。

［参考文献］

李錬『朝鮮言論統制史――日本統治下朝鮮の言論統制』信山社、二〇〇二年
李相哲「日本統治下東北アジアのジャーナリズム――ハングル新聞を中心に」『龍谷大学国際社会文化研究所紀要』第六号、二〇〇四年
梶村秀樹「定住外国人としての在日朝鮮人」『思想』第七三四号、岩波書店、一九八五年
カミングス、ブルース『朝鮮戦争の起源――解放と南北分断体制の出現一九四五〜一九四七年』第一巻、鄭敬謨・林哲訳、シアレヒム社、一九八九年
小林聡明『在日朝鮮人のメディア空間――GHQ占領期における新聞発行とそのダイナミズム』風響社、二〇〇七年
小林聡明「朝鮮人の移動をめぐる政治学――戦後米軍占領下の日本と南朝鮮」『近代アジアの自画像と他者――地域社会と「外国人」問題』貴志俊彦編、京都大学学術出版会、二〇一一年
小林聡明「CIA・米慈善団体・在日支援――一九五〇年代中葉を中心に」『抗路』第七号、クレイン、二

〇一〇年
土屋礼子「「帝国」日本の新聞学」『岩波講座「帝国」日本の学知――メディアのなかの「帝国」』第四巻、山本武利編、岩波書店、二〇〇六年
町村敬志「戦前期における在日朝鮮人メディアの形成と展開――内務省警保局資料を中心に」『一橋大学研究年報　社会学研究』四〇巻、二〇〇二年

・韓国語
車培根ほか『我が新聞一〇〇年』玄岩社、二〇〇一年
鄭晋錫『韓国言論史』羅南出版、一九九〇年
蔡白『韓国言論史』カルチャー・ルック、二〇一五年
金珉煥『韓国言論史』羅南出版、二〇〇二年
車培根『開化期日本学生の言論出版活動研究――一八九四〜一八九八』ソウル大学校出版部、一九九九年

第10章　法と人権

――「治安維持法」から「国家保安法」へ

権寧俊

はじめに

本章では、ポストコロニアリズムの観点から法と人権問題との関連を、日本植民地時代に制定された「治安維持法」と戦後韓国に制定された「国家保安法」を取り上げ考察する。また、民衆を守るためにつくられた法律が国家暴力として現れ、民衆に与えた影響についても考える。

大韓民国（以下、韓国）は一九四五年八月一五日に日本の植民地から解放され、三年間の米軍統治を経て、一九四八年八月一五日に建国された。その後、同年九月には朝鮮民主主義人民共和国（以下、北朝鮮）が建国された。これによって朝鮮半島は南北に分断され、冷戦時代のシンボルにもなった。韓国における冷戦の影響は建国直後に現れた。一九四八年一〇月に麗順反乱事件が発生し、その影響から「国家保安法」が制定された。

「世界人権宣言」では「すべての人は、法の下において平等であり、また、いかなる差別もなしに法の平等な保護を受ける権利を有する」（第七条）と明記しており、「何人も、拷問又は残虐な、非人道的な若しくは屈辱的な取扱若しくは刑罰を受けることはない」（第五条）と示されている。しかし、韓国では国家保安法という法令の下に、「社会主義」「反政府主義」などの思想が取り締まられ、その活動家に対して厳しい国家暴力が行使された。その暴力の大部分は拷問と虐殺であった。国家保安法は長い間韓国における国家暴力の代名詞として受けとめられ、現代まで続いている。

その国家保安法は、日本の「治安維持法」の韓国版であると言っても過言ではない。治安維持法は日本帝国憲法体制下で社会主義運動や労働運動などの思想運動、大衆運動はもちろん、思想、学問、言論、表現など一切の自由への過酷な弾圧の法的根拠になり、数多くの一般犠牲者を出した。これが戦後韓国において国家保安法の下で再現されたのである。

このように、治安維持法と国家保安法は、民衆の思想と言論の自由や人権までを縛る法律となっていた。二つの法律はともに最初は「反共産主義」を掲げてつくられていたが、その後各政権の維持のために悪用され、民主的諸権利を抑圧し剥奪するための制度的装置として働くようになったのである。本章では、これらの法律が制定される歴史的な背景を探り、その法律が本来の制定目的と異なって変質し、悪用された過程と、それによって一般民衆が受けた被害について具体的な事例をあげながら考察する。

1　日本における治安維持法の制定

治安維持法制定の背景

第一次世界大戦によって日本の経済は好景気を迎えていたが、大戦が終結すると好景気から一転し不況へと転落した。一九二〇年に入ってからは、不況は慢性化し、工場閉鎖、解雇、賃下げなどが起こって、労働争議も深刻化した。また、一九二二年には日本農民組合も組織され、労働運動はより激しくなった。[1] そこで、日本政府は治安警察法の下にこれらの労働運動を弾圧した。治安警察法はストライキを制限する目的で一九〇〇年二月に制定された。また、治安維持という名目で民衆の思想や言論まで統制しようとした。一九二二年二月一八日に日本政府は「過激社会運動取締法案」を帝国議会に提出した。法案第一条では、「無政府主義、共産主義その他に関し朝憲（国を統治する根本の法規）を紊乱する事項」を宣伝する目的で結社・集会・大衆運動を行った者を処罰することが、その主眼として示されていた（奥平康弘 一九七三）。そのため、野党からの強い反対を受け、審議未了となった。在野（言論界・教育界・法界など）からも反対運動が行われた。

　その後、日本政府は「取締法」の制定には消極的であったが、一九二二年七月に日本共産党が結成され、社会主義運動も日本社会に浸透し始めると、翌年六月から治安警察法の「秘密結社」罪に基づいて第一次日本共産党の検挙に踏み切った。さらに、一九二三年九月一日には関東大震災が発生し、多くの死者・被害者が出た。日本政府は直ちに戒厳令を発して治安維持に乗り出した。この災害では多くの朝鮮人が虐殺される事件まで発生した。「朝鮮人が井戸に毒を投げ込んだ」「殺人・放火をしているから気をつけろ」など根拠もない流言蜚語が流れ、それを信じた自警団が朝鮮人を捕まえて殺害する事件が多発した。九月二日には戒厳令が敷かれ、軍と警察によって治安維持が行われたが、警察や軍も流言蜚語を否定せず、自らも殺傷に手を染めたと言われる（内田博文 二〇一七）。日本政府は緊急勅令を公布して流言蜚語を取り締まろうとした。九月七日に「治安維持ノ為ニスル罰則ニ関スル件」、別名、「治安維持令」が公布された（奥平康弘 一九七三）。この勅令は「暴行、騒擾、その他の生命、身体、財産に危害を及ぼすべき犯罪を扇動し、安寧秩序の紊乱を目的として治安を害する事項を流布し、人心の惑乱を目的として流言浮説する者に対して、一〇年以下の禁錮・懲役、または三〇〇〇円以下の罰金を科する」というものであった。

図１　治安維持法反対デモ
出所：小西四郎等編『日本百年の記録：写真図説 第２（世界と日本）』（講談社、1960年）より

治安維持法の制定

治安維持法は治安維持令に代えて、一九二五年に制定された。一九二四年二月一八日、治安維持法案が第五〇回帝国議会に提出されたが、その提案理由は「過激社会運動取締法案」と基調においては同様であった。「過激社会運動取締法案」は廃案になったのに対し、治安維持法案は難なく採択された。「過激社会運動取締法案」は思想の宣伝を罰する「宣伝」取締法の体裁をとっていたが、言論や学問、出版の自由を侵害するという批判を浴びて大幅な修正を強いられ、廃案となった。しかし、治安維持法案は「過激社会運動取締法案」と違って、一九二三年の第一次日本共産党事件をうまく利用して、日本共産党を中心とする非合法的社会運動に取締りの対象を絞ってつくられた。また、これは、同じ「治安維持」であっても、内容が「治安維持

令」とは大きく違っていた。「治安維持令」は言論等の規制法だったのに対し、治安維持法は共産主義的秘密結社の鎮圧等を主目的とする結社規制法であった。そのため、同法案は一八日に帝国議会に提出され、一九日に緊急上程されたのである。同法案は全七条から構成され、その第一条では次のように示されていた。「国体若ハ政体ヲ変革シ又ハ私有財産制度ヲ否認スルコトヲ目的トシテ結社ヲ組織シ又ハ情ヲ知リテ之ニ加入シタル者ハ十年以下ノ懲役又ハ禁錮ニ処ス」（奥平康弘 一九七三）。

治安維持法の主たる対象は無政府主義者や共産主義者であった。それにもかかわらず条文では無政府主義者や共産主義者などの言葉は一切出なかった。それは、「無政府主義」や「共産主義」などの用語を用いた場合、別の政党名に変えられると取締りができなくなるからであった。そこで「国体（国家の体制）変革」や「私有財産制度の否認」などの用語を用いて無政府主義者や共産主義者の取締りにあたることにしたのである。当時の国務大臣・若槻礼次郎はこの法案を帝国議会に提出する際に、その趣旨を以下のように表明した。

「我国に於きまして、無政府主義者、共産主義者其の他の運動が近年著しく発展を見るに至りまして（中略）、過激なる運動を計画実行せんとする者があります。運動自体組織的且つ大規模に行はれんとする所の状況に在ります（中略）。法案の内容は、万世一系の皇室を奉戴して居る、帝国の此国体を変革しやうとするやうな事柄、又明治大帝陛下の大御心に依つて創定せられたる我が立憲政体を変革して、議会否認を為すと云ふやうな事をせんとするやうな事柄、又は私有財産制度を根本から否認して共産主義を行はれんとするが如き、我が国家組織の大綱を破壊せんとするが如き、不法なる結社――其謀議と扇動及叙上の犯罪を醸成すべき目的に出でたる金品利益の授受を禁じて、現今の過激なる社会的運動中に存する、最も重大なる危険と弊害とを尠からしむると同時に、一般社会を戒め、不穏なる行動に出づるが如き事を予防せんとするのが本案の趣旨であるのであります」(『現代史資料四五　治安維持法』)。若槻礼次郎は議員との質問通告の際にも「此法律は無政府主義、共産主義を取締る法律であると言っても宜いのであります」と述べた。(奥平康弘 一九七三)

このように治安維持法は、共産主義思想の拡大や社会主義運動の激化への懸念からその政治運動の活発化を抑制することを意図して一九二五年四月二二日に公布され、五月一二日に施行された。これにより、共産党は壊滅的な打撃を受けることになった。また、その影響は当時反体制運動のなかで一定の役割を果たしていたアナーキストらにも及び、その勢力は急速に衰退していた。

治安維持法による思想や大衆運動の弾圧

一九二五年四月に公布された治安維持法は、「国体(国家の体制)」の変革と私有財産制度の否認を目的とする結社を取り締まる法であった。その対象は無政府主義者、共産主義者であった。日本共産党は、一九二五年一月の上海会議でコミンテルンから再建の指示を受けていた。一九二七年七月、コミンテルンによって「日本問題に関するテーゼ」が日本共産党に出された。このテーゼは中国革命の支援とソ連の防衛を優先とし、日本共産党は人事から方針までコミンテ

図２　「三・一五事件」検挙者
出所：監修松本清張ほか『写真記録 昭和の歴史(1)　昭和の幕明け』（小学館、1984年）より

ルンの指導を受けていた。さらに、テーゼの項目に「君主制の廃止」が明記されていたことは、治安維持法との関係で重大な問題となった。それまで曖昧だった共産主義と「国体変革」は一直線に結びつくことになり、日本共産党は「国体変革を目的とする結社」として浮かび上がったのである（中澤俊輔 二〇一二）。

一九二八年三月一五日、全国において日本共産党員に対する一斉検挙が行われ、約一六〇〇人が検挙された（「三・一五事件」）。しかし、検挙者の大多数は共産党に加入していない支持者であった。ただ単に支持しただけで凄惨な拷問を受けた人も多く、証拠に欠ける人が多く現れた。結局、検挙された一六〇〇人余のうち、起訴されたのは四八〇人余であった（中澤俊輔 二〇一二）。

そこで、日本政府（司法省と内務省）は一九二八年四月二五日に治安維持法改正案を閣議に提出した。この改正案の主な要点は、ある行為が結社の目的遂行のためになっていると当局がみなせば、本人の意図にかかわらず検挙できる「目的遂行罪」を設けたことである。これによって共産党員だけでなく、それを支持する人または団体も取り締まることが可能になった。

三・一五事件の検挙によって党の組織を破壊された日本共産党は、党の再建に向けて奮闘した。党の中央指導部を立て直し、中央部を確立した。また、中国侵略への反対運動や治安維持

表1　治安維持法違反者の検挙・起訴一覧表（単位：人）

年度	検挙人員（起訴人員）A			
	合計	左翼	独立	宗教
1928	3, 426（525）	3, 426（525）	0	0
1929	4, 942（339）	4, 942（339）	0	0
1930	6, 124（461）	6, 124（461）	0	0
1931	10, 422（307）	10, 422（307）	0	0
1932	13, 938（646）	13, 938（646）	0	0
1933	14, 622（1, 285）	14, 622（1, 285）	0	0
1934	3, 994（496）	3, 994（496）	0	0
1935	1, 785（113）	1, 718（113）	0	67
1936	2, 067（158）	1, 207（97）	0	860（61）
1937	1, 312（210）	1, 292（210）	7	13
1938	982（240）	789（237）	193	（3）
1939	722（388）	389（163）	8	325（225）
1940	817（229）	713（128）	71（12）	33（89）
1941	1, 212（236）	849（205）	256（29）	107（2）
1942	698（339）	332（217）	203（62）	163（60）
1943	600（224）	293（95）	218（42）	89（87）
1944	501（248）	230（130）	229（73）	42（45）
1945	109（106）	60（42）	37（40）	12（24）
合計	68, 273（6, 550）	65, 340（5, 696）	1222（258）	1711（596）

註：独立は民族独立運動をさす
出所：上表の「検挙人員（起訴人員）A」の統計は、『現代史資料45　治安維持法』、646-649頁（1928-1942年）をもとに、中澤俊輔著『治安維持法――なぜ政党政治は「悪法」を生んだか』中公新書、183頁（1943-1945年）の表を加えたものである

法の改悪阻止・撤廃に向けての闘争に取り組んだ。このような日本共産党の諸活動に注目していた特別高等警察（以下、特高警察）は、一九二九年四月一六日に再び全国において共産党員の検挙を行った（四・一六事件[2]）。ここで日本共産党の指導部と全国の活動家約三〇〇余名が検挙された。

　表1は一九二八年から終戦の一九四五年までに治安維持法の違反者として検挙・起訴された人の統計である。表の通り、一九二八年から一九三三年までに約六万人が検挙された。特に、一九三一年からは検挙者が急速に増加した。それは、四・一六事件以降、

日本共産党の活動の中心が、「満州事変」「上海事変」などの中国侵略戦争反対に置かれ、反戦運動に乗り出していたからである。反戦運動の拡大を恐れた治安当局は、「満州事変」が勃発した一九三一年以降、治安維持法違反者の取締りを強化し、検挙者がうなぎのぼりに増加していたが、一九三三年をピークに三四年からは下降線をたどり、その後減少傾向を示し、三九年には七二二人まで減少した。これによって共産党の組織が徹底的に破壊された。

このように、治安維持法によって日本共産党は徐々に衰退の途をたどった。特に一九三五年三月に共産党最後の中央委員であった袴田里見が検挙されると中央部が壊滅し、その後共産党は統一的な運動が不可能になった。その後も党の再建を目指す運動や個々の党員による活動は存在したが、いずれも当局によって弾圧された。さらに治安維持法はこの段階から日本共産党を中心とする「結社」取締りの法から、個人の思想を取り締まる法に転化することになった。

2 治安維持法による民衆の被害

学生運動への被害(京都学連事件)

治安維持法が公布・実行されてから最初に適用されたのは、一九二七年四月の京都学連事件であった。一九二〇年代に入ると日本全国の高校や大学で社会科学研究会が組織され、一九二二年一一月七日にその全国組織として学生連合会が成立した。その後、人道主義や社会思想の研究団体からマルクス主義を指向する団体へとその性格が変わり始め、その名称も「学生社会科学連合会」(以下、学連)と改称された。その背景には、一九二五年五月に上海で起こった

「五・三〇事件」[3]に関連して、中国の学生運動から受けた影響もあり、同年現役将校の学校配属制度に対する軍事教育反対運動の展開があった。特に軍事教育反対運動は、この連合会が研究だけでなく実践運動へも活動を広げる契機となった。一九二五年四月に「陸軍現役将校学校配属令」が公布され、現役将校を中等学校以上に配属して軍事教練を行う方針が制度化されたが、同年一〇月に小樽高商で行われた軍事教練の野外練習で、配属将校の鈴木少佐が仮想敵として無政府主義者と「不逞鮮人（朝鮮人）」をあげたことから「吾々は今、明白に軍事教育の何物であるかを知りえた」として、軍事教育反対運動が全国に広がることになった。

京都学連事件の発端も、同年一一月一五日に、同志社大学の構内に「狼延煙ハアガル　兄弟ヨ此戦ニ参加セヨ」と題する軍事教育反対のビラが張られたことからであった。捜査の過程で学生から不穏な出版物や「赤化宣伝物」等が発見され、京都地方裁判検事局は二六年一月一五日、京大、同志社大などの学連の中心的なメンバー三八人を治安維持法違反として一斉検挙した（京都学連事件）。京都府特高課は、押収した出版物が「政体ヲ変壊シ又ハ国憲ヲ紊乱セムトスル文書図画ヲ出版シタル罪」にあたるものとした。また、予審終結決定書では「被告三八人はマルキシズム・レーニズムの社会主義思想を抱懐し、無産階級による独裁、私有財産制度の変革を企画して、その実行に関し種々協議したものである」と断じている。その協議内容としては、各種のテーゼや教程の作成が主なもので、学生社会運動全国大会テーゼ、会員の教育に関するテーゼおよび教程、班生活テーゼ、校内運動テーゼ、社会主義運動テーゼ、無産者教育運動テーゼおよび教程の六点があげられた。さらに京都無産者教育協会の設立が付加されていた。学連が不穏な計画を画策しているということであった。実際、学連のメンバーのなかには、共産党に加入している共産主義者もいた。

三・一五事件と四・一六事件においても京都学連事件の被告人から二三人が検挙された。しかし、学連メンバーの多くは共産党とは関係のない人々であったため、学連を治安維持法違反の結社と認定するのは難しかった。ただ治安当局が治安維持法適用の実績をつくり上げることで、今後の共産党検挙において治安維持法適用を容易にする狙いがあった、と思われる。実際に弾圧の主要目標である日本共産党に対して、治安維持法が本格的に適用されることになるのは、三・一五事件と四・一六事件であった。法の解釈に民衆が翻弄されていたのである。

治安維持法による宗教弾圧

治安維持法による被害は思想・教育界だけでなく宗教界にも現れた。一九三五年以降共産党勢力への弾圧と並んで、この時期から治安維持法によって宗教団体への弾圧も行われることになった。それは戦争との関係が深い。日本は一九三一年九月に「満州事変」を起こし、中国東北地方を侵略し始めた。三二年には「満州国」を建国し、世界世論から批判を受けたが、ファシズムへの途をひたすら歩んだ。一九三三年三月には国際連盟を脱退し、軍備を拡張して中国との全面戦争に備えた。この時期、日本共産党を中心とする戦争に反対する反戦主義者たちが現れた。

そのほかにも反戦運動に積極的な立場をとる団体が存在していた。それが宗教団体であった。特にエホバの証人というキリスト教系の新宗教団体は、世界各国の統治機構やその制度は悪魔であり、人類を唯一神であるエホバから離反させるものだと批判した。それは、兵役や国家に対する忠誠を拒否する宗教団体であった。日本では、一九二六年九月六日にアメリカ在住の日本人である明石順三が日本灯台社という日本支部をつくり、活動していた。そのため、治安当局から目を付けられ、その活動に対して監視内偵がつき、一九三九年一月には明石順三の長男真人を含む教会関係者の三人の兵役拒否を契機として、急遽灯台社の摘発が行われることになった。明石真人らは不敬罪・軍法違反罪で懲役刑を宣告された。その後も治安維持法違反および不敬罪の嫌疑で、順三を筆頭に灯台社関係者一三〇余人が検挙された（稲垣真美一九七二）。彼らは戦争拡大に反対し、平和と反戦を強く主張したことで治安維持法を適用された。明石順三は懲役一〇年の刑を受けた。妻の静栄は三年六ヶ月の刑を受け、栃木県の女子刑務所で病死した。

このような宗教弾圧が強まった結果、一九三八年の「宗教犯罪」検挙数は前年の五割の約五〇〇件増加し、三九年にはさらに倍増した。このうち治安維持法違反による検挙者数も表１の通り三八年以降に急増した（荻野富士夫二〇一二）。さらに一九四一年五月に治安維持法の改正案が施行されると宗教弾圧も本格化し、四一年八月にアジア太平洋戦争が勃発すると基督教関係者らは米英のスパイとみなされ、治安当局からの厳しい監視を受けることになった。

一般民衆に対する弾圧

一九三八年五月に国家総動員法が施行された。同法は、戦時統制法規の集大成とも言うべきもので、経済や国民生活のすべての部門を勅令で政府の統制の下に置くことを認める法律であった。これは政府の絶対な権限を保障し、戦争体制の根幹をつくろうとするものであった。

表2　不敬不穏落書年度別一覧表（1936-42年）

年度	不敬落書	不穏落書			計
		共産主義的のもの	反戦反軍的のもの	その他	
1936	7	2	0	0	9
1937	5	2	0	0	7
1938	16	30	13	8	67
1939	17	19	12	12	60
1940	17	38	19	38	112
1941	23	44	25	46	138
1942	16	11	21	53	101

出所：『現代史資料 45　治安維持法』、654頁より作成

その背景には日本の戦争拡大があった。日本政府は日中戦争が泥沼化するにつれて、軍事物資の調達がきわめて困難となり、経済統制政策を行うようになった。そのため、日本国民の生活はより厳しくなり、一九四〇年からは生活必需品やコメなどの配給制が実施された。生活必需品の不足に悩みはじめた国民に、さらにインフレが襲った。それによって開戦当初から不安を抱いた国民は政府に対する不満がさらに高まった。そこで政府は国家総動員法の下で戦争体制を整え、国民統合を図ろうとした。戦争体制は経済統制に留まるものではなかった。政府は国民が戦争を批判することはもとより、戦争にわずかの疑問をもつことさえないように、一切の民主的な組織や思想を、根こそぎに取り除こうとした。すでに無政府主義者や共産主義者の取締りを強化してきた治安当局は、一般民衆に対しても厳しい言論統制を行うようになった。当時、国民の反戦思想や不敬不穏の言動は、投書や落書、世間話などの形で流布されていた。一九四三年四月末の特高の報告によると表2の通りである。

以上のように、治安維持法は、京都学連事件への適用を皮切りに、敗戦までの二〇年間、日本の民衆の自由と民主主義

を抑圧する弾圧体制の中枢として働いた。当初は共産主義者・無政府主義者を対象にした、反体制思想運動を統制・抑圧するために制定した法律であったが、三次にわたる改定により、無政府主義者、共産主義者だけでなく、戦争に異を唱える人や自由主義者、宗教家らに適用が拡大された。治安維持法犠牲者国家賠償要求同盟によると、当局発表で約七万人が送検され、「蟹工船」で知られる作家、小林多喜二など約六千人が起訴された。そのうち、小林多喜二のように拷問死した人は約九〇人であり、少なくとも約四〇〇人が獄死したとされる（「治安維持法」『朝日新聞』二〇一七年六月一日）。

植民地朝鮮における治安維持法

「治安維持法」は一九二五年、植民地朝鮮にもそのまま適用され、植民地支配に抵抗する民族解放運動を弾圧するために積極的に利用された。朝鮮においては、「治安維持法」制定の前には、「保安法」によって社会主義運動や秘密結社などの取締りが行われていた。「保安法」は一九〇〇年二月に日本で制定された「治安警察法」が朝鮮にも取り入れられ、一九〇七年七月二七日に制定されたものであった。この「保安法」によって朝鮮人の民族意識が抑え込まれ、朝鮮半島の治安維持が行われたが、三・一運動の勃発によって事態が一変した。

一九一九年三月、第一次世界大戦後の世界的な民族自決の動きに積極的に呼応して朝鮮人の独立意志が再び芽生え、大規模な独立運動が発生した。三・一運動は、朝鮮半島内外の民族独立運動をより組織的で体系的な独立運動へと発展させた。朝鮮民衆は三・一運動を通して労働者・農民・学生運動など多様な形の社会運動を展開してゆくことになった。国外においては、満州や沿海州において様々な独立団体と独立軍が組織され、日本軍と戦闘を行うようになった。日本政府は武力でこれらを鎮圧しようとしたが、検挙者に適用する法令は不備であった。特に、朝鮮人と連携する外国人や国外の朝鮮人を取り締まる法がなかった。すなわち、「保安法」は国内（日本帝国領土内）の朝鮮人にしか適用されないという欠点があった。三・一運動によって拡大される国外の朝鮮人の独立運動家やこれらの朝鮮人と連携している中国人やソ連人などを取り締まる法案が必要となったのである。

当時の司法部長官である国分三亥は新聞談話で、「保安法を以てしては唯朝鮮内に効力を有するのみにて間島（中国東北地域）若くは露領等に於て朝鮮内に在る者と連絡し又は連絡なくして政治に関し不穏の言動を為す者を処罰する事能はざりしものなりしを其効力を帝国領土以外にも及ぼす事を得せしむるの必要あり」（『京城日報』一九一九年四月一六日）と述べていた。また、朝鮮総督府の治安当局は次第に拡大している共産主義思想や運動への危機感を深めていた。

そのため、一九二二年と一九二三年に議会に提出された「過激社会運動取締法案」と植民地問題との関連を検討し、植民地にも同様な法令が必要であることが確認された。そこで、一九二五年「治安維持法」が制定されると、直ちに植民地朝鮮においても適用されるようになったのである。「治安維持法」は朝鮮独自の治安維持の法ではなく、朝鮮・台湾・樺太にも施行される日本帝国圏の治安維持法であり、より厳しいものになっていた。一九二六年から三三年までの朝鮮における「思想犯罪」の検挙者数は合計約三万人であり、治安維持法違反者だけでも一万人を超えていた（荻野富士夫二〇一二）。さらに一九三五年以降は、宗教人・自由主義的文化人・植民地の民族主義者にまで適用されるようになった。一九四一年以降は、結社を準備したとの嫌疑だけで拘禁できる予防拘禁も制度化され、治安維持法は天皇制国家に服従しない人々すべてを処罰の対象とする天皇制ファシズムの法体系の中核となった（韓国史事典編纂会二〇〇六）。

3　韓国における国家保安法の制定

一九四五年八月一五日、朝鮮は日本の植民地統治から解放された。しかし、朝鮮半島は三八度線を境界に、北はソ連の統治下に、南は米国の統治下に置かれるようになった。米軍政府は南地域（韓国）において、三権分立による司法権独立国家（大韓民国）を作ろうとし、米軍政府の司法部を主に朝鮮人によって構成させた。しかし、当時の司法関係者（判事・検事・弁護士など）のなかには植民地時代の「親日派」が多かったが、米軍政府はそういう経歴とは関係なく司法部に採用した。人材が乏しいということがその理由であった。その結果、当時の多くの法令は、一部削除・修正はあったものの、ほとんどの日本植民地時代の法令が維持された。その後、一九四八年八月に大韓民国が樹立され、李承晩が初代大統領となったが、李承晩政権も米軍政府と同様に、人材不足という理由から政権の各要職に「親日派」を多く受け入れた。そのため、李承晩政権の政治的基盤は「親日派」で構成され、一九四八年憲法第一〇一条で示される「反民族行為者処罰法」の施行もできなくなった。また、李承晩政権は政治的反対勢力を処罰する法的手段が必要になり、植民地支配法令を再度活用することになった。それが「治安維持法」であった（崔チャンドン二〇〇三）。

一九四八年九月二〇日国会に「内乱行為特別処置法」の緊急制定を要求する議案が三四名の議員によって提出され、国会で議論をすることになったが、同年一〇月一九日に、韓国で活動していた北朝鮮の南労働党系列による「麗順反乱事件」[4]が起こると「内乱行為特別処置法」の制定が必要になった。そのために国会での議論もなく、植民地支配法令（治安維持法を含む）をもとに法案作成の作業が急速化し、「内乱行為特別処置法」から名称が変更された「国家保安法」が一一月二〇日第一〇九回国会で採択された（朴ウォンスン 一九八九）。

一九四八年一二月一日、「国家保安法」が公布された。この法令は「国家の安全を危うくする反国家活動を規制することにより国家の安全と国民の生存及び自由を確保すること」を目的に作成された。法律では、反国家団体を構成し、又はこれに加入またはその活動する者は、すべて処罰することになった。この法律は「四・一九革命」直後には悪法とされて一時廃止されたが、一九六〇年六月に再び制定された。一九六一年五月一六日に朴正熙《パク・チョンヒ》による「軍事クーデター」が発生し、軍事革命委員会の国家再建最高会議が成立すると、国家保安法に付属する特別立法である「反共法」[5]（一九六一年七月）が制定された。両法を基盤として朴正熙軍事独裁政権は反共体制を構築し、政治権力を維持した。一九六一年六月一〇日には、法律第六一九号「中央情報部法」によって中央情報部（ＫＣＩＡ。以下、中情部）が設置された。中情部は「国家安全保障に関連した国内外の情報事項及び公安調査と、軍を包括した政府各部署の情報・捜査活動を監督」し、「他の国家機関に所属する職員を指揮監督」する権限を持った（韓国史事典編纂会二〇〇六）。中情部は大統領直属の最高権力機関となって、独裁政権を維持するための国家暴力を振るった。

4　国家保安法による民衆の被害

人民革命党事件

人民革命党（以下、人革党）事件では一九七五年四月に行われた中情部の操作によって都禮鍾《ト・エチョン》などが起訴された。被告は死刑宣告一八時間後に死刑を執行された。この事件は一九六四年と一九七五年に二度発生した。最初の事件は、「日韓会談反対運動」を背景に行われた。一九六四年八月一四日、中情部は、都禮鍾ら四一名の民主派人士・言論人・教授・学生が人革党を結成し、国家転覆活動を行ったと発表した。中情部は「北朝鮮の指令を受けて国家転覆活動をしていたとして「人民革命党」を検挙」し、日韓条約反対デモを行っていた学生らを「北朝鮮の指令を受け、「人民革命党」が背後操作を行っている」と発表した（『ソウル新聞』、一九六四年八月一四日）。当時、日本と韓国の間では日韓条約の締結に向けて会談が行われていたが、「日韓会談の即時中断」を要求する学生をはじめ、一般市民のデモが続いており、その勢いが朴正熙軍事政権の打倒闘争となっていた。軍事政権は六月三日に非常戒厳令を宣布した。そこででっち上げられたのが第一次人革党事件であった。

このように、第一次人革党事件は「日韓条約の締結」反対運動が反政府運動に拡大する過程で発生した。軍事政権は反政府デモが「全国民に拡大するのを防ぐため、北朝鮮指令による国家転覆活動」と歪曲し、反政府運動関連者を検挙した。しかし、事件は捏造であった。この事件では検挙者に対する拷問問題が指摘された。担当検事が起訴を拒否するなどして社会問題化し、結局「国家保安法」による「反国家団体構成罪」ではなく、「反共法」第四条一項の「反国

図３　人民革命党事件関係者の裁判
出所：ハンギョレ新聞社
http://japan.hani.co.kr/arti/politics/20847.html より

家団体の讃揚、鼓舞」違反で再起訴された（『朝鮮日報』一九六四年九月一七日）。

このように第一次人革党事件は「国家保安法」ではなく「反共法」が適用され終結した。しかし、一〇年後の一九七五年四月に発生した第二次人革党事件は、「国家保安法」によって起訴された事件となった。この事件は朴正熙の長期独裁体制を可能にした「維新体制」[6]に対する反対運動を背景として起きた。その反対運動の代表的なものが一九七四年四月三日の全国民主青年学生総連盟（以下、民青学連）事件であった。この事件は、朴正熙軍事政権が単なるデモ指導機関を国家変乱を目的に暴力革命を企てた反政府組織へと歪曲・捏造した事件であった。民青学連事件を口実に、学生の反独裁闘争に足枷をはめるため、同日夜一〇時を期して緊急措置第四号[7]が発表された。朴正熙は緊急措置第四号を公布する特別談話のなかで、「民青学連という不法団体が反国家的不純勢力の背後操作下で人民革命を遂行するために地下組織を形成し、反国家的不純活動を展開している」（『朝鮮日報』一九七四年四月四日）と述べた。その後同月二五日に中情部は「民青学連は過去共産系の不法団体である人民革命党の組織と、在日朝鮮人総連会の指令を受けた日本共産党党員、国内左派革新系人士がともに現政府を転覆しようとする不純反政府勢力である」（『朝鮮日報』一九七四年四月二五日）と発表した。同年五月二七日に非常軍法会議の検察部は都禮鍾ら二一名を緊急措置、国家保安法、反共法の違反罪で検挙した。一九七五年四月八日には大法院において都禮鍾ら八名が死刑を宣告され、宣告一八時間後に死刑が執行された。人革党事件の再審が認められたのは死刑執行後三〇年が過ぎた二〇〇五年一二月であった。その結果、二〇〇七年一月二三日、ソウル中央地方裁判において都禮鍾ら八名に対し無罪判決が言い渡された。

以上のように、人革党事件は朴正熙政権が国民の反独裁闘争に足枷をはめるために歪曲・捏造した事件であった。これは国家が法を利用して罪もない国民を虐殺した「司法殺人事件」であり、朴正熙政権期に起こった代表的な人権弾圧の事例でもあった。

徐勝・徐俊植兄弟事件——在日朝鮮人の被害①

朴正熙政権期には国家保安法と反共法の違反罪で多くの在日朝鮮人留学生が被害を受けた。その代表的なものが「学園浸透スパイ団事件」であった。この事件は主に韓国に留学していた在日朝鮮人が関係した事件であり、韓国では「在日同胞留学生スパイ事件」とも呼ばれている。この事件も二度発生した。最初の被害者は、徐勝《ソ・スン》と徐俊植《ソ・ジョンシク》兄弟であった。最初の事件は徐勝と徐俊植兄弟のみが実刑判決を受けたことで、「徐兄弟事件」とも呼ばれている。この事件は当時の南北関係と政治情勢の変化によって起きた。当時韓国では与党共和党が朴正熙大統領の三選を狙って改憲を強行した。その内容は①大統領の三選を認めること、②大統領に対する弾劾訴訟発議規定を議員三〇名以上から五〇名以上に調整すること、③国会議員の閣僚・政府ポストの兼任を許可すること、などであった。これは朴大統領の三選を実現し、大統領の権限をより強化させるとともに、与党共和党の長期政権化を狙うものであった。共和党はこの改憲案を国会で採択させるために様々な手練手管を駆使した。それに反対して全国的な「三選改憲反対闘争」が繰り広げられた。一九六八年六月にはソウル大学学生五〇〇余名によって「憲政守護討論大会」が開催され、六九年一二月まで改憲反対運動が続いた。しかし、野党や学生の激しい改憲反対運動にもかかわらず、この憲法改正は同年一〇月一七日の国民投票に付され、可決された。この改憲案に基づいて、朴正熙は七一年四月の第七代大統領選挙に勝利し、長期政権の道に入ることとなった。「徐兄弟事件」はこのような政治背景の下で発生した。

一九七一年四月二〇日、「学園浸透スパイ団事件」(「徐兄弟事件」)が韓国陸軍保安司令部によって発表され、韓国の各新聞の一面トップに報道された。各紙は、ソウル大学校などに留学していた在日朝鮮人約二〇人らが、同大学在学生であり「北朝鮮のスパイ」である徐勝と徐俊植の指導下で各大学の「連合戦線を結成し、朴正熙大統領の三選阻止運動を進めていた」と報じた。徐勝と徐俊植の兄弟は同年三月に冬休みを実家京都で過ごし、新学期を迎えるためソウルに帰ってきた際に当局から逮捕された(徐京植 一九八一)。当時、徐勝は二六歳で大学院に在学しており、徐俊植は法科大学在学中の二二歳であった。

徐兄弟は国家保安法、反共法などに違反したとして起訴された。同年七月一九日、ソウル地方法院で第一審公判が開かれたが、そのとき徐勝は顔を含む上半身に火傷を負って公判に出廷した。その火傷は拷問によって負わされたものであり、徐俊植も逮捕直後、縛られ天井から吊るされて棍棒で殴られるなど、「自白」を強要する激しい拷問を受けたという(徐京植 一九八一)。第一審判決では、徐勝には「死刑」、徐俊植には「懲役一五年」が宣告されたが、その後高等法院の控訴審で徐勝には「無期懲役」、徐俊植には「懲役七年」が宣告された。上告はすべて棄却され、七三年三月一三日に裁判が終了した。

一九七一年の春、韓国では大統領直接選挙が実施され、野党側候補の金大中《キム・デジュン》は民主的政権と南北の段階的交流を唱えて広い支持を集めていた。一方、学生らは「軍事教練」強化に反対する学生運動を全国に展開し、朴大統領三選阻止を公然と叫んだ。知識人・言論人・宗教人なども「民主守護国民協議会」を結成して朴正煕の三選阻止運動を展開した。当局は、国民の視線をそらせるために「学園浸透スパイ団事件」(「徐兄弟事件」)をでっち上げたのである。

無期懲役を受けた徐勝は一九年間獄中で過ごし、一九九〇年に釈放された。徐勝は、一九七三年一月三一日、大法院に提出した上告理由書で、「国家保安法・反共法」について次のように主張した。「国家保安法・反共法体制は世界的冷戦構造の最も尖鋭的で典型的な表われとして成立し、民族的良心と熱望を抑圧してきたし、民族の分断を固着化させてきた」「国家保安法・反共法は、人間固有の権利である思想と良心の自由、近代世界における自由と人権の思想に反する」(徐京植 一九八二)。

学園浸透スパイ団事件——在日朝鮮人の被害②

二度目の「学園浸透スパイ団事件」は一九七五年一一月二二日に発生した。中情部は北朝鮮の指令を受けてスパイ活動をしていた在日朝鮮人留学生らを国家保安法や反共法違反などの容疑で逮捕したと大々的に発表した。逮捕されたのは留学生一三人を含む二一人であった。同年一〇月一八日に逮捕されたソウル大学大学院生の金元重《キム・ウォンジュン》は、そのときの状況を次のように述べた。「令状もなく寄宿舎から連行され、中情部対共分室の地下室に連れ込まれ、激しい拷問をうけながら、日本で南北の統一運動団体に出入りして「反国家団体構成員」と知り合い、指令を受けてソウルで情報収集などをした、との容疑をかけられた」という。そして、「取り調べは過酷だった。眠ることを許されず、何度も警棒で殴打され、恐怖に覆われた結果、当局が作ったシナリオ通り自白した」(金孝淳 二〇一八)。

一九七六年四月一三日にソウル西小門法院庁舎で金元重の公判があった。その際にソウル地方検察公安部検事が、金元重に対して「被告人が尊敬する人物は誰か」と尋ねた。金元重は「マルクスとレーニンだ」と答えた。検事は待っていたとばかりに「ということは、被告人は共産主義者なんだね」と追及した。彼は高校時代からベトナム反戦デモや沖縄米軍基地撤廃運動に参加し、大学(法政大学)に進学してからはマルクス経済学を勉強しながら社会主義思想を強めていた(金孝淳 二〇一八)。この発言は彼の容疑を確定させ刑を延ばすこととなった。金元重の判決は国家保安法や反共法違反などの罪で懲役七年であった。公判開廷から宣告まで一ヶ月しかかからなかった。その後の大法院での上告も棄却され、そのまま刑が確定した。

このように、国家保安法による一般民衆の被害は特に軍事独裁政権期において多く現れた。韓国情報機関の拷問による取り調べで北朝鮮のスパイにでっち上げられ、服役した在日朝鮮人の留学生の数は少なくない。そのなかで一九七五年に起きた「学園浸透スパイ団事件」は代表的なものである。また、金元重のように人の思想まで罪に問われた事件は、過去のことだけではない。現在も起こっている。それが「在日朝鮮人三世の鄭大世《チョン・テセ》事件」である。

在日朝鮮人三世の鄭大世事件——在日朝鮮人の被害③

二〇一三年六月、韓国プロサッカー・Kリーグの水原サムスンブルーウィングスに所属する鄭大世が、外国メディアなどに対して「自分は北朝鮮の金正日総書記を尊敬している」と述べたことや「私の祖国は北朝鮮である」と発言したことなどが、国家保安法に違反しているとして告発された。いわゆる、「在日朝鮮人三世の鄭大世事件」である。彼は韓国籍の父親と朝鮮籍の母親の間に生まれ、韓国籍を持っていたが、小学校から大学（朝鮮大学）まで日本の朝鮮総連系民族学校に通い、卒業した。小学生のときからサッカーが好きで、サッカー部に入り、大学卒業後、川崎フロンターレに所属してJリーグで活躍した。二〇〇七年には北朝鮮代表に選出され、東アジアサッカー選手権の予選に参加し、三試合で八ゴールを決め、得点王にもなった。二〇一〇年にはワールドカップ（W杯）南アフリカ大会に北朝鮮代表として出場した。

彼は、北朝鮮代表だけでなく、韓国代表と日本代表の三つの選択肢があったにもかかわらず、北朝鮮代表を選んだ。その理由を彼は次のように述べている。「実際に選ばれるかどうかはともかく、韓国代表と日本代表のための資格は簡単に得られる。韓国代表は、すでに国籍が韓国だから、パスポートをもらうだけでいい。日本代表は国籍を変える必要があるけれど、それも難しくはないでしょう」。「昔から、自分の国はやっぱり朝鮮民主主義人民共和国という国である。だから、韓国代表というのはどうも自分のなかで現実味がない。日本代表に入るというのも、自分のなかでは同じである」（鄭大世 二〇一〇）。小学校から朝鮮学校で民族教育を受けた鄭大世は、子どもの頃から「祖国は北朝鮮であり、祖国に貢献したい」という夢があった。そのため、韓国代表や日本代表を選択せず、北朝鮮代表を決めたのである。

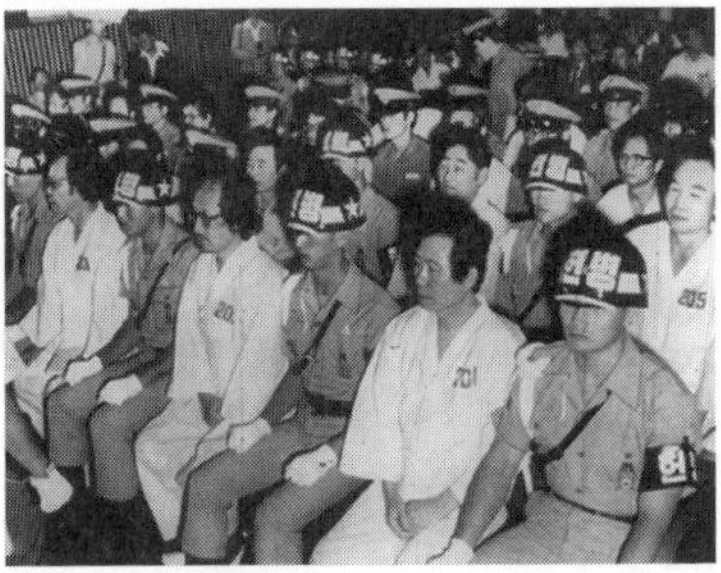

図４　金大中内乱陰謀事件の裁判
出所：ⓒ사단법인 통일의 집（社団法人 統一の家）

二〇一四年九月三〇日、韓国水原地検は「鄭選手の言動が韓国の存立、安全と体制を脅かしたと認定する証拠は不十分」であるとして、不起訴処分（嫌疑なし）とした。現在、鄭大世はＪリーグ・アルビレックス新潟からＦＣ町田ゼルビアへ移籍して活躍している。

金大中内乱陰謀事件

国家保安法による被害は元大統領にも及んだ。韓国元大統領金大中が一九八〇年五月一七日に、「光州事件」の際に市民を扇動した容疑で（「光州事件」の首謀者として）逮捕された。新軍部は七月三一日には拘束された金大中をはじめ文益煥牧師、李文永教授ら二四人に対し、内乱陰謀罪、戒厳法違反を適用して起訴した。いわゆる「金大中内乱陰謀事件」である。ここでは他の関係者とは違い、金大中にのみ国家保安法と反共法が加えられた。国家保安法第一条第一項の「反国家団体の首魁」容疑であった。

この事件では、控訴審の公判に突然証人として現れた尹孝同《ユン・ヒョドン》（呂興珍《ヨ・フンジン》）の自白から、金大中が「韓国民主回復統一促進国民会議」（韓民統）の議長とされた。これによって九月一七日の第一審の判決では死刑が宣告された。中情部の発表によると、尹孝同（呂興珍）は「在日北傀（北朝鮮）の大物スパイ」であった。尹孝同は一九六八年七月から自首するまで四回北朝鮮へ行き来して朝鮮労働党に入党し、海外で民主化運動を名目に「反韓団体」を組織育成する任務を遂行したという。また、尹孝同の自首によって「日本で「反韓活動」をしているいわゆる「韓国民主回復統一促進国民会議」、「統一革命党在日韓国人連帯委員会」、「金大中先生救出対策委員会」などは（北朝鮮の）スパイ集団であるという事実が新たに明らかになった」と主張された。[8] しかし、金大中は韓民統が発足する前に中情部に拉致されていた（「金大中拉致事件」）。[9] これも金大中を排除しようとする中情部のでっち上げ事件であった（金大中 二〇一一）。

金大中に対する死刑判決は、民主化弾圧を目的としているとして国際的に批判された。その後金大中は、一九八二年一月二三日の閣議決定により無期懲役に減刑され、同年一二月には米国への出国を条件に刑の執行が停止された。

京郷新聞

內亂 음모·示威 선동

金大中등 24명 첫公判

人定訊問이어 公訴狀낭독

間諜 鄭泰默과 2회접촉

韓民統장악 反韓활동 主導

図５　金大中内乱陰謀事件報道新聞
出所：『京郷新聞』（1980 年 8 月 14 日）より

おわりに

本章では法と人権問題との関連を、日本植民地時代につくられた治安維持法を取り上げ、この法律によってどのように民衆が被害を受けたのかを考察した。また、その法律が戦後韓国において「国家保安法」という法に姿を変え、韓国民主化の過程で植民地時代と同様に民衆弾圧のための国家暴力手段として使用されたことを、実証的に検討した。

戦後、韓国の「国家保安法」は日本の植民地支配の残滓として再生産された。さらに「国家保安法」による民衆の被害は現在も続き、民主主義国家・韓国が「真の民主国家」であるのか否かが問われる事態となった。「国家保安法」は現在、国連人権委員会や国際人権団体からその廃止を継続的に要求されている。アメリカ政府も一九九五年三月には国家保安法の廃止を公式的に勧告した。しかし、韓国政府はいまだにこれを合憲とし、維持しているのである。

現在、同様の弾圧立法は韓国だけでなく、香港にも及んでいる。二〇二〇年五月二二日から二八日までに中国人民代表大会が開かれ、香港での反体制活動を禁じる「香港国家安全維持法（国安法）」が圧倒的な賛成多数で可決された。この法律は政府に対する抗議デモを違法行為とした。さらに、一九九七年の返還から五〇年間保障されている高度な自治である「一国家二制度」を破壊する結果となった。

香港では「国安法」をめぐるデモが再燃し、警察による鎮圧によって毎日数百人の逮捕者が出ている。最近は民主活動家・周庭《アグネス・チョウ》と中国共産党政権に批判的な論調で知られる香港紙『リンゴ日報』の創業者である黎智英《ジミー・ライ》が国安法違反容疑で逮捕された。中国当局による「香港の民主化・言論」の弾圧は、国安法を成立させて以降、急速に激しさを増している。抗議活動で拘束された者はすでに一万人以上にのぼり、うち二千人以上が起訴された。そのうち、一千人以上は一八歳未満の中高生であるとされる（『朝日新聞』二〇二〇年一二月三日社説）。

以上のように、治安維持法と国家保安法は、「法と人権」をめぐるポストコロニアリズム的な現実を考える際の教訓となっている。「反共主義」の下でつくられた法律が、言論の自由や個人思想までコントロールする国家暴力の代名詞になった。また、人権侵害を食い止めるために存在するはずの法が、民衆を抑圧し、虐殺する道具となった。さらに、植民地時代は帝国主義者対反戦主義者、戦後韓国では保守勢力対革新勢力の対立、香港では民主派と親中派との対立など、国を二分する分断の道具にもなったのである。この問題は現在、「真の民主化・民主主義」を考える際の有益な教材である。

［註］

1 当時は大正デモクラシーの影響から日本各地で、日本共産党の成立とともに、市民政治結社や労働組合、農民組合などの大衆団体が結成された。そして、治安警察法の規制に挑戦する秘密結社が続々と組織されていった。

2 一九二九年四月一六日に「三・一五事件」に続いて共産党員の一斉検挙が行われた。市川正一、鍋山貞親ら約八〇〇人が逮捕され、三三九人が起訴された結果、日本共産党は組織的に壊滅した。

3 一九二五年五月三〇日に中国上海で大規模なデモが行われた。抗議活動の中心となっていた学生一五人が租界の警察機関である上海公共租界巡捕房に連行された。これに反発した民衆が学生らの釈放を求め、数千人規模のデモを組織した。上海共同租界巡捕房はこのデモ隊に発砲し、参加していた学生・労働者ら一三人の死者と四〇人あまりの負傷者が出た。

4 麗順反乱事件は国境警備隊麗水一四連隊所属の南労働党系列の将校らが蜂起し、ゲリラ戦を起こした事件であった。この事件を鎮圧する過程で、軍・警察によって多くの一般の人々が犠牲になった。

5 一九六一年七月に制定された「反共法」は「国家保安法」に付属する特別立法である。制定目的は当時、「悪法」とされていた国家保安法を修正・緩和することで国民の批判をかわすことにあった。その後反共法に対する批判の声が頂点に達した一九八〇年一二月、全斗煥政権が設立した国家保衛立法会議において廃止された。しかし、事実上国家保安法に統合される形で引き継がれ、弾圧体制は継続された。

6 一九七二年一〇月に朴正熙は、自分の政権を継続させるために非常戒厳令を布告して国会を解散し、政党による政治活動を停止させた。その後、「維新憲法」を公布した。「維新憲法」により独裁を制度的に支える専制的独裁体制、いわゆる維新体制が形成された。

7　緊急措置とは、国家の安全保障、財政経済上の危機、公共の安寧秩序などが重大な危機に晒される恐れがあるときに、大統領が国政全般にわたって行う特別措置をいう。これは単なる行政命令ではなく、国民の自由と権利に無制限の制約を加えることができる超憲法的な権限であった。

8　尹孝同は金大中内乱陰謀事件の控訴審の公判では呂興珍と名乗っていた。後に本名が尹孝同であることが明らかになった。尹孝同という名前が韓国マスコミに初めて報道されたのは一九七七年五月二八日であった。この日、中央情報部はソウル新聞会館で記者会見を開き、民団系在日韓国人に偽装し北朝鮮のスパイとして活動していた尹孝同が自首したと発表した（金孝淳二〇一八、一四七～一五〇頁）。

9　一九七三年に在日韓国青年同盟や民主派民団団員などによって金大中を議長へ推薦する韓国民主回復統一促進国民会議（韓民統）を結成することが合意された。結成一週間前の八月八日に「金大中拉致事件」が発生したため、八月一五日の結成宣布大会以降は在日朝鮮人の金載華が代表代行を務めることになった。

［参考文献］

・「治安維持法」関連文献

稲垣真美『兵役を拒否した日本人――灯台社の戦時下抵抗』岩波新書、一九七二年
内田博文『治安維持法と共謀罪』岩波新書、二〇一七年
荻野富士夫『特高警察』岩波新書、二〇一二年
荻野富士夫編『治安維持法関係資料集』（全四巻）新日本出版社、一九九六年
奥平康弘『治安維持法小史』筑摩書房、一九七七年
奥平康弘解説『現代史資料45　治安維持法』みすず書房、一九七三年

韓国史事典編纂会『朝鮮韓国近現代史事典――一八六〇～二〇〇五』日本評論社、二〇〇六年
崔チャンドン「日帝「治安維持法」が韓半島に及ぼした影響」『比較法研究』第四巻第一号、二〇〇三年
中澤俊輔『治安維持法――なぜ政党政治は「悪法」を生んだか』中公新書、二〇一二年
松田利彦『日本の朝鮮植民地支配と警察――一九〇五年～一九四五年』校倉書房、二〇〇九年

・「国家保安法」関連文献

大久保史郎・徐勝編『現代韓国の民主化と法・政治構造の変動』日本評論社、二〇〇三年
金大中『死刑囚から大統領へ――民主化への道』波佐場清・康宗憲訳、岩波書店、二〇一一年
金孝淳『祖国が棄てた人びと――在日韓国人留学生スパイ事件の記録』石坂浩一監訳、明石書店、二〇一八年
権寧俊「韓国の「ポストコロニアル」政策と日韓関係」土田哲夫編『近現代東アジアと日本』中央大学出版部、二〇一六年
徐京植『徐兄弟　獄中からの手紙――徐勝、徐俊植の一〇年』岩波新書、一九八一年
徐勝『獄中19年――韓国政治犯のたたかい』岩波新書、一九九四年
徐俊植『全獄中書簡』西村誠訳、柏書房、一九九二年
鄭大世『壁を壊す!!――サッカー・ワールドカップ北朝鮮代表として』岩波書店、二〇一〇年
朴ウォンスン『国家保安法研究1――国家保安法変遷史』歴史批評社、一九八九年（韓国語）

第11章　「裏日本」脱却のヴィジョン

――自立共生を目指す新潟の動きをもとに

小谷一明

はじめに

二一世紀に入っても新潟では県内各地で北前船時代についての展示会が頻繁に開催されている。北前船とは大阪から下関廻りで瀬戸内海、そしてまた下関を通って日本海を遡上して北海道に到る航路での買積経営を特徴とする交易のことで、江戸中期から明治中期にかけて行われていた。二〇一九年の船絵馬を中心とした新潟県胎内市の展示会に続き、二〇二〇年には上越市の特別展で直江津港をめぐる海洋交易時代の栄枯盛衰が紹介された。上越でも江戸時代には川や海が地域経済の中心であり、一八世紀以降の北前船時代に米の積出港がある直江津今町《いままち》では、廻船問屋を中心とする産業が生まれている。こうした港町は明治に至るまで活況を呈していたのだ。展示では日本列島の東海岸沿いを南北に伸びる北前船の寄港地が示され、地域間格差を利用して各地の名産品を売買する交易品の説明もなされていた。石川県加賀市で育った高田宏が『日本海繁盛記』（一九九二）で述べたように、日本海に沿って移動したのは商品だけではない。不知火海（八代海）に面する天草下島の牛深《うしぶか》地方に伝わる民謡、ハイヤー節が北上して佐渡おけさが生まれたように、文化の伝播も海路交流史の産物の一つであった。船の風待ちで花咲く現地女性との恋を主題とする民謡などが、この時代の文化遺産として各地に伝わっているのだ。

上越での展示会についてもう一言触れたい。展示では明治期における石油の産出地の様子も紹介された。古川日出男が小説『冬眠する熊に添い寝してごらん』(二〇一四)でシベリア出兵(一九一八~一九二二)の頃に直江津の近くで油田が発見され、「エネルギーの力によって生み出される欲望」(芳賀二〇一八)が人間と動物を翻弄していく様を描いたように、新潟には近代産業に欠かせない石油の湧き出る地域が多い。日本石油(現在のENEOS)の創業につながる出雲崎町尼瀬《あまぜ》の油田は明治中頃、一八九〇年代に産出量のピークを迎えている。つまり、展示からは明治の中頃まで交易が盛んで、天然資源に恵まれた新潟が、各地で華やかな世相を呈していたことがうかがえるのである。

ところが、廻船問屋を中心に語られる北前船時代の華やかな印象とは対照的に、田中瑩一編『ふるさと文学館 第一九巻 新潟』(一九九四)に収録された明治後期以降の新潟を描く小説や詩、エッセイには暗鬱な雰囲気が漂っている。冬期の荒海や雪深い山村の地が、語りの中心を占めるのだ。大正期を経て昭和初期を舞台とする相馬御風や水上勉の小説、若山牧水や中野重治の詩など、多くの作品には地勢に関係する厳しい気候や生活苦が書き込まれている。これは新潟に限ったことではない。若狭湾に面した福井県出身の水上勉(一九一九~二〇〇四)が足繁く上越などに通ったのも、二〇世紀以降に拡がる北陸の闇を新潟にも見出していたからだ。近代になり太平洋側が著しい発展を遂げる一方で、脊梁山脈で隔てられた日本海側は、華やかであったと語られる北前船時代とは程遠い様相を呈すると認識されていたのである。ここで思い起こされるのが、明治三〇年頃に登場した「裏日本」という言葉である。古厩忠夫（一九四一〜二〇〇三）によれば、この用語は矢津昌永の『中学日本地誌』（一八九五）で初めて用いられた用語であり、本州の日本海に面した主に山陰から北陸にかけた地域を指す。後にこの言葉はその対語となる「表日本」との社会的格差を示す用語へと変化していく。一九六〇年にＮＨＫが差別的なニュアンスを含むとして使用を禁止し、「日本海側」という言葉に差し替えるまでの七〇年間、広範に使用された。

「裏日本」に代わり「日本海側」という呼称の使用が進められた一九六〇年は、池田勇人首相が所得倍増計画を打ち出した年である。この後、全国総合開発計画が三〇年近くにわたり策定され、一九七〇年代には田中角栄の日本列島改造論も登場する。「表日本」との格差解消を期待しながらも、新潟について言えば、第一次世界大戦後に盛んとなった電源開発に続き、第二次大戦後もダムが次々と建設されていった阿賀野川で第二水俣病事件が一九六五年に発覚している。また、古厩や阿部恒久の「裏日本」論が登場する二〇世紀末においても、後述する信濃川取水事件などが起こり、二一世紀には中越沖地震や東日本大震災後に広く認識されるようになった七基もの原発が集中する柏崎・刈羽という地域のあり様が繰り返し問いただされている。これについても詳細は後述するが、佐々木寛が「エネルギー植民地主義」（佐々木 二〇二〇）に触れながら示唆するように、「裏日本」的状況はいまだに指摘され続けているのだ。なぜ「裏日本」という言葉が使用されなくなっても、「表日本」によるその差別的なふるまいが過去のものとはならないのか。

本稿では古厩の『裏日本』（一九九七）を下敷きとしながら、「裏日本」を国内植民地化しながらも、「表日本」に依存し続けた二〇世紀の新潟を中心に検討していく。単に政治経済的な側面からだけではなく、文化的な面からの「裏日本」化についても論考し、「表日本」との歪んだ関係をたどっていきたい。その上で、海をはさんだ対岸を含む東アジアと協働していく、自立共生的な「裏日本」脱却を目指したヴィジョンを紹介し、筆者の暮らす新潟の未来像を考えていく縁としたい。

1　後背地としての裏日本

一九六〇年に「裏日本」という言葉がメディアで使われなくなってから三〇年以上が経った二〇世紀末、古厩忠夫は『裏日本』で一九九七年に発生した福井県沖のナホトカ号重油流出事故に言及する。タンカーから漏れ出た重油が近隣の海岸を黒く染め、住民が総出で重油をすくい取るという映像が全国ニュースになった事件である。バケツや柄杓で住民が重油をすくい取るという人海戦術の映像は、二一世紀を前にして時代錯誤的、牧歌的に見えただろうが、北陸の住民にとってはショッキングな映像であった。海難事故への備えもないなかで、原発銀座と言われる若狭湾一体に漏れ出た石油が迫ったらどうするのかという危惧をもたらしたからである。早急な対策を施さない政府の姿勢に、廃語となったはずの「裏日本」という言葉が浮かび上がった瞬間でもあった。

同じ頃、古厩が同書で触れたように、ＪＲ東日本信濃川発電所の不正取水事件も大きな話題となった。地元の反対があるなかで巧妙に取水量を倍増させた一九九〇年から（三浦二〇一〇）、JRの宮中取水ダムで信濃川の八割の水が山手線運行のために使用され、総水量日本一を誇る信濃川上流域の六〇キロ以上にわたる区間で水涸れが起こったのである。カヌーで川下りをしていて信濃川の夏枯れに直面した三浦英之が『水が消えた大河で』（二〇一〇）で詳述したように、信濃川は魚のすめない発電用水の川になっていたのだ。一九九七年には河川環境への配慮を義務づけた河川法の改正により、この取水が違法であることが明らかとなり、住民は河川環境に関する協議会を立ち上げながら川を取り戻す運動を展開する。それでもJR東日本は頑なに取水量の変更は難しいと抗弁した。二〇〇八年には新たな不正取水も発覚している（大熊二〇二〇）。こうした日本海側の民意を軽視するような事態が続くなか、使用されなくなった「裏日本」という言葉が脳裏をかすめるようになったのである。

ここで「裏日本」という地理的な区分を示していた言葉が、どのように差別的なニュアンスを含むようになったのかを確認しておきたい。古厩が初出例としてあげる矢津の『中学日本地誌』は、現在、国立国会図書館のデジタルライブラリーで閲覧することができる。この地理の教科書では、火山と地勢の関係について説明するなかで、「裏日本と表日本」という区分名称を用いている。一八九五年からしばらくは、「裏日本」は「自然地理的」（阿部一九九七）な用語として使用された。一八九四年秋、日清戦争で日本軍が中国の山東半島を攻撃していく頃に出版され、直後から絶大な人気を博した志賀重昂の『日本風景論』ではこの用語は使用されていないが、阿部恒久も指摘したように、地形や地質だけによるものではない表と裏という区分認識が書き込まれている（阿部一九九七）。英国ロマン主義の影響を受けていた志賀は、太平洋側にある富士山を比類なき崇高な風景と叙述し、中国や朝鮮半島、英国や「琉球」などからの讃辞を列挙した。志賀は、地理学や地質学の研究成果を恣意的に用いながら、「表日本」を中心として世界を見下ろす崇高美学論を展開したのである。その過程で日本海側は、アジア大陸の影響を受ける地域として下位区分され、文化が集まり、重要な産業発展を見せる太平洋側と区別されたのだ（志賀二〇一四）。

このように、自然地理的な分類を土台に展開された風景論とも絡み合いながら、日本の表と裏という地域区分認識が醸成され、太平洋側を中心に近代化していくという国民感情が編制されていく。石川伊織は「鉄道と文学と「裏日本」」（二〇一一）の論文で、一八九二年の鉄道敷設法以降に「裏日本」へのインフラ投資が後回しされるなか文化活動が盛んであった、新潟の佐渡について詳述している。この華やかな活動にもかかわらず、志賀は「裏日本」を文化においても遅れた地域と見定め、目立った産業がないことをその地勢的な条件と結びつけたのだ。こうして「裏日本」という用語は、財源や富、生活における太平洋側との格差、人口密度における差異を含意し、日本海側はその地勢的特性から近代化が遅れるのもやむなしというニュアンスを含む「人事的」（阿部一九九七）な用語に変容していったのである。この「裏日本」という言葉が「表日本」への怨嗟をはらみながら地元でも使用されるようになるのが、日露戦争の後、戦果の期待を裏切るポーツマス条約の締結に憤った新潟県民が日比谷事件に関わるなどして、戦費を補うための大増税に反発していく頃のことである（古厩一九九七）。

こうした「表日本」への怨嗟が生まれる背景の一つに、日本海側の交易を支えていた海運業、北前船の衰退があった。北前船時代から続く帆船が三井といったコンツェルンが経営する蒸気船に取って代わられ、北前航路の交易が明治以降、廃れていったのである。山陰から北陸にかけての地域における横のつながりがなくなると、日本海側は太平洋側の後背地として再編され、ヒト・カネ・モノの太平洋側への転移がより顕著になっていく。特に、「表日本」に巨額の地租と小作料を吸い上げられているという認識の高まりが、日露戦争後のように、激しい怨嗟を生み出すことになる。ハリー・ハルトゥーニアンの『近代による超克　上』（二〇〇七）によれば、一八八〇年代からの三〇年間で小作人の数が農業人口の半数近くへと増加するなか、米生産量の四分の一に相当する小作料が地主に徴収されている。この地代が「表日本」の殖産興業資金として吸い上げられているという認識が、明治中期以降の国営銀行（後の地方銀行）の支店網拡大で可視化されたこともあり、農業人口が大半を占める日本海側で広がっていくことになった。一九世紀末以降、「表日本」は蒸気から石油へのエネルギー転換に基づく重化学工業を中心とした大量生産期に入るが、「裏日本」では戦費を補う増税などを通じて太平洋側への怨嗟が高まっていったのである。

2　裏日本の依存体質

では「表日本」の発展を支えるべく、日本海側がヒト・カネ・モノを供出する後背地へと組み入れられるなかで、「裏日本」はどのように近代化の遅れと向き合ったのだろうか。新潟を例にあげると、新潟平野では一八九〇年代後半、明治二九年から三一年までの三年連続で、信濃川の氾濫による甚大な被害を受けている。この時期の新潟は四七道府県別で全国最大規模の人口数を抱えており、一八七三年（明治六）の地租改正以降は多額の納税県であった。しかし、政府は災害支援に後ろ向きであった。新潟は越後平野の被害で外米を輸入する事態に陥るなか、政府からの支援を期待できないことから、近代的な治水事業へ向けた自立的な努力を行っていくことになる。一八九六年の「横田切れ」と称される破堤の現場となった燕市にある信濃川大《おお》河《こう》津《づ》資料館では、今も「郷土の偉人」として治水に取り組んだ県人が顕彰されている。彼らは自ら資金を供出して大河津分水の建設（一八七〇〜一九二二）に取りかかったのだ。県も独自の徴税と県債で、災害復興と社会資本の整備を始めていく。

この大水害から一二〇年を迎えた二〇一六年、大河津資料館では当時を振り返る特別展が開かれたが、泥海となった越後平野の惨状とそこから県民が立ち上がっていく過程がたどられている。この自助努力による再建のなかで、前述した日露戦争の戦費を「裏日本」の地租と地代でまかなうという施策がとられたのだ。大水害からの復興に尽力した「偉人」の大竹貫一らが、日比谷焼き討ち事件に関わったのもこうした理由による。しかし、なぜかこの憤懣も長くは続かなかった。一つには、「裏日本」が自由港であったウラジオストクや樺太といった対岸地域での権益に夢を抱いていたからである。一八九五年の台湾領有、一九〇五年の関東州、満州付属地と樺太領有、および第二次日韓条約で「東北アジア交易圏」を拡大していくなか（小林 一九九二）、シベリア領有という野望に「裏日本」脱出の契機を託すようになり、「特に我北越地方」こそが「日本海経営」を主導すべきといったスローガンが二〇世紀初頭に登場している。先述した「偉人」の大竹らもこのように喧伝していたのである（古厩 一九九七）。

こうした日本海側の東北アジアに対する眼差しは、一九一〇年代から二〇年代という第一次世界大戦をはさむ大正時代にさらに露わとなっていくが、古厩は戦間期の幣原外交を特徴づける国際協調主義も松尾小三郎や内藤民治といった新潟県人の言論に見られたと述べている。これは環東アジアを平和と親善、共同開発、多民族共生の場として捉えるもので、小国主義や民間外交を重視した思潮であった。また、シベリア出兵当時、すでに対岸に渡っていた北陸出身者らの、出兵で商売がじゃまされたという非難の声を踏まえたものでもある。一方、中国大陸の港湾として「孤島」日本は生きるべきという北陸人らの国際協調主義には、古厩が述べたように、北前船時代再興の夢も潜んでいたのである。しかし、一九一八年に富山県の滑川から拡がった米騒動で明らかになった、食糧不足と外国米の重要性が認識された時代における国際協調主義には、国権拡張主義の侵略意識を隠す意図が読み取れる（古厩 一九九七）。この意図ゆえに、「表日本」への怨嗟も長続きしなかったと考えられるのだ。国権拡張主義に追従すれば対岸の収奪で「裏」から脱出できる転機が訪れるという思惑が、「表日本」の収奪に対する黙従にもつながったのではないか。この黙従については、日本海側で起こった産業公害の事例でも見出せる。

日本は第一次世界大戦参戦の結果、総体的に「近代的工業の段階」に達し、一九二〇年代を過ぎると「大都市と、その都市に労働力と資本を供給し、何の見返りも受け取らない」地方との地域間格差がさらに顕著となっていく（ハルトゥーニアン 二〇〇七）。北陸では前述したように河川での電源開発が盛んになり、山野では鉱山開発や石油の掘削が行われ、「表日本」に寄生する形で、重化学工業の勃興期に到達する（古厩 一九九七）。新潟ではカーバイド、硫安、硫酸、酢酸の生産を行う日本曹達、信越窒素、そして日本鋼管、北越製紙といった会社が陸続として登場した。その結果、北陸では鉱毒や煤煙といった環境汚染が拡がるが、第二次大戦後の高度経済成長期まで被害は無視され続けることになる。古厩は富山を「公害のデパート」と説明したが、イタイイタイ病の原因企業である三井鉱山は、遅くとも大正期までには神通川沿いの集落に異変を引き起こしていた。新潟においても阿賀町鹿瀬《かのせ》に水俣病事件を引き起こした昭和電工が操業する以前から、旧古河鉱業が同地区の草倉銅山開発で煙害などを明治期に発生させている。古河はこの後、草倉の坑夫を引き連れて足尾銅山の開発に取りかかり、鉱毒事件を引き起こした。作家の石牟礼道子は『苦海浄土』（一九六九）で足尾の鉱毒事件を公害の原点とみなしているが（石牟礼 二〇〇四）、この事件につながる草倉の産業公害に対して苦情や批判の声は十分にあがったのだろうか。

神田栄著『阿賀よ 再び蘇れ』（二〇〇八）を参照すると、「表日本」の実業家、森矗昶《もりのぶてる》が昭和初期に完成させた阿賀野川上流の巨大な鹿瀬ダム建設では、環境破壊を批判する声があがっている。しかし、その声は当該地域の住民によって近代化を押しとどめるものとして封殺されたのである（神田 二〇〇八）。こうした自縄自縛的な態度にも、近代化における「表日本」への依存体質を見て取れるだろう。同じ昭和初期に上越線全線が開通しているが、新潟では明治後期から開通を願う声が政府に対してあがっている。国が支援を渋るなか、民間の努力で川端康成の『雪国』（一九四八）で知られる清水トンネルの掘削工事が始められた。後年、国も支援するようになっていくが、支援がなければ自力で開通させようという対抗心も銘記すべきだが、短時間で東京と新潟を結ぶ路線を悲願とする姿勢には、「表日本」への依存心がうかがえるのだ。環境被害に耐えるという黙従とこの依存心は表裏一体ではなかったか。近代化に伴い日本海側は、国内植民地のように太平洋側に向けたヒト・カネ・モノの直接・間接的な供出を強いられたが、その黙従には「表日本」が繁栄すればいずれはおこぼれにあずかれるという精神の植民地化がうかがえるのだ。

3　賛美と恨み節の裏日本

「裏日本」という言葉が登場した一八九〇年代は、写生文を軸とする自然主義が登場し、言文一致体（口語体）が確立された時期にあたる（湯本 二〇二〇）。明治後期から大正時代にかけて、近代化をめぐる表と裏という地政学的な序列化が志賀らの風景論と連動していくが、文学においても紀行文などでその影響がうかがえる。たとえば、日本地誌の編纂といった仕事にたずさわりながら、地方の牧歌的な風景を描いた作家に自然主義派の田山花袋（一八七一～一九三〇）がいる。一九二四（大正一三）年のエッセイ「若狭道」では、花袋とおぼしき語り手が若狭富士（青葉山の別称）の見える福井県おおい町にあった旅館の女将と話していく[2]。この対話で女将は「故郷と言ふものは好いものでナ。どないに寒うても、他郷へは好う行く氣になりまへんがナア」とお国自慢を披露した。これを受けて語り手は「あゝこの別天地、あはれこの平和をこそ愛でるなれ、この質朴をこそ愛するなれ」と感嘆の言葉をつぶやくのである（田山 一九七六）。このように他郷へ行く気にはなれないと女将は言うのだが、水上勉の『若狭がたり』（二〇一七）によれば、本エッセイの五年前、一九一九年には生活に疲弊した農家の「次、三男や、喰えない農民」が若狭丸で敦賀を出港し、南米へ向かっている。関西方面のみならず、海外に向けた出稼ぎ者が出ているなかで、なぜ女将は「裏日本」の農村の疲弊に言及しなかったのか。

古厩が近代化の進む「表日本」の鼓動に促されてと形容しつつ統計で示したように（古厩 一九九七）、特に明治後期以降から日本海側では主に太平洋側への急激な人口流出が始まっていた。「故郷に錦を飾る」というスローガンの後押しもあり、北陸では内国植民地とされた北海道や国外への出稼ぎも、高度経済成長期の初めまで続いている。花袋のエッセイの舞台であるおおい町で生まれ育った水上勉も、貧しさから九歳で京都へと送り出されているが、前掲の『若狭がたり』で水上は、次三男が都会で成功しても田舎に戻る者は少なかったと述べている。一方、水上の故郷若狭では、地元に残った長男が都会で暮らす弟妹への羨望を抱きながら、高度経済成長期に田舎を都市化すべく原発誘致に賛同していったという（水上 二〇一七）。つまり、地元で暮らす人々が故郷を賛美したとしても、容易に言葉では表せない複雑な思いが潜んでいた可能性があるのだ。

故郷に誇りを抱き続ける出郷者を描いた、水上の『故郷』（一九九七）という小説も見ていこう。この作品では出郷者が「舞鶴にはロシアの船もついていたし朝鮮の船もついていた。宮津だって風待ち港で外来船は着いているよ。古い時代は、みな、こっちから、人がきて都へわたっていった。神功《じんぐう》皇后の船出も敦賀だった」と故郷の若狭を誇らしげに語る。その反面、この人物は「表日本」への怨嗟も口にした。「神戸なんぞは、新興都市だ。（中略）ところが、そっちを表といって、なぜか、こっちを裏という、ずいぶん、ぼくらも劣等感をもって育ったことになるが、しかし、ぼくはいつきても思うんだ。故郷はいい、故郷は何といってもいちばんの都会だと」（水上 一九九七）。この箇所を読むと、東京から訪れた花袋が書き取った女将の故郷賛美にも、言外に「表」への怨嗟が隠されていたのではと勘ぐってしまうのである。若狭湾に面した風光明媚な場所にある旅館の女将が語る故郷賛美は、単に東京から来た作家を意識した、観光アピールの野心を含むものであったかもしれない。しかし、花袋は田舎に留まる者たちの、寂れゆく故郷の賛美にただ「あゝこの別天地」と同意したのである。

このような複雑な思いをはらむ賛美は、北前船時代に関する書籍にも見られる。たとえば、川渡甚太夫《かわとじんだい》（一八〇七〜一八七二）の『川渡甚太夫一代記』（一九八一）の解説で、編者の師岡佑行は「白い帆に風を孕ませて北前船が日本海を往復した。北陸、遠くは松前から下関、さらには瀬戸内海を経て大阪に至る。江戸時代中頃からほぼ二百年、それは日本という国の大動脈であった。まだ日本海側が裏日本とおとしめられなかった時代のはなしである」と述べている。『故郷』の出郷者のつぶやきでも示されたように、国の大動脈であった時代の記憶が、「表日本」の近代化を優先する不均等発展への恨み節を醸し出すのだ。しかし、この故郷賛美と不可分な「裏日本」の劣等感や恨み節こそ、これまでにも少しく述べてきたように、「表日本」への依存心を内包しつつ、北海道の開拓や対岸への侵略を促す要因にもなっている。

たとえば、一九二九年の世界大恐慌は農林水産業に大きな打撃を与え、農産物の生産額を暴落させた。重い地代に苦しむ農民による小作争議が各地で発生し、新潟の木崎村《きざき》（現在の新潟市北区木崎）で全国にその名を轟かせる小作争議が起こっている。「表日本」や北海道開拓へ向かう者が増えるなか、一九三一（昭和六）年には満州事変が起こり、農家の次男、三男らは対岸に恐慌脱出の期待を膨らませていく。この一五年戦争が始まる年に、生命線という言葉が登場した（古厩 一九九七）。『川を上れ 海を渡れ』（新潟日報社 二〇一七）によれば、新潟でも大日本

「帝国の生命線は新潟の生命線」というスローガンが叫ばれ、「太平洋側に比べて発展が遅れていた「裏日本」の港、新潟港は満州の首都新京（長春）と東京を結ぶ「日満連絡路」の拠点として重要性を増した」（新潟日報社 二〇一七）という認識が広がったのである。「裏日本」がアジア侵略の表玄関となる、つまり「裏」が「表」になる好機とみなされたのだ。

しかし、生命線という認識に基づいた日本海経営構想も、敗戦であえなく夢と消える。「裏日本」からの脱出を目指し、対岸の大陸を「裏」化して「表」へとのしあがろうとする思潮を、古厩は「裏日本イデオロギー」と名付けている（古厩 一九九七）。そこには「表日本」の欲望を先読みしながら、その意向に沿って侵略の先棒を担ぐ姿が見出せるのだ。冒頭で紹介したJR東日本による不正取水事件においても、河川工学者の大熊孝は、信濃川の水が「関東」の役に立つことを「誇り」に思う態度が地元民にあったと述べている（大熊 二〇二〇）。ここにも「表日本」を忖度する姿勢がある。中心からのおこぼれを期待して美観の破壊に目をつむろうとする態度には、周縁が中心に依拠しながら、川やその生きものといったノンヒューマンをさらなる周縁にして抜け出そうとする姿勢が見出せるのである。

おわりに

最後に、新潟における現在の「裏日本」状況を踏まえた新たなヴィジョンの登場について、簡単ではあるが触れておきたい。大熊孝は近著『洪水と水害をとらえなおす』（二〇二〇）で、「新潟では何故、自然の恵みが地域から収奪され、遠い遠隔地を潤すことが次から次と起こってきたのであろうか」という疑問を呈している。一九五〇年代、東北電力の会長であった白洲次郎が旗振り役となり、只見川、阿賀川を含む阿賀野川水系で次々とダムの建設計画が立てられた。今、この河川には一七基ものダムがある。信濃川においても七〇年代以降の巨大ダム開発計画や関東への分水計画が立てられていった。柏崎・刈羽原発を誘致した新潟出身の政治家、田中角栄（一九一八〜一九九三）も大きく関与し、新潟では戦後も豊かな自然の恵みが「表日本」に奪われ続けていったのである。地方創成を謳いながら環境破壊をやり過ごすならば、新潟は今後も恵みを生かせない「裏日本」であり続けるだろう。

もちろん、自然は恵みだけを与えるものではない。中谷宇吉郎が『雪』（一九三八）で「冬になると新聞に、「裏日本一帯の吹雪、各列車 立往生、ラッセル車出動」などの文字をたびたび見るのである。表日本に晴天が続き、のどかな気分で朝の新聞を手にする都会人には、これらの記事は何か自分に縁のない遠いところのことのように思われる」と語るように、冬の厳しさは他者が容易に理解し得ないものである。雪が屋根の棟を越し、昼でも夜のように暗くなる洞穴のような家での暮らしは、地元民にとってもまさに暗鬱な「裏日本」であっただろう。その意味で、雪国の生活者が「表」化に憧れるのも無理はない。一方で、新潟出身の高橋実（一九四〇年〜）の小説「雪残る村」（一九六四）は、『雪』と異なる視座を提示する。「雪残る村」の語り手は、百年経っても雪国の風景が、鈴《すず》木《き》牧《ぼく》之《し》（一七七〇〜一八四二）の『北越雪譜』（一八三七）で描かれたそれと少しも変わっていないと述べている（高橋 一九九四）。その上で、高度経済成長期の戸口に立った語り手に、「文明」観への不満を高橋は表明させている。

牧之が暖かい国に憧れながら、雪国から動かなかったのは、雪に埋もれた人と土地とを愛していたからではあるまいか。自らを生ましめ育くんでくれた地への愛――ここにある本の中に一貫して流れているのも、又それではあるまいか。そしてその気持はいつのまにか、どこかで大きな断絶が生じている。極度に文明が発達した現在、もはやそんなものは必要ないのだろうか。古くさい残滓にすぎないのだろうか。（高橋 一九九四）

長いトンネルの先にある雪国の暗鬱さを冒頭から語る川端康成の『雪国』（一九四八）とは対照的に、雪に埋もれた人と土地を「文明」という視点から「残滓」とみなすことへの異議がここで表明されたのである（岡和田 二〇一九）。「残滓」という眼差しがある限り、雪も川も引用にある「暖かい国」にとっての有用性という点からしか見られなくなるからだ。

東日本大震災後、自然エネルギーの発電事業を新潟市民らと興した国際政治学者の佐々木寛は、本稿冒頭で触れた「〈文明〉転換への挑戦」の論考で、内村鑑三（一八六一～一九三〇）の小論「デンマルク国の話」（一九一一）にある「外に拡がらんとするよりは内を開発すべき」（内村 二〇一一）という言葉を引く。その上で、関東圏のエネルギー供給地とされ続けてきた新潟は、中央集権主義と功利主義が生み出す「犠牲の構造」（佐々木 二〇二〇）に組み入れられていると説き起こす。新潟で暮らす佐々木は、原発を中心とするエネルギー植民地主義から脱却するためにも、市民参加型の再生可能エネルギーの発電事業で、地方分権型の政治を実現できると考えた。紙幅の関係で詳述はできないが、これは環日本海地域が原発の密集した地域であるという認識にも基づいた、東アジア全体の環境と平和を視野に収めたプロジェクトである。さらに、三・一一で露わになったリスク共同体の一員として、日本海側の一都市である新潟が重要な責務を果たすべきという考えもうかがえる。
こうした東アジア全体への視座は、日本のアジア軽視を転換させる意図も含む。冷戦構造が残存する地域の核廃絶を目指し、再生エネルギー政策での協議や技術などの共有を進めようとする「東アジア自然エネルギー共同体」（佐々木二〇二〇）構想は、国内外のポストコロニアルな関係を解き放ち、古厩が語った「convivial」（古厩一九九七）、すなわち自立共生型社会の実現を目指すものとなっている。東アジアで「裏」とされた新潟で、すべてを「表」とする地域協働の構想が始まったのである。

［註］
1 当該箇所については一般社団法人あがのがわ環境学舎「阿賀の学習教材サイト」を参照した。https://www.agastudy.info/industry/#cc-m-9642915884
2 田山花袋と水上勉に関する引用と議論のいくつかは拙著『環境から生まれ出る言葉』（二〇二〇）でも扱っている。

［参考文献］
阿部恒久『「裏日本」はいかにつくられたか』日本経済評論社、一九九七年
石川伊織「鉄道と文学と「裏日本」」NPO法人頸城野郷土資料室編『「裏日本」文化ルネッサンス』社会評論社、二〇一一年
石牟礼道子『苦海浄土』講談社文庫、二〇〇四年

内村鑑三『後世への最大遺物・デンマルク国の話』岩波文庫、二〇一一年
大熊孝『洪水と水害をとらえなおす――自然観の転換と川との共生』農山漁村文化協会、二〇二〇年
小谷一明『環境から生まれ出る言葉――日米環境表象文学の風景探訪（エコクリティシズム・コレクション）』水声社、二〇二〇年
岡和田晃「「内なる植民地」としての「裏日本」――向井豊昭と高橋実」植民地文化学会編『植民地文化研究 資料と分析／特集 引揚げとは何か？』第一八号、植民地文化学会、二〇一九年
神田栄『阿賀よ 再び蘇れ』文芸社、二〇〇八年
小林英夫「東アジアの経済圏 戦前と戦後」大江志乃夫・浅田喬二・三谷太一郎・後藤乾一・小林英夫・高崎宗司・若林正丈・川村湊編『岩波講座 近代日本と植民地1 植民地帝国日本』岩波書店、一九九二年
佐々木寛「〈文明〉転換への挑戦――エネルギー・デモクラシーの論理と実践」『世界』第九二八号、二〇二〇年一月号、岩波書店、二〇二〇年
志賀重昂『新装版 日本風景論』講談社学術文庫、二〇一四年
高田宏『日本海繁盛記』岩波新書、一九九二年
高橋実「雪残る村」田中甞一編『ふるさと文学館 第一九巻 新潟』一九九四年
田中甞一編『ふるさと文学館 第一九巻 新潟』ぎょうせい、一九九四年
田山花袋「若狭道」志賀直哉・佐藤春夫・川端康成・小林秀雄・井上靖監修『現代日本紀行文学全集 中部日本編』ほるぷ出版、一九七六年
新潟日報社編『川を上れ 海を渡れ 新潟日報140年』新潟日報事業社、二〇一七年
師岡佑行「序にかえて 川渡甚太夫の生涯とその自伝」師岡佑行編『北前船頭の幕末自叙伝――川渡甚太夫一代記』師岡笑子訳、柏書房、一九八一年
中谷宇吉郎『雪』岩波文庫、一九九四年
芳賀浩一『ポスト〈3・11〉小説論――遅い暴力に抗する人新世の思想（エコクリティシズム・コレクション）』水声社、二〇一八年

ハリー・ハルトゥーニアン『近代による超克 上』岩波書店、二〇〇七年
古川日出男『冬眠する熊に添い寝してごらん』新潮社、二〇一四年
古厩忠夫『裏日本――近代日本を問いなおす』岩波新書、一九九七年
三浦英之『水が消えた大河で――JR東日本・信濃川大量不正取水事件』現代書館、二〇一〇年
水上勉『故郷』講談社、一九九七年
――『若狭がたり――わが「原発」撰抄』アーツアンドクラフツ、二〇一七年
湯本優希『ことばにうつす風景――近代日本の文章表現における美辞麗句集（エコクリティシズム・コレクション）』水声社、二〇二〇年

Column 5

脱「裏日本」の夢を「環日本海」に見た

櫛谷圭司

脱「裏日本」の兆しと挫折

前章の小谷論文では「裏日本」について論じられている。簡単におさらいすると、「裏日本」という語には次のような意味が込められている。

近世以前の日本では、太平洋側と日本海側が別々の文化圏・経済圏を持っていた。しかし、近代以降の産業化のなかで日本海側は人、モノ、カネを太平洋側に吸い上げられ、日本の経済発展を底辺で支える存在となった。以来一〇〇年あまり、「表日本」と「裏日本」の格差は拡大し続けた。

ここで私が指摘したいのは、この一〇〇年あまりを振り返ってみると、日本海側の地方が「裏日本」から脱出しかかった時期が三回あったことである。

一回目は一九三〇～四〇年代前半である。この時期に、東京から「満州国の首都・新京」に至る最短ルートとなる鉄道（上越線）と航路（新潟～清津・羅津）が整備された。そして、太平洋戦争の激化により、釜山航路や大連航路に代わって日満連絡の「表」のルートになりかけた。だがそれは敗戦により水泡に帰し、新潟は拠点港の地位を失った。

二回目は一九七〇年代末～八〇年代である。戦後の高度成長期に「表日本」に人口と産業が集中し、公害や都市問題が深刻化した。高度成長が一段落すると、その反動で「地方の時代」が唱えられた。この時期に、三大都市圏の外にある札幌、仙台、広島、福岡が、工業生産機能ではなく中枢管理機能を高めた「広域中心都市」として成長した。そして一九八二年の上越新幹線の開通、一九八三〜八五年の北陸・関越自動車の全通（新潟・富山県境の区間を除く）を背景に、新潟と金沢がその仲間入りをすることが期待された。しかし、八〇年代後半からのバブル景気で大都市圏に人と経済活動が再び集中するようになり、「裏日本」に広域中心都市は誕生しなかった。

「環日本海」への期待

そして三回目が「環日本海」の時代である。一九九〇年代の初頭、東西冷戦構造の崩壊に世間が沸いていた頃、日本海側の自治体を中心に「環日本海」がブームとなった。今で言う「地方創生の切り札」のようなイメージで、この語が使われていた。青森から北九州までの多くの府県や市の行政や企業の関係者、さらに一般市民が、かつて果たせなかった夢、つまり日本海の対岸地域との人・モノ・カネの交流拠点として発展することを「環日本海」に期待した。当時の「日本海を冷たい対立の海から交流の海に」というキャッチフレーズは、人々に新しい時代の到来を感じさせた。

その当時、「環日本海経済圏」として想定されていたのは、ロシアの極東地方、中国の東北地方、朝鮮半島、それと日本の日本海側の、日本海を取り囲むエリアである。地図で描くと韓国・北朝鮮は全域が含まれることが多いが、韓国でこの経済圏構想に関心を示したのは日本海（東海）沿岸の市だった。

これらの地方はいずれも、各国の中心から離れた縁辺（peripheral）の地である。日本だけでなく、中国でも韓国でも、国の経済が発展するなかで、その恩恵を直接に受けない地方だった。さらに、ロシアや中国では市場経済体制への移行期にあって、その波に乗りきれず、しわよせを受けて困難に直面している地方だった。私は一九九〇年前後、何度かこの地域を視察に訪れたが、ロシアのウラジオストク、中国の吉林省、韓国の浦項《ポハン》などでは日本側と同様の期待を示す行政当局や研究者が多かった。

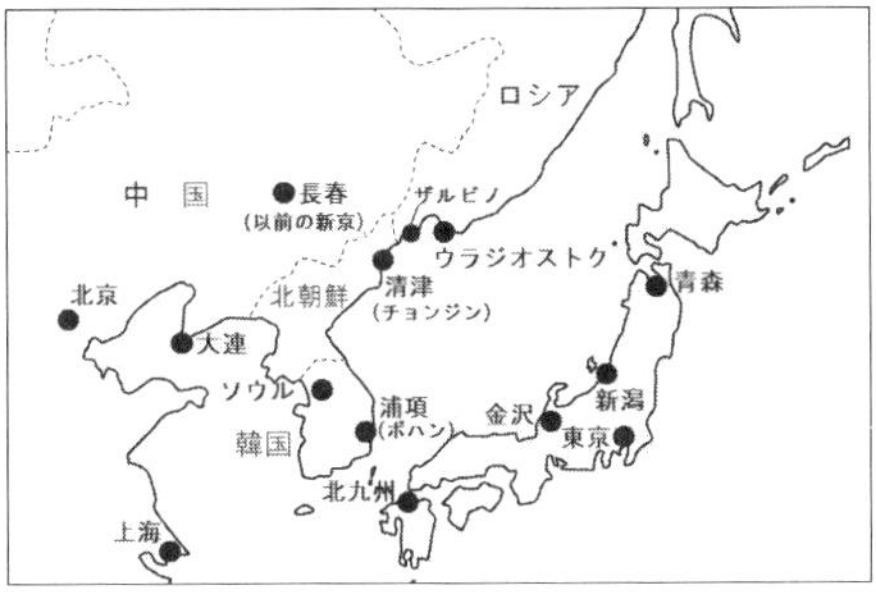

図１「環日本海」とその周辺

この「環日本海」ブームのなかで、とりわけ日本の自治体や企業家の注目を集めた、ブームを象徴する構想が、「図們江《ともんこう》開発」である。これは、ロシア・中国・北朝鮮の三国にまたがる地域に、国連開発計画（ＵＮＤＰ）の音頭で、これら三国に日本、韓国、アメリカを加えて共同で新しい国際港湾都市を建設し、そこを「環日本海」の経済開発の核にしようという野心的な構想であった。国連機関の名前が出たこともあって、世間ではこれが単なる夢物語ではなく、実現に向けて今すぐに動き出す計画であるかのような期待を膨らませた。新潟県をはじめ、対岸にできる新しい国際港湾との間にいち早く定期航路を設け、日本側の物流拠点になろうと躍起になる地方も現れた。

「環日本海」の現実

しかし、「環日本海」ブームは長くは続かなかった。一九九〇年代に入ってまもなくバブルが弾け、夢は急速にしぼんでいった。夢から覚めて冷静になってみると、「ロシアの広大な土地、中国の豊富で安い労働力、日本と韓国の高度技術と資金、北朝鮮の資源、これらを結合させれば経済発展は間違いない」、といった言説がいかに空虚なものだったか、よくわかった。

大規模開発の成功の鍵を握るのは資金力とそれを動員する権力である。それらは巨大企業と各国の中央政府が握っている。モスクワと北京と東京が本気にならなければ、貧しい「縁辺」の地が手を取り合っただけでは何も動かせない。そして、もし仮に「中央」が本気になってプレーヤーの地位に立ったら、そこで得られる利益のほとんど全部を「中央」がさらっていき、「縁辺」はその下請けとして組み込まれる。それが一〇〇年あまりの間、「裏日本」が繰り返し経験した構図だった。きっと「裏ロシア」も「裏中国」も同じだろう。

「環日本海経済圏」の実現が困難だった理由は、ほかにもある。この日本海を取り囲むエリアは典型的な多文化の地であり、言語が異なるため相互のコミュニケーションが容易でない。東南アジアのいわゆる華僑経済圏のような、国境を越えたコミュニケーション・ネットワークも存在しない。一九九〇年代には、関係各国に分布するコリアン（中国、ロシア、日本にも多数居住している）が主役となるコミュニケーション・ネットワークの形成が一部で期待されたが、研究者の机上の空論だった。中国の朝鮮族で意欲のある人は、環日本海交流の要になるよりも、中国の大都市やアメリカで活躍する道を選んだ。

また、当時は国境を越えたコミュニケーションのための技術的な障壁も高かった。国際電話は申し込んでからつながるまで何時間も待たされたし、海運会社では旧式のテレックス（キーボードで電文を送る装置）が使われていた。一九八九年に私は新潟大学環日本海研究会の訪問団の一員として外国人の立ち入りが許されたばかりのウラジオストクの極東連邦総合大学を訪れたが、その準備で現地と連絡をとるために、新潟の港湾荷役会社のテレックスを借用したり、新潟空港の出発ロビーでハバロフスクに向かうアエロフロート便に乗り込む乗客に封書を託したりした。

ブームが去って

このような交流を阻む障壁が生まれた背景には、言語だけでなく民族や文化、つまり衣食住の様式や生活習慣、価値観や宗教まで、「環日本海」の地域間にほとんど共通点がなかった点もあるだろう。そしてこの障壁は、第二次大戦後の長い間、日本海が東西冷戦の最前線となり、国と国との交流がきわめて乏しかったことで強化されたのだろう。「環日本海」のブームの渦中で、多くの人は「東西冷戦の崩壊により今後は一挙に相互交流が拡大する」、と素朴に信じていた。だが、冷戦の崩壊は交流の必要条件だったかもしれないが十分条件ではない。相互交流の拡大のためには、文化や価値観の違いを乗り越えるために、何か新しいことに積極的に取り組まなければならない。ブームに浮かれていた当時、そんな当たり前のことも真剣に考えなかった。

世間の人々が「環日本海」をほとんど忘れていた二〇一八年、「図們江開発」の名の下に整備されたロシアの地方港、ザルビノとの間に「日本海横断航路」を開設するという新潟県の計画が、行き詰まりを見せた。これで三〇年前の「環日本海」の名残りがついに完全に消え去った。この計画を推進した当時の県知事は、選挙で再選されないと見るや立候補を取り止めて新潟を去り、この夢に投じた県費三億円は回収不能の、文字通りバブルとなって消えた。

脱「裏日本」のスローガンを前に冷静な判断力を失うのは、今も続く新潟の悲しい現実なのかもしれない。

第12章　基地引き取り運動とは何か？

——無意識の植民地主義からの脱却を目指す草の根の応答

福本圭介

はじめに

今、国土面積の〇・六％にすぎない小さな沖縄に、この国の米軍専用施設の約七〇％が押しつけられており、このあまりに不平等な基地負担によって、沖縄の人々の命や暮らし、尊厳が激しく傷つけられている。現在、日本国に住んでいて、この事実をまったく知らない人はほとんどいないだろう。多くの人が、少なくとも沖縄の過重な基地負担を知っていて、それを「問題」として見ている。たとえば、二〇一七年に行われたＮＨＫの世論調査でも、沖縄の基地負担を「（どちらかと言えば）差別的だ」だと思う人は五三％に達している（河野 二〇一七）。ところが、奇妙なことがある。沖縄の過重な基地負担を問題視できるこの国のマジョリティが、自分の住む町に米軍基地がないことについては問題視できないのである。

日本国は一九五二年に主権を回復して以来、約七〇年にわたって日米安保条約を維持している。日本国民は、選挙という民主主義のプロセスを通して、約七〇年間、米軍基地を日本国内に置くという政治的選択を続けてきたのだと言える。ところが、この国の主権者の大多数は応分の基地負担をしていない。また、応分の基地負担をしていないだけでなく、そのことを問題視していない。多くの人が沖縄の重い基地負担を「沖縄の基地問題」として問題視しながらも、自らが基地を負担していないことは当然視しているのである。この事態を、どう考えればよいだろうか。

社会学者・野村浩也は、このような日本国の主権者の態度について『無意識の植民地主義』（二〇〇五）のなかで次のように述べている。

> さて、日本人の多くは、自分という日本人こそが沖縄人に基地を押しつけている張本人だということをまったく自覚していないし、積極的に自覚しようともしていない。つまり、くり返しになるが、無意識的に基地を押しつけ、無意識のうちに沖縄人を犠牲にすることによって、無意識のうちに、基地の負担から逃れるという利益を沖縄人から搾取しているのだ。すなわち、日本人の多くは、自らの植民地主義に無意識なのである。（野村二〇一九）

沖縄出身の野村氏は、日本「本土」で大学生活を始めた頃、基地のあまりの少なさに心底驚いたという。ところが、大多数の日本人は、沖縄の基地負担には驚いても、自分の町の基地のなさには驚かない。自らの特権を当然視しているのである。日米安保条約を支持しながらも、自らが基地を負担することは拒否し、そのことを問題視しない。もちろん、このような日本人の態度こそが沖縄人に基地を押しつけているのだが、日本人はこれに無自覚なのである。[1]野村氏はこのような日本国のマジョリティの行為を「無意識の植民地主義」と呼んでいる。私たちは、このような「無意識の植民地主義」からどのようにして脱出できるだろうか。野村氏は「日本人が植民地主義という危険な暴力を手放すためには、日本人自身の植民地主義を意識しなければならない」と述べている（野村 二〇一九）。日本人は、何よりもまず、無意識を意識化すること、つまり、自分こそが沖縄に基地を押しつけているということを直視し、言語化し、自覚しなくてはならないだろう。

本章では、まず、琉球併合後の沖縄と日本の関係史を振り返り、植民地主義が戦後日本においても形を変えて続いていることを確認する。そして、次に、その責任のありかを検討する。そこでは、沖縄に基地を押しつける日米合作の植民地主義を支える「日本人の民意」が見えてくるだろう。そして、最後に、そのような「無意識の植民地主義」からの脱却を目指す新しい草の根の市民運動として「基地引き取り運動」を取り上げる。私は、今は小さなこの運動を、沖縄への応答責任に向き合おうとする日本人による草の根の「応答」として、そして、東アジアにおいて日本人が主体的・自律的に脱植民地化していくための一つの道として論じたいと思う。

1　今も終わらない日本の植民地主義

沖縄がこれまで法的に日本の植民地であったことは一度もない。しかし、一八七九年に琉球王国が武力によって帝国日本に併合されて以来、沖縄は一度として日本の他地域と平等に扱われたことがない。帝国日本においても、戦後日本においても、理不尽な国策が途切れることなく沖縄には押しつけられてきたからである。琉球新報は、二〇一九年四月四日（琉球併合から一四〇年目の日)、朝刊の社説「廃琉置県一四〇年　植民地主義から脱却せよ」で次のように語っている。

一四〇年前の琉球の人々が今の沖縄を見たら何と言うだろうか。当時から連綿と続く植民地支配のにおいをかぎ取るに違いない。

今や沖縄の新聞は、現在の現実を「植民地支配」あるいは「植民地主義」という言葉で記述している。先に述べたように、日本国は、今も全体の約七〇%もの在日米軍専用施設を国土面積〇・六%にすぎない沖縄県に集中させている。この圧倒的に不平等な基地負担の現実こそ、今もこの国に植民地主義が続いていることの客観的な証拠だと言っていいだろう。さらに、現在、日本国政府は、沖縄県民の民意を無視して名護市辺野古において新基地建設まで強行している。このような基地負担は、言うまでもなく、沖縄県民が選択したものではない。これは、国策として沖縄に押しつけられているものである。他方、「本土」のマジョリティは、応分の基地負担を免れるという「特権」を過去数十年にわたって享受してきた。ある国家がある特定の地域を軍事的、政治的、文化的に支配しそこから利益を得ることを植民地主義と呼ぶとすれば、この国策は植民地主義と呼ぶほかないだろう。

二〇一五年九月二一日、翁長雄志・沖縄県知事(当時)は、国連人権理事会において、「沖縄の人々は自己決定権や人権をないがしろにされています」と語った(沖縄タイムス、二〇一五年九月二二日)。今、日本国の他の都道府県の知事が国連でこのようなスピーチをすることが考えられるだろうか。この節では、日本国において現在も継続する植民地主義を可視化するため、沖縄（琉球）と近代日本の関係史の要点を簡潔に振り返っておきたい。

琉球併合から沖縄戦へ

一八七九年、帝国日本は、武力をもって琉球を併合し、「沖縄県」とした。まもなく政府は同化政策を開始し、学校では児童に琉球の言語を禁じ日本語を強制した。これによって、子どもたちには、フランツ・ファノンが「劣等コンプレックス」と呼んだ心的外傷（自文化や自己自身に対する憎悪に起因する劣等感や無力感）が植えつけられ、あわせて「日本人（皇民）になること」が理想として教え込まれた（野村二〇一九）。その先にあったのが、沖縄戦である。

一九四五年三月に始まる沖縄戦は、太平洋戦争の末期、すでに敗戦をさとった帝国日本による住民を犠牲にした「捨石作戦」だった。その目的は、沖縄県民の保護ではなく、「国体護持」（天皇制維持）であり、「本土決戦」までの時間稼ぎだった（新崎二〇一六）。日本軍は、沖縄県民に対して徹底的に協力を強いたが、同時に「沖縄の言葉で話した者はスパイとみなして処刑する」という軍命令を出すなどして敵視し、虐殺も行った。日本軍は九月まで住民を巻き込んだ地上戦を続け、沖縄県民は四人に一人（人口四六万人のうち一二万人以上）が死亡した（マコーマックほか二〇一三、国場二〇一九）。帝国日本は、武力と教育によって琉球の人々をむりやり「日本人」にしたが、沖縄戦では住民を利用するだけ利用し、戦争の手段とした。

日米合作の戦後植民地主義の形成

帝国日本の降伏後も、沖縄は米軍によって軍事占領されたが、それが長期化していく。一九

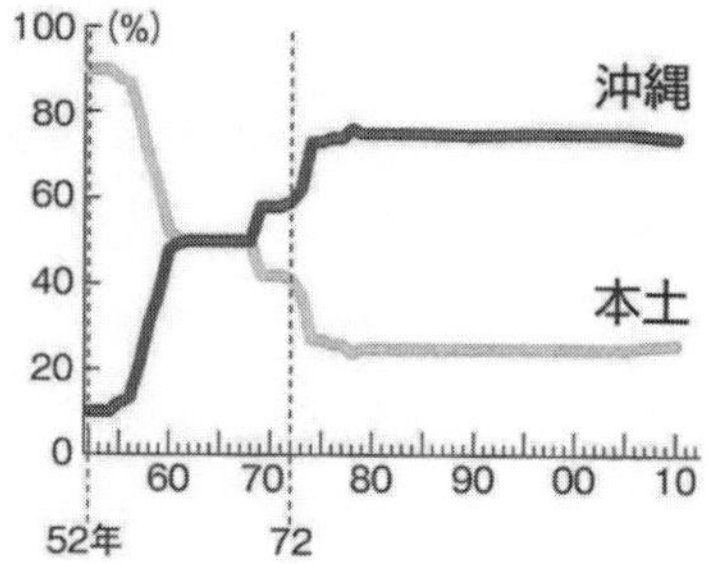

図１　本土と沖縄の基地面積の割合

出所：木村司『知る沖縄』朝日新聞出版 p.64 より。アメリカや琉球政府、沖縄県などの資料から作製。数字は年度末や年度途中のものが混在。50 年代の一部は推計値。

五二年に日本は「対日平和条約」（サンフランシスコ講和条約）によって主権を回復したが、同じ条約によって沖縄の施政権を米国に差し出したからである。沖縄県民の「日本復帰」を要望する議会決議や署名は日米両政府に無視された。この後、沖縄では、米軍の「銃剣とブルドーザー」による土地の強制接収と基地建設が進んでいく。日本国は、沖縄県民を日本国憲法の外に放り出し、米軍が沖縄において何らの法的制約なく軍事活動ができるようにしたのだと言える（古関・豊下 二〇一八）。

他方、「独立」を回復した日本国でも、この時期には沖縄の九倍の米軍基地があった。日本国は、「対日平和条約」の締結と同時に、米国と「日米安全保障条約」を締結し、占領期と同様に「米軍が必要な場所に、必要な期間、必要な規模の兵力を配備する」（ジョン・F・ダレス）ことを許可していたからである（野添 二〇二〇）。これによって、日本の各地で住民による反米・反基地闘争が起こるが、日米両政府はこれに対し米軍地上部隊を日本「本土」から撤退させることで対応した。こうして、「本土」の米軍基地面積は半減する。ところが、沖縄では、海兵隊が「本土」から移設されたことで米軍基地面積が倍増した（図1参照）。

しかも、「本土」から移設された海兵隊は沖縄に核兵器を持ち込んだ。この時期から沖縄は核兵器を配備した軍事要塞にされてゆき、核兵器による破滅の危機を経験するようになる。しかし、日米両政府が核兵器の配備やその重大事故を沖縄県民に伝えることはなかった（松岡二〇一九）。また、一九六〇年の日米安保条約改定の際も、米国の「核の傘」を求める日本政府は、米軍が「事前協議」なしに核兵器を沖縄に持ち込むことを許可した。日米合作の植民地主義のなかで、沖縄は自己決定権を奪われ、「太平洋の要石」として一三〇〇発の核弾頭が配備された世界最大の核兵器の島にされたのだと言える（松岡二〇一九）。

「本土復帰」という戦後植民地主義の継続

一九七二年、沖縄の施政権は日本国に「返還」された。しかし、日本国政府は、「核抜き、本土並み」の約束を裏切り、巨大な米軍基地をそのまま沖縄に残した。さらに、政府は、核は撤去すると言いながら、有事における核持ち込みの密約も米国と結んでいた（新崎二〇一六）。また、この時期、沖縄の基地負担はさらに高まっていった。関東地方の米軍基地が整理縮小されたことで「本土」の米軍基地面積は三分の一に減少したが、その部隊の一部が基地の整理縮小の進まない沖縄に移転されたからである（新崎二〇一六）。国土面積〇・六％の沖縄に日本国全体の七五％もの米軍基地が集中するという差別的な日米安保体制は、沖縄返還後のこの時期に完成した（図1参照）。「本土復帰」によって見せかけ上は米軍支配が終わったが、日米合作の植民地主義は沖縄に適用された日米安保条約の下で継続した。

戦後植民地主義の象徴としての辺野古新基地建設

一九九五年、沖縄と日本の戦後史を根本的に問う事件が発生した。一二歳の沖縄の少女が米兵三人に暴行される事件が発生したのである。これによって沖縄県民の反基地感情は沸点に達した。慌てた日米両政府は、在沖米軍基地の整理縮小をかかげて、普天間基地などの返還を約束するが、基地の県内移設が条件だったため、沖縄県民は納得しなかった。にもかかわらず、日本国政府は県民の反対を無視してこの政策を実行していく（新崎二〇一六）。政府は、二〇二一年現在も名護市辺野古において普天間基地の移設工事を強行している。

辺野古新基地建設は、日本の終わらない植民地主義を象徴する国策だと言える。これは、沖縄を「基地の島」にするという戦後の差別的な安全保障政策の継続であり、帝国日本から続く沖縄県民を犠牲にした「捨石」政策そのものだからである。また、この基地建設は、県知事選や国政選挙、県民投票などで繰り返し示されてきた沖縄県民の民意の否定であり、歴史的に振り返れば、琉球併合から続く人民の自己決定権の否定である。さらに、日本国政府は、現在、与那国島、石垣島、宮古島等においても自衛隊基地の建設を進めている。琉球併合以後、日本の植民地主義は一瞬も途切れることなく続いていると結論せざるを得ない。

2　無意識の植民地主義と日本人の責任

帝国日本による植民地主義は一九四五年の敗戦によって終わり、戦後日本は日清戦争以後に獲得したすべての植民地を失った。しかし、第一節で見たように、そこで日本の植民地主義が終わったわけではなかった。沖縄（琉球）の視点から近現代日本史を振り返るとき、帝国日本の植民地主義は、形を変えて現在に至るまで継続していることがわかる。では、このような植民地主義の「責任」はどこにあるのだろうか。誰がこの暴力の行使者なのだろうか。植民地支配は、植民者（支配するもの）と被植民者（支配されるもの）がいて成立している。この支配・被支配関係をつくり上げ、維持し、利益を得ているのは誰なのか。

日米合作の植民地主義と「日本人の民意」

沖縄に対する暴力の行使者を考えるとき、ひとまずわかりやすい答えとして、日米両政府をあげることができるだろう。日本国も、米国も、沖縄を犠牲にした日米安保体制によってそれぞれに利益を得てきたからである。東アジア研究を専門とする島袋まりあは、このような日米両国が主体となって形成している日米合作の植民地主義を、その「共犯性」に注目して「太平洋を横断する植民地主義」と呼んでいる（島袋二〇〇七）。日米安保体制は、米国の帝国主義が日本の戦前から続く植民地主義を利用し、日本国がまたそのような東アジアにおける米国の帝国主義を利用するという、「太平洋を横断する」相互依存によって成り立っているからである。

この一九五二年に成立する沖縄を犠牲にした日米合作の植民地主義の体制を「サンフランシスコ体制」と呼んでおこう。これは、日本国の側から言えば、第二次大戦後のアメリカの強大な軍事力・経済力を背景とした「パックス・アメリカーナ」に依存する戦後体制だったと言える。戦後日本は、沖縄を米国に差し出し、さらには自らも積極的に米国の「属国」としてふるまうことによって、東アジアにおける米国の覇権を支え、その米国の覇権から自国の国益を引き出そうとしたからである。日本思想史を専門とする研究者・酒井直樹は、このような戦後日本の立ち位置を「下請けの帝国」と呼んでいる（酒井二〇一七）。

しかし、社会学者・野村浩也が明快に論じたように、このサンフランシスコ体制が「日本人の民意」によって支えられてきたことを忘れてはいけない（野村 二〇〇六）。[2] サンフランシスコ体制は、現在に至るまで沖縄を米軍基地の島にすることによって成り立っているが、このように極端な政策を日本国の主権者の同意なく行うことは不可能だからである。たとえば、占領期から沖縄を米軍基地の島にすることを推し進めたD・マッカーサーは、一九四七年六月に外国人記者団に対して次のように語っている。

米国が沖縄を保有することに日本人の反対があるとは思えない。なぜなら沖縄人は日本人ではなく、また日本は戦争を放棄したからである。沖縄に米国の空軍を置くことは日本にとって重大な意義があり、あきらかに日本の安全に対する保障になろう。

（古関 二〇一三、強調は引用者）

マッカーサーは、戦後の東アジアにおいて米国の覇権を維持するために、帝国日本時代のシステムや人種主義《レイシズム》を利用した。日本の占領統治においては、昭和天皇の戦争責任を不問に付して天皇制を維持し、天皇に従う国民の心性を利用したし、東アジアにおける米軍の拠点をつくる際には沖縄人を蔑視する日本人の人種主義を利用した。ここで注目したいのは、マッカーサーが日本人は米国による沖縄の保有に対して反対しないと読んでいることである。

また、同じ時期に昭和天皇がこれに対応するメッセージをマッカーサー宛てに出している。いわゆる「天皇メッセージ」（一九四七年九月二〇日付）である。以下は、天皇の顧問・寺崎英成から受け取った昭和天皇のメッセージを伝えるGHQ政治顧問W・J・シーボルトの覚書からの引用である。

> 寺崎氏は、米国が沖縄およびその他の琉球諸島の軍事占領を継続するよう天皇が希望している、と言明した。天皇の意見では、そのような占領は米国の利益になり、また日本を守ることにもなる。天皇が思うには、そのような措置は、ロシアの脅威を恐れているばかりでなく、占領終結後に右翼および左翼勢力が台頭し、そうした勢力によって、ロシアが日本に内政干渉する根拠に利用できるような「事件」が引き起こされることをも恐れている日本国民のあいだで、広範な承認が得られるであろう。（進藤 一九七九、強調は引用者）

この「天皇メッセージ」を先のマッカーサーの発言と並置するとき、沖縄を犠牲にした日米合作の植民地主義の土台にあったものが見えてくる。マッカーサーも昭和天皇も「日本人の民意」に言及しており、両者ともに、沖縄を米軍基地の島にすることに日本人は反対しないと読んでいたのである。実際、一九五一年に対日平和条約が締結されると、マッカーサー＝昭和天皇の構想が実現する形となるが、日本国の国会議員たちはこの条約を承認し、日本人マジョリティも沖縄の施政権譲渡に反対することはなかった。その意味で、日米合作の植民地主義の土台には最初から「日本人の民意」が潜んでいたと言うべきだろう。[3]

沖縄を米軍基地の島とすることを容認する「日本人の民意」は、一九五〇年代後半に「本土」から沖縄へと海兵隊が移設される過程でも維持された。この移設によって「本土」の基地面積は半減し沖縄の基地面積は倍増するが、「本土」において「沖縄に移設するな」という抗議運動が起こったという話は聞かない。また、一九六〇年に日米安保条約の改正が議論された際も、日本国のマジョリティが気にしたのは「沖縄を日米の共同防衛地域に含めると、「本土」が戦争に巻き込まれるかもしれない」ということだった(新崎 二〇一六)。沖縄を基地の島にしておきながら、沖縄と関わることを忌避したのである。このような「日本人の民意」(沖縄差別)は、一九七二年の「沖縄返還」の背後にもあったと言える。沖縄の基地負担が「本土並み」にならなかったことに対して、日本国のマジョリティは反対しなかった。また、このような民意は、本質的には現在にまで続いていると考えられる。

世論調査から見える「日本人の民意」

沖縄に基地を押しつける日米合作の植民地主義は「日本人の民意」が支えている。このことは、内閣府が行ってきた世論調査の結果からも裏付けることができる。日本国の安全保障にとって日米安保条約が必要だと考える人は、一九六〇年代末まではせいぜい四〇%程度だった(図2を参照)。ところが、一九七二年の「沖縄返還」を境にして、その支持が五〇%を超えていく。「本土」の基地負担が減り、沖縄に七割を超える米軍基地を集中させる体制が完成する一九七〇年代半ばからは日米安保条約の支持率は右肩上がりに高まりを見せ、近年は八〇%に達している。世論調査の結果から見る限り、沖縄に基地を集中させる日米安保体制を「日本人の民意」は支持したのだと言うほかない。

また、もっと分かりやすい世論調査結果がある。二〇一七年にNHKが行った世論調査によると、沖縄への基地の集中について過半数（五三％）の回答者が「（どちらかと言えば）差別的」との認識を持っているものの、沖縄に基地があることについては七一％（必要だ二一％、やむを得ない五〇％）が支持し、その基地負担を自分の都道府県で引き受けることを望むかという問いには、過半数（五八％）が「（どちらかと言えば）反対」と答えているのである（河野二〇一七）。沖縄に多くの基地を押しつけることは「差別的」だとの認識がありながらも、それをやむを得ないこととして容認する「日本人の民意」がここには表れていると言ってよい。

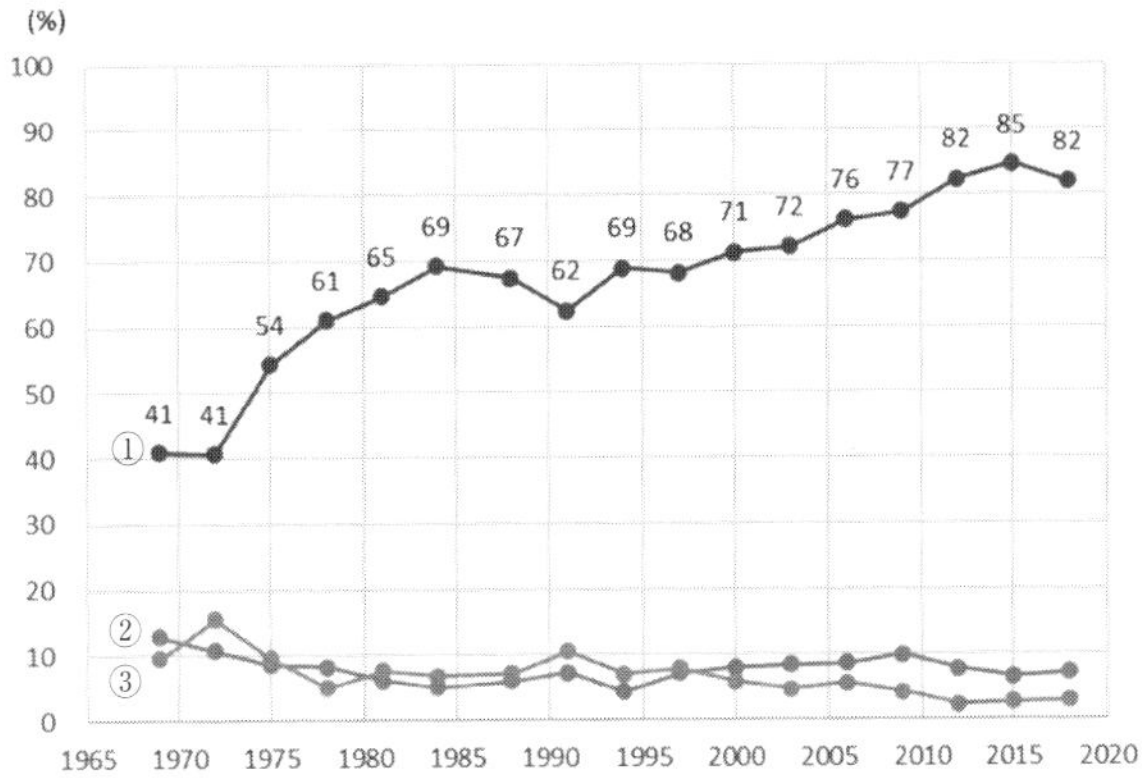

① 現状どおり日米の安全保障体制と自衛隊で日本の安全を守る
② 日米安全保障条約をやめて、自衛隊だけで日本の安全を守る
③ 日米安全保障条約をやめて、自衛隊も縮小または廃止する

図２　日本の安全を守る方法
出所：内閣府による世論調査「自衛隊・防衛問題に関する世論調査」（1969-2018）をもとに作成

無意識の植民地主義

ただし、沖縄に基地を押しつけることを容認する日本人の態度については、ある重要な特徴がある。ほとんどの日本人が、沖縄の過重な基地負担について知ってはいても、他ならぬ自分が基地を押しつけているとは思っていないのである。社会学者・野村浩也は、このことを「無

意識の植民地主義」と呼び、次のように指摘している。

ほとんどの日本人は、安保を成立させた自己の責任を自覚していないし、沖縄人に在日米軍基地を押しつけていることを意識していない。言い換えれば、安保の当事者であるという意識はほとんどない。（野村二〇一九）

日本人は、一九五二年に戦後日本が誕生して以来、約七〇年にわたって日米安保条約を維持しており、この条約の解消を目指す政権選択をしたことは一度もない。この国の主権者は、まぎれもなく日米安保を政治的に選択してきたのだと言える。にもかかわらず、この国の主権者は、「安保の当事者」としての意識を持たず、基地を負担するという責任から逃れ、さらには、自分が沖縄に負担を押しつけているという意識からも逃れているのである。

なぜ、日本人は、自分が行っていることを意識しないのか。なぜ、そのようなことが可能なのか。野村浩也は、フロイトの精神分析学の概念を応用し、きわめて説得的な分析をしている。日本人は「自分が沖縄に基地を押しつけている」という「真実」に耐えられないため、様々な心理的「防衛機制」を働かせて無意識に「真実」を否認している（野村二〇一六）。つまり、日本人は、自分にとって不都合な「真実」を無意識に「抑圧」したり、無意識に他者に「投射」（責任転嫁）したりすることによって、絶えず「真実」から逃げ、自己自身を欺いているのである。

たとえば、日本人の多くは、沖縄への基地の集中を、もっともらしく東アジアの安全保障環境のせいにしたりする。米国の元国防長官ですら明確に否定しているにもかかわらず、いまだに沖縄の地理に責任転嫁し、「地政学的な理由（地理的優位性）があるのだ」、「抑止力の維持のためだ」とする人も多い。[4] あるいは、沖縄への基地の集中を、米国のせいにしたり、保守派や自民党政権のせいにしたりする人もいる。さらには、「私は難しいことはよくわからない」と自分の無知・無関心のなかに逃げ込む人もある。いずれにせよ、保守派であれ、左派であれ、無関心派であれ、日本人のほとんどが沖縄への基地の集中は自分に責任があるのではなく、責任はどこか他にあるのだとする反応を無意識に行うのである。

二〇一八年二月、安倍晋三首相（当時）は、沖縄の基地負担軽減が進まない理由を「国民の理解が得られないから」と国会で答弁した（沖縄タイムス、二〇一八年二月五日）。日米合作の植民地主義は、日本国政府と米国政府と日本人が、それぞれに様々な方向に責任転嫁をしながら「無責任の体系」のなかで沖縄に基地の押しつけを行っていることがわかる。

鳩山政権が可視化した「不都合な真実」

とはいえ、戦後日本史において、日本人マジョリティが自らの「不都合な真実」に直面しなくてはいけなくなった瞬間が一度だけあった。二〇〇九年の政権交代で民主党を中心とした連立政権が誕生し、鳩山由紀夫首相（当時）が「最低でも県外」と主張して、普天間基地問題を辺野古移設によってではなく、国外・県外移設によって解決しようとしたときである。鳩山は、日本の戦後史において初めて沖縄の不公平な基地負担を全国レベルで問題化し、それを是正しようとした。

しかし、鳩山はまもなく、メディア、官僚、そして身内である閣僚からも強い反発を受けた。

メディアは「日米同盟を壊す気か」との論調で騒いだ。結局、彼は普天間基地の移設先を沖縄県外に見つけることができず、当初の辺野古案に回帰した。このとき、鳩山が述べた言い訳が海兵隊の「抑止力」だった（高橋 二〇一五）。彼は後にこの発言は「方便」（嘘）だったとして否定しているが、その時は彼も沖縄への基地の押しつけを沖縄の地理に責任転嫁したのだと言える。

とはいえ、鳩山が、県外移設を断念した本当の理由は、「日本人の民意」だったというほかないだろう。メディア、官僚、国会議員、全国の都道府県の知事たち、そして一般の日本人が、総体として、普天間基地の「県外移設」（「本土」引き取り）に反対したのだ。このとき、沖縄県民は日本人の正体を見たと言ってよい。日本人は、日本国内に米軍基地を欲しながらも、自分のそばにだけは置きたくないのだと。それは、いわゆる「ニンビー」（NIMBY: Not In My Back-Yard「私の裏庭には御免です」）の態度そのものだった。

このとき以来、沖縄県民と沖縄のメディアは、日本の安全保障政策をはっきりと「沖縄差別」と批判し、「日米安保がそれほど大事なのであれば、日本人は基地を公平に負担すべきである」と主張するようになる。「もう!! はりさけた おきなわのチムグクル（真心）」とは、二〇一〇年四月の沖縄県民大会の日、会場の木に張られたプラカードの言葉である（知念 二〇一〇）。沖縄県民は、基地を押しつける無責任きわまりない日本人に対して、怒りを込めてその責任を鋭く問うようになるのだ。

日本人自身にとっても、「無意識の植民地主義」はこのとき一瞬可視化された。とはいえ、すぐまた集団的「防衛機制」が機能し、日本人は「真実」から逃走した。沖縄に対するヘイトスピーチが過激化していくのは、鳩山政権以後である。「真実」から逃走しようとする日本人たちは、あからさまに暴力的な言葉で、自分たちに「真実」を突きつける沖縄人たちを力で「抑圧」しようとしている（野村 二〇一六）。あるいは、その他大多数の日本人は、基地の押しつけに対して必死で知らないふりを続けている。沖縄のライター《むぬかちゃー》・知念ウシは、このような形で沖縄に行使される暴力を「知らんふり《シランフーナー》の暴力」と呼び、その責任の所在を次のようにはっきりと語っている。「私は沖縄の米軍基地というのは、いわゆる日本「本土」の「普通のいい人」たちが、沖縄に押しつけているものだと思っています」（知念 二〇一三）。

3 基地引き取り運動とは何か？

日米安保条約を維持している当事者でありながら、基地負担から逃げ、沖縄に基地を押しつけているという意識からも逃げている日本人に対して、その無責任を問う沖縄からの声は高まっている。普天間基地の「県外移設」を訴える沖縄県民の声は、まさにそのような声である。「県外移設」の訴えは、単に基地の移設先を名指しているのではない。それは、「県外」（日本人）という基地問題の責任の所在を名指し、知らんふりの暴力をやめない「本土」の主権者たちに責任をとりなさいと応答を迫っているのである。

そのような中、今、まだ小さいながらも、「基地引き取り運動」（二〇一五〜）と呼ばれる新しい市民運動が「本土」の各地で誕生している。私自身、地元の仲間とともに二〇一六年二月に「沖縄に応答する会@新潟」という小さな会を立ち上げ現在に至るが、同じような基地引き取りのグループが、現在、一〇を超える都道府県に広がりを見せている。[5]「基地引き取り運動」とはいったい何なのか。

基地引き取り運動の始まりの場所

「基地引き取り運動」は、二〇一五年三月に大阪で誕生した。その中心には、学生時代に辺野古で新基地建設の阻止行動に参加し、その後、地元大阪で基地をつくらせない行動を一〇年間やってきた松本亜季さんという女性がいる。松本さんは、長く「基地はどこにもいらない」という考えの下に行動をしており、沖縄の状況が広く「本土」で知られるようになれば、辺野古新基地建設は止められると考えていたという。ところが、事態はそのように推移しなかった。鳩山政権の騒動を通して多くの国民が基地問題を知ったが、むしろその問題を沖縄に封じ込めようとする力は強まった。松本さんは、何が問題の解決を拒んでいるのか思い悩み、やがて「沖縄に基地を集中させている本当の理由」について次のように語るようになる。

> 米軍基地をおく根拠となっている日米安保を支持しながら、自分の町に米軍基地が来ることには反対し、沖縄においておけばいいのだと考えている日本人のなかにこそ、問題の核心があるのではないかと思います。（松本 二〇一七）

松本さんは、基地問題の核心を、日本人の無知・無関心ではなく、日本人の「差別」に見出したのだと言ってよい。日米安保の当事者でありながら、その当事者性から逃げ、「沖縄においておけばいいのだ」と考えている日本人こそが問題なのだと。しかし、注目すべきは、松本さんがそれまでの自分の運動にも批判的になることである。松本さんは、次のように語っている。

「基地はどこにもいらない」というスローガンのもとでの行動は、沖縄への差別を覆い隠し、沖縄に基地が固定化することにつながるのではないかと危惧しています。まずは、この差別の問題に向き合うことが必要ではないか。そう考えたとき、ずっと向き合うことを避けてきた「基地を持って帰ってほしい。引き取ってほしい」という声に向き合わなければ、どうしようもないという思いに立たされました。（松本 二〇一九）

この松本さんの言葉の根底にあるのは、「基地はどこにもいらない」と考える日本人も、「基地は沖縄にあるべきだ」と考える日本人も、何も考えていない日本人も、沖縄に基地を押しつけている点では同じだという認識だろう。どの立場の人も、「沖縄においておけばいいのだ」とは思っていないとしても、基地の公平負担（＝沖縄差別の解消）を拒否しているからである。そのような日本人マジョリティ全体の無意識の行為を深く自覚したとき、長い間耳にしていながら、ずっと耳を塞いでいた「基地を持って帰ってほしい、引き取ってほしい」という声に、松本さんは向き合わざるを得なくなったのである。

基地引き取り運動は、日本人による二重の応答責任の発見として始まっていると言ってよいだろう。それは、「基地を持って帰ってほしい、引き取ってほしい」という沖縄人の声なしには決して生まれることのなかった行動である。まず、根底には沖縄人の声がある。しかし、基地引き取り運動は、それに対する単純な応答というわけでもない。問題の本質を突く沖縄人の声が一方でありつつも、すぐにはそれに応答することができなかったからである。しかし、何かをきっかけに、やがて正視しがたい自分の正体が見えるようになる。日本人は、そこで初めて自分の正体に違和と嫌悪を感じ、自分の内側から聞こえてくる声に従うのである。その意味で、基地引き取り運動は、他律的であるようで自律的であり、受動的であるようで能動的である。

とはいえ、日本人マジョリティの多くは、左派であれ、右派であれ、無関心派であれ、「基地を引き取ってほしい」という沖縄人の声と出会ったとき、「沈黙」に出たり、「逆ギレ」してしまうかもしれない。人は「沖縄に基地を押しつけている自分」という「真実」に耐えられずに、聞こえないふりをしたり、別の何かに責任転嫁して逃げたり、暴力的に声を「抑圧」しようとしたりするからである（野村 二〇一六）。しかし、そのような防衛的反応のなかにこそ、日本人の「無意識の植民地主義」が強力にうごめいている。日本人は、これまでもずっと、まさにそのような「沈黙」や「逆ギレ」を通して、自らの「特権」を維持し、植民地主義を継続してきたのである。

したがって、基地引き取り運動とは、何よりもまず、「沈黙」に出るのでも、「逆ギレ」するのでもなく、「基地を引き取ってほしい」という声に向き合い、そこから見えるようになった自分の正体を受けとめつつ、内なる声に従って応答していくことだと言える。そして、その行動は、沖縄に基地を押しつけている「日本人の民意」に小さな穴を空けるだろう。基地引き取り運動は、「無意識の植民地主義」を生きている日本人が立ち往生する場所で始まる。基地引き取り運動とは、この国に一四〇年続く植民地主義（差別）を解体しようとする行動だが、その最初の一歩は、一人の日本人が自分の正体を自覚し、そこから身を引き剝がそうと自問自答するなかで始まる。

基地引き取り運動の可能性

基地引き取り運動は、様々に非難されることがある。「そんなことは不可能である」、「運動を分断するな」、「性暴力も引き取るのか」、「口だけのパフォーマンスだろう」、「無責任なことを言うな」などなど。このような防衛的反応そのものが日本人の「存在論的不安」（野村二〇一六）をさらけ出していると言えるが、もはやそのような言葉で基地引き取り運動を「抑圧」することはできない。それは、そのような言葉で、日本人の責任を問う沖縄人の声を「抑圧」することができないのと同じである。基地引き取り運動の自律性と能動性は日本人の「真実」に根ざしており、運動が今どんなに小さなつぶやきだとしても、それを力で抑え込むことはできない。

基地引き取り運動は、自らが立ち上がるときに経験した葛藤や抵抗を、今後は社会のもっと大きな文脈のなかで起こしていくことになるだろう。そして、それは、これまでのように「沈黙」や「逆ギレ」を可視化しながらも、同時に、無数の小さな自問自答を創出していくことになるだろう。その意味で、基地引き取り運動は、戦後日本の植民地主義にあいた小さな風穴であるが、それは日本人マジョリティに対する強烈な「問いかけ」でもあり、日本人が自らの政治的権力的位置から降りて別のものへ生成変化していくための脱出口でもある。

「あなたは、なぜ基地を公平に負担しないのか？」、「あなたは、なぜ基地を沖縄に押しつけているのか?」、基地引き取り運動は、主権者の責任から逃走している日本人に対して問い続ける。そして、それに応答する人は、この「問い」に向き合うなかで、自分の正体と出会い、別の何ものかに生まれ変わるための当事者性を自ら奪い返してゆくだろう。日本人の「当たり前」に亀裂を入れ、自分と世界を変える「問い」を日本人自身に突きつけること、これこそが基地引き取り運動の可能性ではないだろうか。

日本人の目の前には数々の待ったなしの問いがある。「私たちは米軍を「本土」のどこにどうやって引き取るか」。「分散か、ローテーションか。そもそも、米軍や米軍基地は本当に日本国内に必要なのか」。「国内移設が必要なのであれば、どうやって公平・公正に移設地を決めるのか」。「米国の「核の傘」は必要なのか。自分の地元でも核兵器を引き取れるか」。「東アジアは核ミサイルを向け合うべき敵なのか。東アジアに平和共同体はつくれないのか」。「日米地位協定は放置するのか。今後も米軍には治外法権を与え続け、その人権侵害を黙認し続けるのか」。「他者に尊厳を認めない日本人に尊厳はあるのか」。

おわりに

明治維新以来、日本人は、帝国主義（植民地主義）の世界のなかでアジア人を蔑視してきた。また、日本人は、そのような人種主義のなかで、沖縄人を蔑視し、自己自身をも蔑視してきた。それは、日米合作のサンフランシスコ体制のなかで、現在も継続している。したがって、日本人は、本当は今も劣等感と無力感を抱えているのだと言ってよい。それは、フランツ・ファノンが「劣等コンプレックス」と呼んだものである（ファノン 一九九八）。だからこそ、日本人は、米国には自発的に隷従し、アジア人には核兵器を向け、沖縄人にはあれほどまでに傲慢にふるまうのである。このような「無意識の植民地主義」から脱出することは、私たちの歴史的責任であり、人間としての責任であるように思われる。基地引き取り運動は、日本人が東アジアにおいて主体的・自律的に脱植民地化を遂げていくことにつながる一つの道である。そして、それは、日本人マジョリティが「恥」の感覚を取り戻し、沖縄の人々との対等な関係を求めて自ら生まれ変わろうとする自己変革の挑戦でもある。

［註］

1 私は、本稿において、「沖縄人」、「日本人」という言葉を、国籍（nationality）や民族性（ethnicity）を示す概念としてではなく、沖縄と日本の間に歴史的にまぎれもなく存在してきた権力関係、あるいは、それによって歴史的に構築されてきた政治的権力的位置性（positionality）を示す概念として使用する。したがって、本稿における「沖縄人」、「日本人」という言葉は、人々の帰属意識やアイデンティティを記述する言葉ではない。それらは、当人が意識していないとしても他者の立場から見たときにまぎれもなく存在する権力関係や立ち位置を記述するための言葉である。

2 一人ひとりの日本人こそが日米合作の植民地主義を支えてきた。これが、野村浩也氏の『無意識の植民地主義』の核心にある主張である。本稿第二節はもちろんのこと、本章全体が、野村氏のテキストなしには書かれなかった。野村浩也氏や知念ウシ氏の著作は、日本人が自らのポストコロニアリズムを批判的に考察する際、欠かすことのできない最重要のテキストであり、近年の「基地引き取り運動」の誕生と形成にもきわめて大きな影響を与えている。

3 この時期、日本「本土」において沖縄は「忘れられた島」であり、メディアにおける対日平和条約をめぐる論議においても、沖縄の地位を定めた第三条やそれに対する沖縄の住民の反応は大きな話題にはならなかったという（新崎二〇一六）。

4 これは日本国政府の立場でもある。しかし、日米間で普天間基地の移設先を辺野古に決めたときの米国国防省のトップであるペリー元国防長官（在任期間＝一九九四～九七年）は、日本国政府の主張をはっきりと否定している。「しかし、当時も今も、基地の使命から考えて沖縄でなければならない理由はないのです」（ETV特集『ペリーの告白～元米国防長官・沖縄への旅』二〇一七年一一月一八日放送）。

5 詳しくは、沖縄の米軍基地を「本土」で引き取る！編集委員会編『沖縄の米軍基地を「本土」で引き取る！――市民からの提案』（コモンズ二〇一九）を参照のこと。また、基地引き取り運動の全国ネットワークとして、「辺野古を止める！全国基地引き取り緊急連絡会」がある。

［参考文献］

新崎盛暉『日本にとって沖縄とは何か』岩波書店、二〇一六年
河野啓「沖縄米軍基地をめぐる意識 沖縄と全国――二〇一七年四月『復帰45年の沖縄』調査」『放送研究と調査』第六七巻第八号、NHK放送文化研究所、二〇一七年、一八～三一頁
国場幸太郎『沖縄の歩み』岩波書店、二〇一九年
古関彰一『「平和国家」日本の再検討』岩波書店、二〇一三年
古関彰一・豊下楢彦『沖縄 憲法なき戦後』みすず書房、二〇一八年
酒井直樹『ひきこもりの国民主義』岩波書店、二〇一七年
島袋まりあ「太平洋を横断する植民地主義――日米両国の革新派と「県外移設論」をめぐって」野村浩也編著『植民者へ――ポストコロニアリズムという挑発』松籟社、二〇〇七年、三一七～三五六頁
進藤榮一「分割された領土」『世界』一九七九年四月号、一九七九年
高橋哲哉『沖縄の米軍基地――「県外移設」を考える』集英社、二〇一五年
知念ウシ『ウシがゆく――植民地主義を探検し、私をさがす旅』沖縄タイムス社、二〇一〇年

――『シランフーナー（知らんふり）の暴力――知念ウシ政治発言集』未來社、二〇一三年
野添文彬『沖縄米軍基地全史』吉川弘文館、二〇二〇年
野村浩也「猫にとっての鼠――問われる民意　普天間移設新沿岸案を考える一〇」『琉球新報』二〇〇六年五月一一日
――「防衛機制的人種主義とアンクル・トム――新城郁夫批判」『解放社会学研究――小特集「県外移設」と植民地主義』第二九号、日本解放社会学会、二〇一六年
――『増補改訂版　無意識の植民地主義――日本人の米軍基地と沖縄人』松籟社、二〇一九年（初版は、御茶の水書房より、二〇〇五年に出版されている）
ファノン、フランツ『黒い皮膚・白い仮面』海老坂武・加藤晴久訳、みすず書房、一九九八年
松岡哲平『沖縄と核』新潮社、二〇一九年
松本亜季「大阪へ沖縄の米軍基地を引き取る――もうひとつの議論を始めませんか」『月刊　むすぶ――自治・人・くらし』第四八巻第一号、ロシナンテ社、二〇一七年、五四～五七頁
――「沖縄に対する日本の植民地主義を克服するために《大阪から》」沖縄の米軍基地を「本土」で引き取る！編集委員会編『沖縄の米軍基地を「本土」で引き取る！――市民からの提案』コモンズ、二〇一九年、三〇～三三頁
マコーマック、ガバン・乗松聡子『沖縄の〈怒〉――日米への抵抗』法律文化社、二〇一三年

［付記］
本稿は Keisuke Fukumoto, “Unveiling Japanese Colonialism that Forces U.S. Bases onto Okinawans: An Introduction to the ‘Take Back the Bases Movement’ in Japan,” *Theorizing Gender and Race in Historical Contexts: Invisibilities, Transboundary Imagination, and Post-Colonial Futures beyond “the Veil,”* AISRD, 2020: 70-80 をもとに、大幅に加筆したものである。

Column 6

私たちが「困難な歴史」とともに生きていくために

川尻剛士

公式確認から六五年を迎えた水俣病事件

私たちは、いかにして「困難な歴史」(difficult history) とともに生きていくことができるだろうか——これが、本書『帝国のヴェール』を通じて、私たちが向き合うべき基本的な問いの一つなのではないかと私には思える。アメリカの博物館学研究者ジュリア・ローズによれば、「困難な歴史」とは、奴隷制、ジェノサイド、大量殺人、戦争、疾病、人種差別、性差別などの「抑圧と暴力とトラウマ」の経験を刻印した歴史を意味する(Julia Rose, *Interpreting Difficult History at Museums and Historic Sites*, Rowman & Littlefield, 2016)。

『帝国のヴェール』では「困難な歴史」をたどってきた世界各地の様々な事例が紹介されているが、このコラムではその一つである水俣病事件に触れてみたい。「水俣病事件」と言われて、読者の皆さんはどのようなことを思い浮かべるだろうか。いつか読んだ教科書の数行で事足りる、完結した過去の歴史として理解されている方も少なくないことだろう。かつての私もその一人であった。

しかし、水俣病事件は今もなお終わっていない。一九五六年に公式確認された水俣病事件は、熊本県水俣市で操業するチッソ水俣工場からの汚染排水に含まれた有機水銀に起因し、それを含んだ魚介類を多食することで不知火海沿岸地域一帯において激甚に発生した公害問題である。現在に至るまで政府による十分な被害実態調査がなされていないために被害者の総数は明らかでないが、潜在的な被害者を含めるとその数は十数万人に及ぶとも言われている。折しもこの原稿執筆時である二〇二一年は、公式確認から六五年の節目の年である。だが、被害者たちにとっては、自分自身が水俣病事件史を生きていると気づいたその日から、日々当事者であらざるを得ないことは言うまでもない。

ここでは一冊の本を紹介したい。永野三智『みな、やっとの思いで坂をのぼる――水俣病患者相談のいま』（ころから二〇一八）である。本書は、水俣病事件の今を克明に知らせてくれることはもちろん、自らを被害者であると疑いつつある人々や、自らの直接的／間接的な加害責任と向き合いつつある人々、そして、自らは水俣病事件史との接点をいまだ有していないと考えている人々など、すべての私たちもまた水俣病事件史を生きる当事者なのだと伝える一書だ。しかし私たちは、いったいどのように水俣病事件史の当事者を生きることができるだろうか。このコラムでは、そうした問いの下でこの一冊を読み解き、私たちが「困難な歴史」とともに生きていくためのヒントを汲み出してみたい。

永野三智『みな、やっとの思いで坂をのぼる――水俣病患者相談のいま』

永野さんは一九八三年に水俣市に生まれ育ち、現在は現地で長く水俣病被害者の支援活動を続けてきた一般財団法人水俣病センター相思社《そうししゃ》（一九七四年設立）で患者の相談に応じている。また相思社に併設された水俣病歴史考証館《こうしょうかん》（一九八八年設立）で、子どもから大人までの多様な来館者たちに「水俣病を伝える」活動を展開してきた。だが、それまでの歩みは決してまっすぐではない。本書の「まえがき」には、それが幼少期の「苦い思い出」や「水俣からの逃避」を伴っていたものとして語り出されている。一度は、水俣病の水俣という磁場にただ引きずり込まれてしまっていたのだろう。

副題にもあるように本書の主軸は「水俣病患者相談のいま」にあるが、他方で本書はそうした永野さんの水俣病との出会い直しの連続が織り込まれた一つのタペストリーとして読むこともできる。それは、本書冒頭に示された以下の記述から理解できるだろう。

ここまでの歴史（チッソ水俣工場設立から水俣病公式確認を経て、相思社設立までの歴史）のどこにも存在しなかった私は、水俣病を通じて多くの人々と出会い、その言葉に揺れ動いてきた。その揺らぎを日記として綴ってきた。この本に収録された文章の大半は、そうやって書かれたものだ。この本は聞き書きの資料集でも、水俣病事件の正史でもない。（一〇頁）

こうして描かれた本書は、水俣病と向き合うに至る永野さんの個人史を記した「まえがき」と、アウシュヴィッツと水俣の今を重ねた「あとがき」にはさまれて、六章構成をとっている。第一・三・五・六章では、永野さんが相談に応じてきた被害者の声がそのまま聞こえてくるかのように訥々《とつとつ》と綴られている。たとえば、「うちは貧乏やったけんね、魚ばいっぱい食べて飢えばしのいだよ」（六八頁）という声。「私も兄弟もみんな水俣病だと娘には言わないでください」（六九頁）と娘を気遣う母の声。水俣病は「惨め」な病気（一九八頁）と差別してきた自分が今度は水俣病になってしまったという声。「自分が水俣病かどうか知りたい。それだけで良い」（二二四頁）という鹿児島県出身者の声――。また第二章では、そうした多声性を生む水俣病事件の歴史的背景が描かれている。そして第四章では、永野さんの書道の師であり、水俣病に向き合い続けるきっかけを与えた溝口秋生さんの闘い――それは、他界した母の水俣病認定申請の棄却処分取り消しを求める訴訟であった――と、そのほか水俣病と闘った「尊敬する方々の声と〝生〟」（一一頁）が収められている。

これらを通じて本書は、「いまを生きる私たちひとりひとりの日常」が「近く、あるいは遠く、どこかで水俣病と接している」ことを伝える（一一頁）。

私たちが「困難な歴史」とともに生きていくために

それでは、今一度コラムの主題に立ち戻ろう。私たちは、いったいどのようにして「困難な歴史」とともに生きていくことができるのだろうか。ここでは、本書を結ぶ永野さんの最後の一言に目を凝らしてみたい。そこに一つのヒントがあると思えるからだ。永野さんは、アウシュヴィッツを経験したポーランドの様々な立場の市民が、それぞれに難しいながらも「他者に問われて語り始めた」（二三八頁）ことを紹介しつつ、次の言葉で筆を擱《お》いた。

この本を書き終えた今、長い時間を経て複雑に絡み合った苦痛や葛藤を紐解いて、(一人ひとりが)自分の苦しさを語り直すことで、水俣病事件を繰り返さない世の中へ一歩近づけるのではないかと思っている。(二三九頁)

しかし、ここに至って私は思う。誰よりも著者である永野さん自身が、本書を執筆するという営み――それは、水俣病事件という「困難な歴史」に問われたときの自らの「揺らぎ」を丁寧に綴るという方法に基づくものであった――を通して、「自分の苦しさを語り直すこと」に取り組んでいたのではないか、と。水俣病被害者たちの声の片隅に、文字通りそっと書き添えられた永野さんの「苦しさ」、あるいは「揺らぎ」をいくつかあらためて取り出してみよう。

私はどうしたらいいのか。突き刺さるようなこの言葉の一つひとつを、私のなかに刺したまま綴ります(三〇~三一頁)。/別れ際、「いつも私たちはここにいますから、いつでもお電話ください」と言うとまた泣き出され、こんなに洗いざらい聞いてもらったのは初めてだとおっしゃる。だからと言って彼女の病気が治るわけではない。話を聞くというのは私たちが無力だと痛感することでもある。(九九頁)

またこうした「患者の痛みを前に何もできない」という永野さんに、作家の石牟礼道子さん――初期の水俣病事件を描いた『苦海浄土』(一九六九)でよく知られる――は、「悶《もだ》え加勢《かせ》すれば良かとです」（二二七頁）と言ったそうだ。その意味するところを、石牟礼さんはこう語っている。

むかし水俣ではよくありました。苦しんでいる人がいるときに、その人の家の前を行ったり来たり。ただ一緒に苦しむだけで、その人はすこぉし楽になる。（二二七頁）

以来永野さんは、「何もできない自分を責めるのではなく、寄り添っていこう」、「患者の人たちから聞いたことをまとめ、この事実を伝えていこう」、そして「ともに悶え加勢する人ができることが患者の助けにもなるんじゃないか」（二二七頁）と思うに至る。その結果として生まれた本書は、永野さんの経験した「悶え」「苦しさ」「揺らぎ」を読者が追体験できるものとなっている。

この本を片手に、水俣病事件史と対峙したときの「自分の苦しさを語り直すこと」から、「困難な歴史」と向き合うためのレッスンを始めてみてはどうだろうか。それが、「困難な歴史」を当事者として生きていくための一つの道であるだろう。

あとがき

本書のきっかけとなったのは、二〇二〇年一月に新潟県立大学で開催された国際シンポジウム Theorizing Gender and Race in Historical Contexts: Invisibilities, Transboundary Imagination, and Post-Colonial Futures beyond "the Veil" である。国際地域研究学会創立一〇周年を記念して企画されたこのシンポジウムの開催にあたって、米国でジェンダー、人種、帝国主義、そしてポストコロニアリズムをテーマとする研究領域において歴史と理論の両面において重要な貢献をされてきたルイーズ・M・ニューマン氏とニシャン・シャハニ氏を（コロナ禍に見舞われる直前に）新潟に招聘できた意義は非常に大きかった。国際地域研究学会会員の協力はもとより、新潟県立大学からの招聘事業への支援、そして日本アメリカ史学会と日本平和学会からの後援によってシンポジウムを開催できたことに、この場をお借りして感謝申し上げたい。

国際シンポジウムの英文の論文集を和訳し、学生たちのためのテキストを作成してはどうかという、国際地域研究学会前会長の櫛谷圭司氏のご提案のおかげで、本書の出版企画はスタートした。櫛谷氏には様々な形のご支援をいただき、心より感謝を申し上げたい。さらに、出版社を選定するにあたって、貴堂嘉之氏にお力添えをいただいたおかげで、信頼できる編集者・赤瀬智彦氏と出版社に出会うことができ、刊行までたどり着くことができたことに深く感謝申し上げたい。本書は、シンポジウムの論文集を基盤にしながらも、新たにたくさんの執筆者にご協力いただくことで完成に至った。執筆を快諾し、編者を支えてくださった執筆者の方々にはあらためて御礼を申し上げたい。また、執筆者の一人である土屋匠平氏には索引作成を手伝っていただいた。

ここにお名前をあげた方々以外にも、編者がメッセージを伝えようと試みた初発の動機であり、直接の対象である学生たちの存在、その他様々な形で編者・執筆者を支えてくれている方々の存在がなければ、このような形での完成はなかった。記して、深謝したい。

本書を活用することにより、聴かれるべき声が一人でも多くの人に聴かれ、語られるべきストーリーが少しでも多く語られ、そして「我々」の境界線を越えた他者を理解するための想像力が育成されてゆくなら、これにまさる喜びはない。本書が時空をも超えた新たな出会いのきっかけになってゆくことを祈念してやまない。

二〇二一年八月一六日

荒木和華子
福本　圭介

［付記］本書の表紙は、新基地建設のための埋め立てが強行されている辺野古の海とそこへの立ち入りを禁じるフェンスである。辺野古の砂浜から編者（福本）が二〇二〇年三月に撮影した。

事項索引

人名索引

G.M. マッキューン：一九四一年一二月～四三年九月 ―― COI/OSS における宣教師らからの朝鮮情報収集活動に焦点をあてて」（『朝鮮史研究会論文集』第 58 号、2020 年）、『在日朝鮮人のメディア空間 ―― GHQ 占領期における新聞発行とそのダイナミズム』（風響社、2007 年）など。

権寧俊（コン・ヨンジュン）［第 10 章］
新潟県立大学国際地域学部教授。主要著作に、『アヘンからよむアジア史』（編著、勉誠出版〈アジア遊学 260〉、2021 年）、『東アジアの多文化共生』（編著、明石書店、2017 年）、『歴史・文化からみる東アジア共同体』（編著、創土社、2015 年）など。

小谷一明（オダニ・カズアキ）［第 11 章］
新潟県立大学国際地域学部教授。主要著作に、*Mushroom Clouds: Ecocritical Approaches to Militarization and the Environment in East Asia*（共著、Routledge、2021 年）、『文学の環境を探る（フィールド科学の入口）』（共著、玉川大学出版部、2020 年）、『環境から生まれ出る言葉 ―― 日米環境表象文学の風景探訪 』（水声社、2020 年）など。

櫛谷圭司（クシヤ・ケイジ）［Column 5］
新潟県立大学国際地域学部教授。主要著作に、「地方からみた東アジア共同体 ―― 1990 年代の「環日本海」から考える」（権寧俊編『歴史・文化からみる東アジア共同体』創土社、2015 年）、「北京市中心部の歴史文化保護区における再開発の進行と住民の保護意識」（共著、『環日本海研究年報』第 16 号、2009 年）、『ボーダレス時代の地域間交流』（共著、アルク、1999 年）など。

福本圭介（フクモト・ケイスケ）［第 12 章］
編著者紹介参照。

川尻剛士（カワジリ・ツヨシ）［Column 6］
一橋大学大学院社会学研究科博士後期課程。主要著作に、『公害スタディーズ ―― 悶え、哀しみ、闘い、語りつぐ』（共著、ころから、2021 年）、「水俣病を語り継ぐ朗読活動」（『環境と公害』特集企画「公害資料館の現代的意義と課題」第 50 巻第 3 号、2021 年）、「水俣病患者の「水俣病を伝える」実践に関する史的研究・試論 ―― 杉本栄子（1938-2008）のライフヒストリーを通して」（『環境教育』第 30 巻第 2 号、2020 年）など。

土屋匠平（ツチヤ・ショウヘイ）［第5章翻訳、第7章］
一橋大学大学院社会学研究科修士課程。主要著作に、"Questioning the Cultural Context of FGM: Considering Gender Education from Feminist Points of View"（共著、*Theorizing Gender and Race in Historical Contexts: Invisibilities, Transboundary Imagination, and Post-Colonial Futures beyond 'the Veil'*、国際地域研究学会、2020年）、「「文化的」実践を存続させているものは何か――男性中心主義による暴力としての女性性器切除とそれに抵抗する教育の可能性」（『教育研究交流セミナー「〈教育と社会〉を研究する――多様性と移動の視点から」報告書』、2019年）、「教育＝学校＝望ましい人間育成の場という「水路付け」から脱却する機会を得て」（『教育研究交流セミナー報告書』、2019年）。

五十嵐舞（イガラシ・マイ）［Column 3］
新潟県立大学国際地域学部講師。主要著作に、「性暴力を認識した後に――トニ・モリスン『ホーム』における性暴力の加害と9/11後のフェミニズム」（『黒人研究』第90号、2021年）、「「わたし」が選んだ愛――トニ・モリスン『ジャズ』における愛の選択と自主性」（『黒人研究』第88号、2019年）、「「喪失」からはじめる――J. バトラー『生のあやうさ』「暴力、喪、政治」における倫理の端緒」（『女性学』第24号、2017年）など。

陳柏宇（チン・ボウユ）［第8章］
新潟県立大学国際地域学部准教授。主要著作に、"Decolonizing Japan-South Korea Relations: Hegemony, the Cold War and the Subaltern State"（*Asian Perspective* 第44巻、2020年）、*The SAGE Handbook of the History, Philosophy and Sociology of International Relations*（共著、SAGE、2018年）、*Asia in International Relations: Unlearning Imperial Power Relations*（共著、Routledge、2017年）など。

渡辺賢一郎（ワタナベ・ケンイチロウ）［Column 4］
東洋大学人間科学総合研究所客員研究員。主要著作に、「少女マンガの表現技法と歴史叙述としてのマンガ」（岡本充弘、鹿島徹、長谷川貴彦、渡辺賢一郎編『歴史を射つ――言語論的転回・文化史・パブリックヒストリー・ナショナルヒストリー』御茶の水書房、2015年）、「ナショナルヒストリーと国語の形成についての考察」（『歴史のトランスナショナル化とその問題点』、東洋大学人間科学総合研究所、2011年）など。

小林聡明（コバヤシ・ソウメイ）［第9章］
日本大学法学部准教授。主要著作に、『外交としての知――アメリカとアジア』（共編著、京都大学学術出版会、2022年3月刊行予定）、「太平洋戦争期アメリカ情報機関と

荒木和華子（アラキ・ワカコ）［第1章翻訳、Column 1、第5章翻訳、第7章］
編著者紹介参照。

箕輪理美（ミノワ・サトミ）［第2章、第6章翻訳］
白百合女子大学文学部准教授。主要著作に、"Free Love' in Sectional Debates over Slavery in Mid-Nineteenth-Century America"（*The Japanese Journal of American Studies* 第31号、2020年）、「アメリカ合衆国における「近代的セクシュアリティ」の形成をめぐる歴史研究動向──「行為」から「アイデンティティ」へ？」（『一橋社会科学』第6巻、2014年）、「再建期アメリカにおけるフリー・ラヴと女性参政権運動──ヴィクトリア・ウッドハルと全国女性参政権協会」（『アメリカ史研究』第32号、2009年）など。

西﨑 緑（ニシザキ・ミドリ）［第3章］
熊本学園大学社会福祉学部教授。主要著作に、『ソーシャルワークはマイノリティをどう捉えてきたのか──制度的人種差別とアメリカ社会福祉史』（勁草書房、2020年）、「アメリカ公的福祉協会が連邦政府の公的扶助に果たした役割」（『島根大学人間科学部紀要』2、2019年）、「アイナベル・リンジーと草創期の黒人ソーシャルワーカー養成教育」（『明治学院大学社会学・社会福祉学研究』第145号、2015年）など。

丸山雄生（マルヤマ・ユウキ）［第4章、Column 2］
東海大学文化社会学部准教授。主要著作に、「人間であること、動物になること、ゾンビにとどまること──三つのエージェンシーと客体化」（『立教アメリカン・スタディーズ』第41号、2019年）、「アメリカン・ゴリラの愛と死──「改革の時代」のサルたち」（『現代思想』2016年12月号）、「カール・エイクリーと剝製術の発展──20世紀転換期アメリカにおける自然、文化、科学の境界」（『アメリカ史研究』第35号、2012年）など。

ニシャン・シャハニ（Nishant Shahani）［第5章、第6章］
ワシントン州立大学文学部准教授。主要著作に、*Pink Revolutions: Globalization, Hindutva and Queer Triangles in Contemporary India* (Northwestern University Press, 2021)、*AIDS and the Distribution of Crises* (共編著、Duke University Press, 2020)、*Queer Retrosexualities: The Politics of Reparative Return* (Lehigh University Press, 2012) など。

編著者紹介

荒木和華子（アラキ・ワカコ）
新潟県立大学国際地域学部准教授。主要著作に、*Theorizing Gender and Race in Historical Contexts: Invisibilities, Transboundary Imagination, and Post-Colonial Futures beyond 'the Veil'*（編著、国際地域研究学会、2020年）、「19世紀末における「黒人問題」のパナシーア ―― 米国と南アフリカの白人主義に抗う「非政治的な」戦略と準拠軸としてのワシントン型黒人・アフリカ人教育」（『19世紀学研究』第12号、2020年）、「解放民教育「実験」と他者形成 ―― 北軍占領地南部でのアボリショニストによる奴隷解放」（『歴史評論』特集企画「「他者教育」に見るアメリカ」2009年3月号）など。

福本圭介（フクモト・ケイスケ）
新潟県立大学国際地域学部准教授。主要著作に、「吐き気を生きること ―― 大岡昇平の『野火』における戦争神経症」（『平和研究』第51号、2019年）、「非暴力直接行動を再導入する ―― ガンディーと私たちの未完の脱植民地化」（『国際地域研究論集』第5号、2014年）、「非暴力の力とは何か ―― ガンディーのサッティヤーグラハから考える」（細井保編著『20世紀の思想経験』法政大学出版局、2013年）など。

執筆者紹介および担当章（執筆順）

貴堂嘉之（キドウ・ヨシユキ）［序文］
一橋大学大学院社会学研究科教授。主要著作に、『シリーズ　アメリカ合衆国史② 南北戦争の時代 19世紀』（岩波新書、2019年）、『移民国家アメリカの歴史』（岩波新書、2018年）、『アメリカ合衆国と中国人移民 ―― 歴史のなかの「移民国家」アメリカ』（名古屋大学出版会、2012年）など。

ルイーズ・M・ニューマン（Louise Michele Newman）［第1章］
フロリダ大学歴史学部准教授。主要著作に、"Reflections on Aileen Kraditor's Legacy: Fifty Years of Woman Suffrage Historiography, 1965-2014" (*The Journal of the Gilded Age and Progressive Era* 14, 2015)、"Women's Rights, Race and Imperialism in U.S. History, 1870-1920" (*Race, Nation, and Empire in American History*, The University of North Carolina Press, 2007)、*White Women's Rights: The Racial Origins of Feminism in the United States* (Oxford University Press, 1999) など。

帝国のヴェール
――人種・ジェンダー・ポストコロニアリズムから解く世界

二〇二一年一一月二〇日　初版第一刷発行
二〇二三年四月二〇日　初版第三刷発行

編著者――荒木和華子・福本圭介
発行者――大江道雅
発行所――株式会社 明石書店
〒一〇一-〇〇二一 東京都千代田区外神田六-九-五
電　話　〇三-五八一八-一一七一
ＦＡＸ　〇三-五八一八-一一七四
振　替　〇〇一〇〇-七-二四五〇五
http://www.akashi.co.jp
装　丁――間村俊一
印刷／製本――モリモト印刷株式会社
ISBN978-4-7503-5295-4
（定価はカバーに表示してあります）

ホワイト・フラジリティ
私たちはなぜレイシズムに向き合えないのか？

ロビン・ディアンジェロ［著］
貴堂嘉之［監訳］　上田勢子［訳］

◎四六判／上製／256頁　◎2,500円

私は相手の肌の色など気にしない。人格で判断すべきと分かっているから――だがこうした差別の否認は、白人の心の脆さ（ホワイト・フラジリティ）と特権を示しているだけだ。マジョリティの誰もが人種差別主義（レイシズム）を抱える根拠と対処法を明示し、米国で大反響を巻き起こしたベストセラー。

●内容構成

〈価格は本体価格です〉